Bedeutung des Zahns

4 Jean Fouquet: das Martyrium der hl. Apollonia. Heures d'Etienne Chevalier, um 1455. (Musée Condé, Chantilly. Photo: Lauros-Giraudon).

mit geweihtem Wasser aus dem Taufbecken aus, so blieb es von den Beschwerden des Zahndurchbruchs verschont. Aus dem gleichen Grund sollte eine Mutter bei der Rückkehr vom Kirchgang ihren Atem in den Mund des Kindes blasen. In der Schweiz fütterte man Babys mit einem Brei aus Lindenknospen, die am Karfreitag um 12 Uhr gepflückt sein mußten. Einer weltlicheren Empfehlung zufolge wurde angenommen, daß eine Amme mit blondem – d. h. sonnenfarbenem – Haar für beschwerdefreies Zahnen des Kindes sorge.

Abweichungen vom normalen Verlauf des Zahndurchbruchs wurden mit Beunruhigung zur Kenntnis genommen; alles, was von der Norm abwich, war falsch – und was falsch war, wurde als böses Omen gewertet. Ein Kind, das bereits mit Zähnen zur Welt kam, wurde als Bedrohung für die Familie empfunden und oft ertränkt oder auf andere Art umgebracht. Solche Kinder könnten ja Zauberer, Hexen oder Vampire werden; und Shakespeares Beschreibung von Richard III. – ,,Hund, der eher Zähne als Augen hatte'' – gibt zweifelsohne die zeitgenössische Auffassung wieder. Als Quelle dazu muß Shakespeare die *History of England* des Altertumsforschers des 15. Jahrhunderts, John Rous, gedient haben. Ob es nun stimmte oder nicht, daß der spätere König mit vollständigem Gebiß zur Welt kam – und einer der sogenannten Zeugen blind war –, dieser Tatbestand wurde jedenfalls dazu benutzt, ihn als dämonisches Ungeheuer zu beschreiben. Plinius hielt dagegen als einziger seiner Zeit, möchte man meinen, ein Kind, das mit Zähnen zur Welt kam, für ein Glückskind, das sehr wohl zu einem Genie werden könnte. Aber je mehr man sich unserer Gegenwart nähert, verbindet man mit Zähnen schon zur Zeit der Geburt ein drohendes Unheil. In einigen Gegenden der Welt bedeutet der frühe Zahndurchbruch auch einen frühen Tod. Ein spanisches Sprichwort lautet: ,,Wenn ein Kind Zähne bekommt, hält der Tod Ausschau.'' Als Extrem zur anderen Seite hin sei auf einen Grabstein in Gayton-le-Marsh (Lincolnshire) hingewiesen, für ,,Elizabeth Cook, eine arme Frau, die nie einen Zahn im Mund hatte. Sie starb am 11. Juni 1798''.

Standen die Zähne weit voneinander entfernt, so war das ein Glückszeichen; waren sie unregelmäßig, so war das ein Zeichen für Unbeständigkeit. Gelbe Zähne wiesen auf Kränklichkeit hin, lange Zähne verrieten gar Bösewichte, Verräter und Eifersüchtige; lange Vorderzähne bedeuteten Sinnlichkeit, auch Grausamkeit. Diese Art der dentalen Ausdruckskunde mündete 1865 in die Pseudowissenschaft der ,,Odontologischen Physiognomie'', einer kurzlebigen Erscheinung.

Parallel zu diesen magischen und halbreligiösen Auffassungen gab es eine Anzahl von Heilmitteln und -methoden, die, so phantastisch das auch heute erscheinen mag, in sehr frühen medizinischen Annahmen wurzelten und die Grundlage auch für die seriöse Zahnbehandlung bildeten. Wir haben gut lächeln, aber wer von uns schlief noch nie mit einem Milchzahn unter dem Kopfkissen, in der vertrauensvollen Erwartung, statt seiner beim Aufwachen eine Münze vorzufinden? Als die Verfasserin gerade damit beschäftigt war, das vorliegende Buch zu schreiben, wünschte man ihr, nur ja nicht von Zähnen zu träumen, da das mit Sicherheit einen Todesfall ankündige.

Beruf des Zahnarztes

Im zwanzigsten Jahrhundert ist der Zahn vom hochgeschätzten Organ, selbst einer Gottheit, zu einem degenerierten und oft vernachlässigten Ärgernis herabgesunken. Und tatsächlich gab man ihm noch zu Beginn dieses Jahrhunderts die Schuld an chronischen Krankheiten. Man sagte ironisch: ,,Irgend etwas wird durch das Zähneziehen schon kuriert werden, einschließlich des törichten Glaubens, durch Zähneziehen alles kurieren zu können."

Ein kurzer Überblick über den Beruf des Zahnarztes

Eine Darstellung, die die Entstehung des Zahnarztberufes als einer Dienstleistung erhellen kann, darf immer auf Interesse rechnen. Da es noch immer eine Vielzahl von Zahnerkrankungen gibt, kann eine solche Untersuchung durchaus Bezug zur Gegenwart haben. Die Annahme, daß die Gesundheit der Zähne vor einigen Jahrhunderten ausgezeichnet gewesen sein soll, ist mit Sicherheit widerlegbar. Schlecht gemahlenes Mehl mit Resten von Schrot und Sand, harte Kerne und Knochen rieben die Zähne übermäßig ab; schon im Frühmittelalter wurden von den Sachsen Zahnfleischentzündungen beschrieben. Wie wir bereits bemerkt haben, galten locker werdende Zähne als Zeichen schwindender Kräfte; tatsächlich glaubte der griechische Philosoph Aristoteles, daß diejenigen, die über mehr Zähne verfügten, auch langlebiger seien. Da er jedoch ebenfalls davon überzeugt war – dieser Ansicht war übrigens auch Plinius –, daß Frauen weniger Zähne haben als Männer, dürfte diese Annahme wenig logisch sein. Solchen Zeichen von Unwissen zum Trotz ist es offenkundig, daß es die Sorge um verschiedene Störungen der Zahngesundheit und Versuche, hier Erleichterung zu schaffen. von frühester Zeit an gegeben hat. Es gibt einen ägyptischen Hieroglyphentext, der sich u. a. mit Zähnen beschäftigt, der *Papyrus Ebers* von etwa 1550 v. Chr., der 1872 in Theben aufgefunden wurde. In den Schriften von Hippokrates, Galen, Oreibasios, Celsus, Aurelianus, Paul von Ägina und anderen sowie in den Werken der arabischen Chirurgen sind Hinweise auf die Pflege und Erhaltung der Zähne enthalten. Bei diesen Überlegungen ging es meistens um Karies, Fehlstellungen und Extraktionen. Die zahnärztliche Kunst erreichte mit der römischen Zivilisation einen ersten Höhepunkt, verfiel aber auch wieder mit ihr.

Im *Lexikon des Teufels* definierte Ambrose Bierce (1842–1914) einen Zahnarzt wie folgt: ,,Zahnarzt, ein Taschenspieler, der dir das Geld aus der Tasche zieht, indem er Metall in deinen Mund steckt!" Nur mit Bedauern kann man die Tatsache zur Kenntnis nehmen, daß vor einigen Jahrhunderten viele diesem Ausspruch zugestimmt hätten, so oft wurde die Zahnheilkunde mit Geld in Verbindung gebracht. Ein Dekret des IV. Lateranischen Konzils von 1215 teilte die Ausübung der Heilkunde nach Ärzten und Chirurgen auf, wobei es die Mönche, in deren Händen die ärztliche Fürsorge bis dahin zumeist gelegen hatte, vom Aderlassen ausschloß (Abb. 6). Daraufhin unterwiesen die Mönche ihrerseits die Barbiere, welche die Klöster

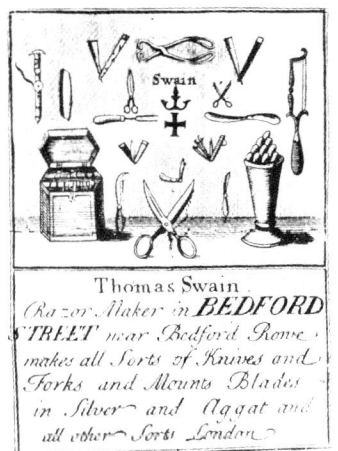

5 *Geschäftskarte des Messerschmiedes Thomas Swain, als Quittung benutzt; um 1740. Oben links ist ein zahnärztlicher Pelikan zu erkennen. (Museum of London).*

in Ausübung ihres Berufes besuchten und naturgemäß geübt im Umgang mit Messern waren, unter ihrer Aufsicht chirurgische Eingriffe vorzunehmen. Die Mönche wandten sich vom Zahn und seinen Problemen ab, hielten aber die Traditionen der griechischen Medizin während des Mittelalters aufrecht. Diejenigen, die dann noch übrigblieben, sich um das Wohl und Wehe des Zahns zu kümmern, waren Barbiere, die im Grunde Handwerker waren, fahrende Zahnzieher, wahrscheinlich die Erfahrensten unter ihnen, sowie Marktschreier, bei denen es sich natürlich um Schausteller handelte. Die Zahnbehandlung verkam zur Pfründe dieser drei Gruppen von Behandlern, über deren Wirken es nur sehr wenige Zeugnisse gibt.

Im 12. Jahrhundert konnte ein Zahnzieher ebensogut Aufseher des öffentlichen Bades sein; seine Aufgabe konnte auch darin bestehen, sowohl denjenigen, die während der Fastenzeit Fleisch aßen, die Zähne zu ziehen, als auch in Strafprozessen Geständnisse aus den Verdächtigen herauszupressen. Das volkstümliche Bild eines Zahnziehers war das eines Mannes, der eine spitze Kappe mit den Insignien der heiligen Apollonia und eine Halskette aus gezogenen Zähnen trug und dabei sein Geschick als schmerzlos arbeitender Operateur hinausschrie. Daraus ist die französische Redensart ,,Er lügt wie ein Zahnzieher" entstanden. Die entsprechende Redensart in Deutschland lautete: ,,Er schreit wie ein Zahnzieher". William Langland, englischer Dichter aus dem 14. Jahrhundert, erwähnte in *Piers Plowman* ,,Gepäckträger, Taschendiebe und gehäutete (i. e. glatzköpfige) Zahnzieher", um die Art der Gesellschaft zu beschreiben, mit der man es zu tun haben würde.

1415 wurde in England ein Verbot der Quacksalberei erlassen, und in jeder Stadt wurden die Mitglieder der Barbierzünfte vor den Bürgermeister oder vor die Ratsherren zitiert, um dort ihre Geschicklichkeit sowie ihre Heilmethoden unter Beweis zu stellen. Die Meister wurden angewiesen, alle im Gebrauch befindlichen Instrumente zu überprüfen, taten sie es nicht, so hatten sie eine Strafe von 40 Pence zu zahlen. 1462 wurde ein Antrag zur Bildung einer Körperschaft gestellt, in welchem das Zahnziehen besonders erwähnt wurde. Jedoch erst 1540 gewährte Heinrich VIII. in einem Dekret die Bildung einer *United Company of Barbers and Surgeons,* einer Zunft der Barbiere und Chirurgen.

Man nimmt an, daß sich der beschriebene Typus des Dentisten wohl aus dem Umstand heraus entwickelt hat, daß es einfach sehr wenige Menschen gab, die genügend Mut aufbrachten, Zähne zu ziehen. Alle schriftlichen Überlieferungen boten derartig viele Beschreibungen und Ratschläge, wie die Extraktion zu vermeiden sei – so sollte z. B. vom Fett eines grünen Frosches der schlechte Zahn ganz einfach herausfallen –, daß daraus ganz klar abzulesen ist, daß die Extraktion bei der Behandlung des Zahnwehs als das äußerste Mittel angesehen wurde.

Zwischen dem frühen Mittelalter und der Renaissance schritt die Entwicklung der Zahnbehandlung kaum voran. Guy de Chauliac (1300–1368), der bedeutendste Gelehrte aus der Schule von Montpellier, schrieb ein Handbuch, *Chirurgia Magna* (nach 1478 gedruckt), in dem er eine detaillierte Übersicht über den Stand der

Beruf des Zahnarztes

6 *Kautern des Mundes. Französisches Manuskript aus dem 13. Jahrhundert. (Trinity College, Cambridge).*

7 *Fahrender Zahnarzt und seine Familie bei jedem Wetter. Man beachte den Stuhl mit Kopfstütze. Malerei auf Holzplatte, um 1840. (Museum of the Baltimore College of Dental Surgery, Baltimore, Md.).*

1 Einführung

Farbtafel I *Zahnentfernung im 14. Jahrhundert; Man beachte das Halstuch mit Zähnen. Aus der Enzyklopädie des Jacobus the Englishman. Royal MS. 6E V1 f. 503 (The British Library, London).*

Beruf des Zahnarztes

Farbtafel II *Die Porzellangruppe aus dem 19. Jahrhundert zeigt den Unterhaltungswert des Zahnziehens. (Peter Goodwin, London).*

Zahnheilkunde gibt, die jedoch kaum Fortschritte oder Neuerungen aufwies. Immerhin stellte er eine Liste der notwendigen Instrumente zusammen, aus der hervorgeht, daß sich der Wissensstand derer, die sie handhabten, ständig vermehrte. In einem früheren Manuskript benutzte er das Wort „dentista" anstelle von „dentator", woraus die Entwicklung der Bezeichnung für jene, die sich auf die Zahnbehandlung spezialisiert hatten, abzulesen ist. Der Gebrauch dieses Terminus in England wurde eine Zeitlang als Erscheinung jener Mode angesehen, in der alles Französische als schick galt. 1530 kam in Deutschland ein Werk heraus, das sich ausschließlich mit Zähnen befaßte, in Wirklichkeit jedoch nur die alten Lehren in volkstümlicher Form wiedergab. Der flämische Chirurg Andreas Vesalius (1514–1564) arbeitete intensiv an der Erforschung von Zahnbildung und -struktur. Er war der erste, der zwischen Molaren und Prämolaren unterschied und das Vorhandensein der Pulpakammer (Cavum dentis) demonstrierte. Auch mit seiner Feststellung, daß Frauen ebenso viele Zähne wie Männer haben, war er der erste. Seine Angabe wurde von späteren Autoren ignoriert, so daß man sich fragt, wie viele Chirurgen denn wohl in den Mund einer Frau jemals geschaut haben mögen. Nach Vesalius kamen Gabriele Fallopia (1523–62) und Bartolomeo Eustachi (1520–1574), der Autor eines der ersten Traktate über Zähne, *Libellus de dentibus,* 1563 in Venedig veröffentlicht.

Im ausgehenden 16. Jahrhundert wurde die Benennung Dentist von der als „Operateur für die Zähne" abgelöst, diese Bezeichnung brachte dem Berufsstand ein etwas respektableres Ansehen. Der Zahnzieher alten Stils, noch immer mit Halsketten aus Zähnen, heiligen Reliquien und, als Zeichen feiner Lebensart, nun zusätzlich mit einem Zahnstocher (s. Kapitel 7) geschmückt, war auf Jahrmärkten und Marktplätzen anzutreffen. Alle Schriftsteller, so scheint es, erwähnen die Zahnzieher von nun an mit anerkennenden Worten.

Die bereits erwähnte Trennung der Zahnheilkunde von der allgemeinen Medizin trat im 17. Jahrhundert deutlich hervor. Zum Thema der Zahnheilkunde wurde nun auch mehr geschrieben, aus diesen Veröffentlichungen geht jedoch hervor, wie dürftig ihr Standard weiterhin war. Immer noch hielt man daran fest, daß es Würmer in den Zähnen geben müsse und daß die Zahnschmerzen, die ja oft mit Ohrenschmerzen einhergingen, mit Anwendungen durch das Ohr behandelt werden könnten. Einige behaupteten gar, daß der Aderlaß und ein Abführmittel, gefolgt von Zugpflastern und anderen Pfläsaterchen, ein sicheres Mittel zur Bekämpfung des Zahnschmerzes darstellten. Einer anderen Schule zufolge sollte der Schweiß, der einer Katze an einer bestimmten Stelle zwischen den Beinen entnommen wurde, nachdem man sie über ein gepflügtes Feld gejagt hatte, ebenfalls wirkungsvoll sein.

Das erste in englischer Sprache geschriebene Buch über die Zahnheilkunde war das 1685 in Dublin veröffentlichte Werk von Charles Allen *Curious Observations on the Teeth* (später unter dem Titel *The Operator for the Teeth* bekannt geworden). Es ist interessant, daß dieses Buch zu einer Zeit nicht endenden Unheils in Irland überhaupt veröffentlicht wurde; vermutlich hielt man es nicht für kontrovers. Es gibt darin einen interessanten und wichtigen Punkt, in welchem Charles Allen mit den Zahnärzten seiner Zeit nicht einer Meinung war: Er hielt es für die Pflicht „derer, die unter einer rechtmäßigen Regierung leben, soviel sie nur können (auf ihrem Gebiet) zum öffentlichen Wohle beizutragen". Im allgemeinen widerstrebte es den Menschen damals sehr, ihre Erfahrung und ihr Wissen weiterzuvermitteln; taten sie es dennoch einmal, so war das, was sie geschrieben hatten, vielen Zeitgenossen nur schwer zugänglich.

Um die Wende des 17. Jahrhunderts erreichte die Zahnheilkunde in Paris einen Höhepunkt. Pierre Fauchard (1678–1761) erhob die Zahnheilkunde von „einem Handwerk für Vagabunden" in den Stand eines gelehrten Berufes. 1699 wurde in Frankreich ein Edikt erlassen, welches die Stellung der Zahnbehandler als unterschiedlich zu der der Ärzte, Chirurgen oder Barbiere festlegte. Doch die Examina für die Zahnheilkunde wurden immer noch von Ärzten und Chirurgen durchgeführt, sehr zum Leidwesen Fauchards. Er war der Ansicht, daß diese in ihrem eigenen Fach sehr wohl gelehrte Männer sein mochten, nicht aber in seinem. 1728 veröffentlichte er sein umfangreiches und wichtiges Werk *Le Chirurgien Dentiste*. Als Mann vom Fach hatte er viel gegen den Zahnzieher hervorzubringen.

„Ein zuvor bestochener Mann erscheint, wenn der Marktschreier nach jemandem mit Zahnschmerzen ruft. Der Schwindler legt ihm einen vorher gezogenen Zahn zusammen mit einem Stückchen blutiger Hühnerhaut in den Mund, und schon bald sieht das vor Schreck erstarrte Publikum, wie der ‚Patient' als Resultat dieser schmerzlosen Extraktion einen ausgewachsenen blutigen Zahn ausspuckt."

Die profitable Seite der Zahnheilkunde wurde nun von vielen wahrgenommen; trocken bemerkt Fauchard: „Es wird bald mehr Zahnärzte geben als Personen, die an Zahnerkrankungen leiden." Als einer jener, die das Vorhandensein von Würmern in den Zähnen bestritten, übte er einen bedeutenden Einfluß auf die Zahnheilkunde der nächsten hundert Jahre aus.

Die Lehren Fauchards fanden ihren Weg nur langsam über den Ärmelkanal. Das mag an den Sprachunterschieden, der Politik oder am nationalen Chauvinismus gelegen haben. Im Vereinigten Königreich gingen die Dinge nur sehr zögernd voran; abgesehen von der Extraktion gab es kaum Behandlungsmethoden. In seiner ungenierten werblichen Aussage ist das 1719 in London von einer frühen Dentistin im *Post Boy* aufgegebene Inserat als typisch anzusehen:

„Die Witwe des verstorbenen Dr. Povey, Operateur für Zähne, übt nun den gleichen Beruf aus; sie reinigt Zähne, setzt künstliche Zähne so mühelos ordentlich und fest ein, daß sie auf Jahre hinaus nicht herausgenommen zu werden brauchen ... und sie verkauft alle seine Arzneien ... Sie hat einen Cephalick, der Zahnschmerzen innerhalb einer Minute bestimmt beseitigt, sie hat in England nicht ihresgleichen, und sie füllt hohle Zähne so, daß der Schmerz nie wiederkehren wird."[4]

1 Einführung

Dank der Arbeit von John Hunter (1728–1793) erhielt die Zahnheilkunde in Großbritannien eine wissenschaftliche Grundlage, und so war ein erster Schritt zu besserem Wissen getan. 1771 veröffentlichte er *Natural History of the Teeth,* 1778 gefolgt von *Pathology of the Teeth.* Seine Untersuchungen waren umfassend und genau; die von ihm benutzten anatomischen Präparate sind immer noch zu besichtigen. Er förderte eine ernsthaftere Einstellung zu den Problemen der Zahnbehandlung, so war er zum Beispiel der erste, der behauptete, daß ständiger Druck die Stellung der Zähne verändern könne, und stellte damit einen frühen Lehrsatz der Kieferorthopädie auf.

Dennoch gab es weder eine organisierte Ausbildung noch eine Qualifikation für die Niederlassung als Dentist. Das Handwerk konnte nur durch eine Lehre erlernt werden. 1820 bot Levi Spear Parmly (1790–1859) – die Familie Parmly hat in zwei Generationen 18 Dentisten hervorgebracht (Abb. 9) – für 100–200 Guineen Unterweisung in der Kunst der Zahnheilkunde an. Ein anderer Dentist bot sein eintägiges Lehrprogramm für 50 englische Pfund an. Die Bedingungen der Lehre waren hart, und die jungen Männer mußten feierlich geloben, das Gelernte geheimzuhalten. Die Dauer der Lehrzeit lag zwischen fünf und sieben Jahren. Während dieser Zeit durfte ein junger Mann nicht heiraten, er sollte dem Würfel- und Kartenspiel sowie dem Besuch von Schenken und Theatern entsagen. Die ihm gestellten Aufgaben mußte er mit aufrichtigem Bemühen zu bewältigen versuchen, und er mußte es akzeptieren, sich das chirurgische Wissen so anzueignen, wie es ihm gerade in den Weg kam – d. h. früh am Morgen, wenn die Armen zur Behandlung erschienen. Und das bei einem Lehrgeld, das bis zu 500 englische Pfund betragen konnte.

Da die Anzahl der damaligen Zahnbehandler nicht überliefert ist und es auch noch keine zahnärztliche Fachzeitschrift gab, können wir uns schwerlich ein vollständiges Bild machen. Bei den wenigen, die zumindest mit geringem Können oder Erfolg praktizierten, hat es sich wohl um qualifizierte Chirurgen gehandelt. Die große Mehrheit unter ihnen war jedoch offensichtlich ungebildet und hatte einen schlechten Ruf. Schnell ergriffen sie die Gelegenheit, hier ein lukratives Geschäft zu machen. Man sagte: ,,Das Sprichwort, daß sich jeder Narr zum Pfarrer eigne, kann noch zutreffender und wahrhaftiger auf den Beruf des Dentisten angewandt werden." Bestand die Mehrzahl doch immer noch aus jenen Quacksalber-Zahnziehern und Grobschmieden, die auf den ländlichen Jahrmärkten Zähne zogen, wobei die Schreie der Leidenden von rauher Musik übertönt wurden; eine Unterhaltung, die noch zu Ende des neunzehnten Jahrhunderts von Thomas Hardy beschrieben wurde (Farbtafel II). In Frankreich wurden einige Bilder gemalt, auf denen Affen als Zahnärzte dargestellt waren und so das im Volk verbreitete Ansehen der meisten Praktiker widerspiegelten. Da eine gute Zahnbehandlung noch nicht möglich war, mußten viele Schmerzen ausgehalten werden. Abgesehen davon, daß eine Fachausbildung fehlte, standen auch nur wenige brauchbare Instrumente – die eine wesentliche Voraussetzung für die Zahnbehandlung sind – zur Verfügung, und so sollte es noch bis zur

Beruf des Zahnarztes

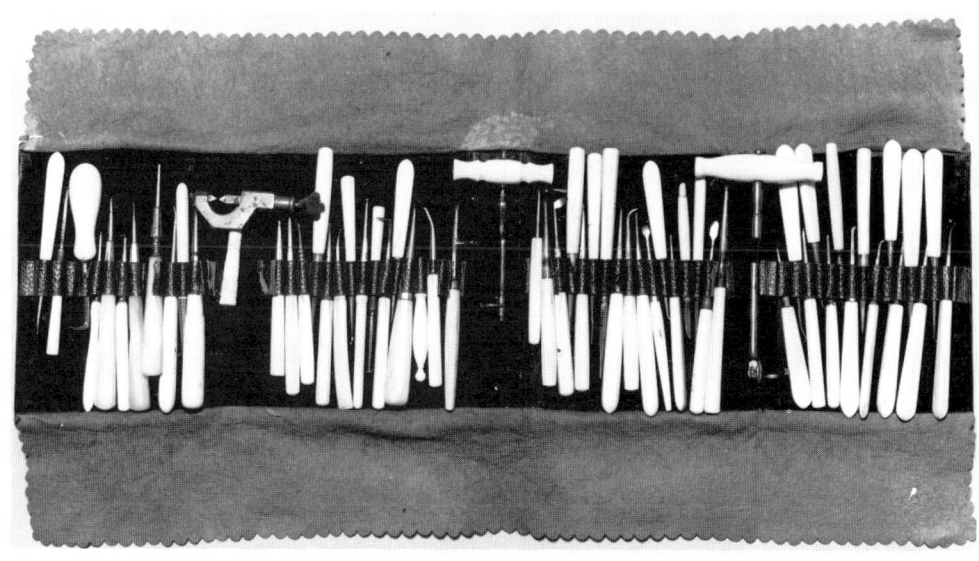

8 *Zahnärztliche Instrumente, frühes 19. Jahrhundert, jedes etwa 16 cm. (Howard Dittrick Museum of Historical Medicine, Cleveland, Ohio).*

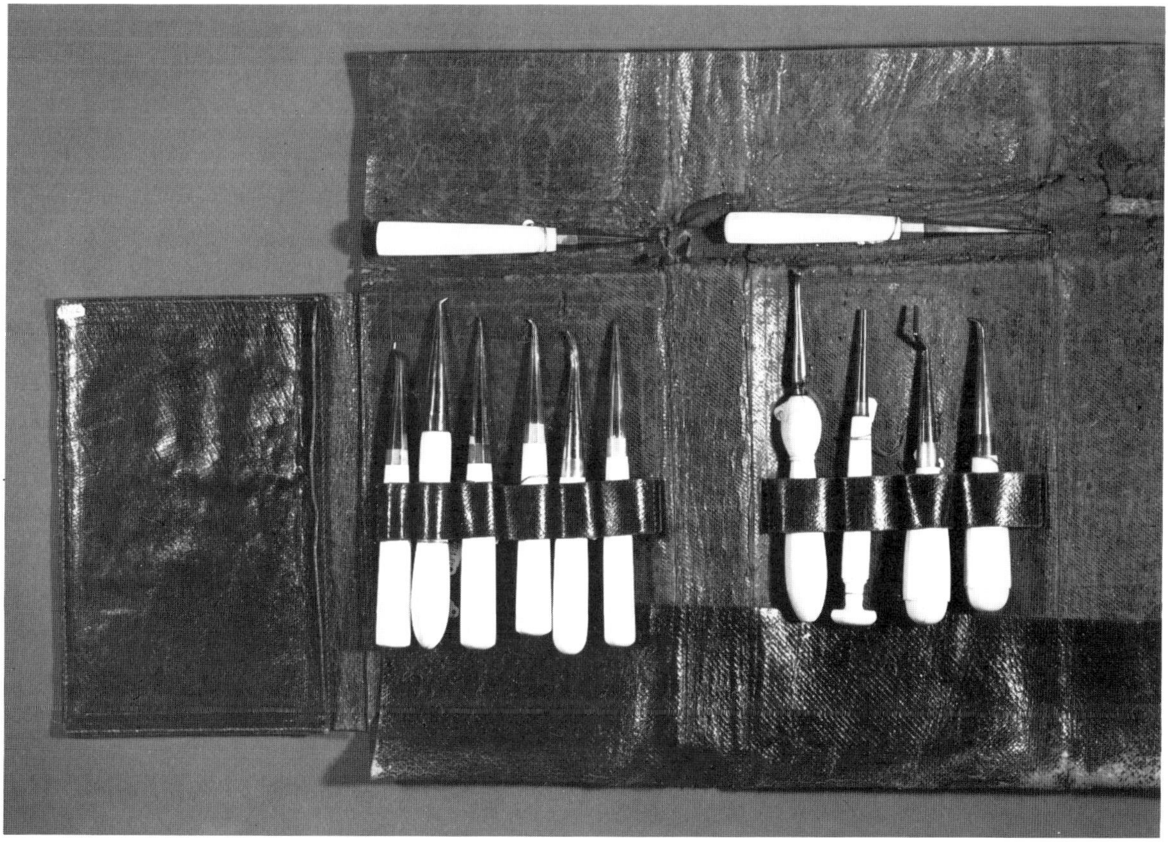

9 *Ledertasche mit Goldfolienstopfern mit Elfenbeingriffen, um 1850. Jedes Instrument ca. 14 cm. Aus dem Besitz von Dr. Samuel und Dr. Henry Parmly. (American Dental Association, Chicago, Ill.).*

1 Einführung

Mitte des neunzehnten Jahrhunderts dauern, bis sich eine wirkliche Verbesserung abzeichnete.

Auf der anderen Seite des Atlantiks entwickelten sich die Dinge etwas anders. 1749 annoncierte ein Sieur Roguet aus Paris in einer Bostoner Zeitung unter vielem anderem mehr, daß „er nur gegen Barzahlung für Personen von Stand und Mitglieder des Parlaments arbeitet."

John Hunters großer Einfluß auf die britische Zahnheilkunde berührte Amerika kaum, denn in der Zeit der Unabhängigkeitskriege wurden nur wenige Bücher importiert. Andererseits gingen einige britische Dentisten selbst nach Amerika, unter ihnen Robert Wooffendale (1742–1828) etwa um 1766, ferner Fendall (geb. 1753) und, im Jahre 1767, John Baker (1732–1796), der einer der vielen Zahnärzte George Washingtons wurde. Baker nahm den Patrioten und Silberschmied Paul Revere (1734/35–1818) als Schüler an. Nach der Schlacht von Bunker's Hill und dem darauffolgenden britischen Rückzug aus Boston machte er sich mit zwei weiteren Männern auf den Weg, um den Leichnam von General Warren zu suchen. Allein Revere gelang es, ihn unter allen bereits stark verwesten Leichen mit Sicherheit zu identifizieren – und zwar aufgrund der Brücken in seinem Munde, die er selbst konstruiert hatte. Daß ein Silberschmied Dentist wurde, war nichts Ungewöhnliches; in der Frühzeit der Kolonien war die Zahnheilkunde eine Nebenbeschäftigung von Männern, deren Hauptberuf vom Elfenbeindrechsler bis hin zum Perückenmacher reichen konnte.[5] In der Anziehungskraft, die dieser Beruf auf alle die ausübte, die über ein besonders manuelles und technisches Talent verfügten, liegt einer der Hauptgründe dafür, daß Amerika in der vollständigen Restaurierung des Mundes eine Vorrangstellung einnahm. Um 1770 annoncierte Paul Revere in der *Boston Gazette* oder im *Country Journal*, daß er Zahnbehandlungen „ebensogut wie irgendein anderer je aus London gekommener Zahnoperateur" vornehmen könne. In der Tat war die Mehrzahl der als Besucher gekommenen britischen Dentisten hauptsächlich auf den Verkauf von Zahnbürsten und Zahnpasten aus, und so hielten sie sich nirgends lange genug auf, um ihre Kenntnisse – welcher Art auch immer diese gewesen sein mögen – weiterzugeben. Robert Cartland Skinner (gest. 1834) stellte eine Ausnahme dar. Er praktizierte am Armenhospital von New York und schrieb 1801 seinen *Treatise on the Human Teeth,* die erste Arbeit dieser Art, die in Amerika veröffentlicht wurde. Damit übernahm Amerika die Führung auf dem Gebiet der Zahnheilkunde.

Die erste zahnärztliche Vereinigung der Welt, die *Society of Surgeon-Dentists in the City and State of New York,* wurde 1834 gegründet, außerdem, im Jahre 1839 als erste dieser Art in der Welt, eine Hochschule für Zahnärzte, das *Baltimore College of Dental Surgery* mit Dr. John Harris (1798–1848), der als erster Amerikaner Fachunterricht gab. Das College war ein Privatunternehmen, wurde aber vom Staat anerkannt. Dort wurde nicht nur gelehrt, sondern es wurde auch ein Diplom verliehen, welches den Absolventen des College fachliche Qualifikation bescheinigte. In Amerika wurden mehr Hochschulen für Zahnärzte gegründet als irgendwo sonst (Abb. 10).

AMERICAN SOCIETY OF DENTAL SURGEONS
Organizers: Present personally, 15; present by proxy, 2; present by letter, 9; present by invitation, 12; Total, 38.

10 *Siegel der ersten nationalen zahnärztlichen Gesellschaft, der American Society of Dental Surgeons, 1839. (Museum of the Baltimore College of Dental Surgery, Baltimore, Md.).*

Dort war es leichter, Hochschulen einzurichten, da man weniger gegen Vorurteile anzukämpfen hatte, und es auch keine medizinischen Hochschulen gab, die ihr Recht auf einen Studiengang geltend machen konnten, den sie bis dahin ignoriert oder vernachlässigt hatten. Auf drei Grundpfeilern sollte sich der Berufsstand stützen, erstens die Hochschule in Baltimore, zweitens die *American Dental Association* zur Förderung wissenschaftlicher Studien, der Diskussion und der Einführung von Neuerungen sowie der Zusammenarbeit ihrer Mitglieder. Mit dem Ziel, Wissen zu verbreiten und zu Verbesserungen in der Ausbildung anzuregen, wurde drittens 1839 die Fachzeitschrift *The American Journal of Dental Science* ins Leben gerufen. Dies alles geschah, während sich gleichzeitig diese drei Dinge im Vereinigten Königreich unterschiedlich entwickelten.

In Großbritannien wurde William Rae von John Hunter dazu überredet, 1782 in seinem Hause am Leicester Square Vorlesungen über Zahnheilkunde zu halten. Einer seiner ersten Schüler war Joseph Fox (1776–1816), der später, im Jahre 1803, Vorlesungen im *Guy's Hospital* hielt. Dieses äußerst spärliche Maß an Unterweisung konnte jedoch nur wenig ausrichten (Abb. 11). Grob irreführende und unseriöse Werbung gab es im Übermaß, und das spürbare Fehlen ethischer Grundsätze führte dazu, daß Angehörige dieses Berufsstandes allgemein als Gauner angesehen wurden. Im Vergleich zu den auf Rummelplätzen praktizierenden Dentisten standen die in feinen Wohngegenden in elegant möblierten Räumen praktizierenden Behandler bald hoch im Kurs, und mit ihren krassen Forderungen und unangemessenen Honoraren häuften sie schnell große Reichtümer an.[6] Selbst Samuel Cartwright (1789–1864), ein sehr geachteter Praktiker, der, während er die Anatomie erlernte, als technischer Assistent bei einem Zahnarzt arbeitete, hatte am Tag zwischen 40 und 50 Patienten, und es hieß von ihm, er habe im Jahr 10 000 englische Pfund verdient. Derart hohe Verdienstmöglichkeiten führten zu beträchtlicher Geheimhaltung von Methoden und Entdeckungen.

Auf Anregung von Alexander Nasmyth (gest. 1848) und Sir John Tomes (1815–1895), die beide viel zur Förderung der englischen Zahnheilkunde beigetragen hatten, wurde 1856 die *Odontological Society of London* gegründet. Samuel Cartwright war ihr erster Präsident, und das *British Journal of Dental Science* veröffentlichte die Sitzungsprotokolle der Gesellschaft. Im gleichen Jahr war bereits eine Versammlung einberufen worden, auf welcher die Möglichkeiten zur Einrichtung eines College für Zahnärzte erwogen werden sollten. Einigen Mitgliedern machte man, u. a. aufgrund ihrer als privat angesehenen Zusammenkünfte, erbitterte Vorwürfe. Als das College schließlich eingerichtet wurde, war seine Gründungszeit von Streit und Zwistigkeiten erfüllt. 1863 wurde es mit der *Odontological Society of Great Britain* zusammengeschlossen. Inzwischen waren 1859 am Soho Square eine Zahnklinik und eine Schule entstanden. Die Annahme des vorgestellten Lehrplans scheiterte am Widerstand der Zahnärzte, welche die Zahnheilkunde nicht als Zweig der Chirurgie anerkennen wollten, was bei ihnen ein Gefühl der Minderwertigkeit ausgelöst hätte. Wiederholt wurden Gesuche um Anerkennung an das *Royal College of Surgeons* in London gerichtet, was zur Folge hatte, daß die Gründungsakte endlich um das Recht erweitert wurde, Prüfungen durchzuführen und Approbationen zu erteilen.

Die satirische Zeitschrift *Punch* schrieb im Mai 1861, sie sei

> *„sehr erfreut zu beobachten, daß sich die gebildeten und ehrenwehrten Mitglieder eines Berufes, welcher der Öffentlichkeit solch unschätzbare Dienste erweise, nun in dem Bemühen zusammengeschlossen hätten, eine Trennungslinie zwischen sich und den Kurpfuschern und Snobs zu ziehen, die nur Schande über den Namen des Dentisten gebracht hätten. Zwar sollte kein denkender Mensch den ausgebildeten Gelehrten der Anatomie, dessen Behandlung des Mundes auf den Grundsätzen der Wissenschaft beruhe, mit dem vulgären und habgierigen Geschöpf verwechseln, das einzig und allein danach trachte, sich einen lukrativen Job zu verschaffen, und von dem man überdies wisse, daß er den Zähnen seiner unglücklichen Opfer vorsätzlich Schaden zufüge, um so ein höheres Honorar herauszuschinden; aber die Welt bestehe nun einmal nicht aus denkenden Menschen."*

1859 wurde der *Medical Act* dahingehend geändert, daß die nach diesem Gesetz approbierten Zahnärzte eingetragen wurden, was jedoch auf den Widerstand der nicht in diesem Sinne ausgebildeten Behandler stieß. Die Bemühungen des *College of Dentists*, den Status eines *Royal College of Dentists* zu erlangen, schlugen fehl. James Robinson (1816–1862) gründete eine zweite Zahnklinik in London, die *Metropolitan School of Dental Science,* die schließlich unter die Leitung des *University College Hospital* gestellt wurde. Später wurden in anderen Städten ebenfalls Hochschulen gegründet, die zumeist eine Abteilung bereits bestehender medizinischer Schulen waren. 1880 lag ein für vier Jahre eingerichteter Studiengang vor (ein Lehrplan übrigens, dem die Vereinigten Staaten – wie sie sich jetzt nannten – für weitere 50 Jahre die Anerkennung versagten). Im Jahre 1880 gab es 4000 Personen, die eine Lehre gemacht hatten, aber nur 500 waren im Besitz des vom *Royal College of Surgeons* verliehenen Diploms.

Ab 1879 mußten alle Zahnbehandler bei der neugebildeten *British Dental Association* eingetragen werden. Noch während dieses Verfahrens ergriff die Vereinigung die Gelegenheit, alle offenkundigen und bekannteren Quacksalber auszuschließen. Zu diesem Zweck mußte sie sich eilends gemäß dem *Company Act* von 1865 zu einer limitierten Gesellschaft wandeln, um Rechtsstreitigkeiten mit den gekränkten und ausgeschlossenen Scharlatanen vorzubeugen. Dessenungeachtet befand ein im Jahre 1919 zur Überprüfung der praktischen Auswirkungen des Zahnarztgesetzes von 1878 berufener Fachausschuß, daß niemand, wie unwissend er auch immer sei, daran gehindert werden dürfe, Zahnbehandlungen durchzuführen und die Öffentlichkeit durch Werbung oder andere Mittel davon zu unterrichten. Das wiederum führte zum *Dental Act* von 1921, wonach es als gesetzwidrig galt, daß eine nicht nach den Bestimmungen des *Medical Act* im Zahnärzteregister eingetragene Person weiterhin als Zahnarzt praktiziere.

11 Karikatur: Punch, 1858 (Punch Library, London).

1 Einführung

1875 wurde in Kanada die School of Dentistry des *Royal College of Surgeons* in Ontario gegründet, die 1888 der Universität von Toronto angeschlossen wurde. In anderen Ländern dauerte es länger, bis Hochschulen für Zahnärzte eingerichtet wurden. In Frankreich, wo die Ausbildung in diesem Fach ursprünglich begonnen hatte, wurde erst 1892 *L'Ecole Dentaire* gegründet.

In den Vereinigten Staaten gab es bis 1900 ungefähr 60 Hochschulen für Zahnärzte, von denen die meisten in privater Hand waren. Auf die praktische Seite der Ausbildung wurde hier mehr Wert gelegt als auf akademische Fächer. Die Erfindung der fußbetriebenen Bohrmaschine im Jahre 1871 machte die Zahnheilkunde zu einem, unter finanziellen Gesichtspunkten gesehen, noch attraktiveren Handwerk, zudem hatte sich die Einstellung zum Beruf beträchtlich gewandelt. Obwohl es noch einige gab, die sich der beruflichen Verpflichtungen durchaus bewußt waren, wurden viele Praktiken allein nach der Profitabilität ausgerichtet. Besorgte Stimmen wurden laut, daß die Zahnheilkunde sich nun, mehr denn je, als handwerkliche Tätigkeit festfahren würde. Die Universitäten wurden angewiesen, sich ihrerseits für höhere Anforderungen an die Behandlungsmethoden einzusetzen. Trotz der großen Zahl der bestehenden Hochschulen waren in den Vereinigten Staaten im Jahre 1870 nur 1000 der insgesamt 10 000 praktizierenden Zahnbehandler Absolventen einer solchen Schule.

Lange Zeit hindurch war der soziale Status des Zahnarztes nur schwer zu definieren. Ebenso wie der Chirurg nicht das Ansehen des Arztes genoß, stand der Zahnarzt seinerseits hinter dem Chirurgen zurück. Trotz aller zuvor erwähnten Fortschritte konnte das *British Journal* noch 1878 sagen, ,,Medizin ist ein akademischer Beruf, die Zahnheilkunde ist zu einem großen Teil ein Handwerk." Der Journalist Peregrine Worstthorne erinnert sich an eine Schwierigkeit, die sich in der Zeit zwischen den beiden Weltkriegen ergab, als man sich in seiner Familie nämlich nicht entscheiden konnte, wo genau man dem zu seiner Großmutter gerufenen Zahnarzt das Mittagessen servieren sollte. Es war undenkbar, ihn im Eßzimmer mit der Familie an einem Tisch zu haben; der Aufenthaltsraum der Dienstboten jedoch schien auch nicht so ganz das Richtige zu sein. Man fand dann einen Kompromiß und trug ganz allein für ihn in der Bibliothek auf.

Die Historikerin Lilian Lindsay hat einmal gesagt, daß die im neunzehnten Jahrhundert für diesen Beruf ausgestreute Saat auf einen so unfruchtbaren und wenig versprechenden Boden gefallen sei, daß man es für ein Wunder halten könne, daß sie überhaupt Wurzeln geschlagen habe. Die Gesellschaft ist in zunehmendem Maße gesundheitsbewußt geworden, nicht zuletzt in bezug auf die Zähne. Die – wenn auch verspätete – Erkenntnis, daß die Anästhesie eine Notwendigkeit ist, führte zu einem besseren Verhältnis zwischen Patient und Zahnarzt, dessen Ziel es ist, den Krankheiten vorzubeugen.

Der nun folgende Bericht versucht, die Geschichte der Zahnheilkunde anhand ihrer Instrumente darzustellen. Die ersten frühen Hersteller von Instrumenten zur Zahnbehandlung waren die Waffen- und Grobschmiede, die später von den Messerschmieden verdrängt wurden. Besonders hochentwickelte und verfeinerte Geräte, die zur

Behandlung von wichtigen Patienten gedacht waren, wurden von Gold- und Silberschmieden hergestellt. Zumeist handelte es sich bei der Herstellung von Instrumenten um eine Nebentätigkeit der Messerschmiede. Die spezialisierten Instrumentenmacher traten zuerst im 18. Jahrhundert in Erscheinung. Diese Männer waren so sehr Kunsthandwerker, daß es ihnen kaum möglich war, etwas Zweckmäßiges herzustellen, das nicht zugleich auch schön war. Ihre Arbeit gibt damit Aufschluß über die Kultur und die menschliche Einstellung ihrer Zeit.[7] Diese Studie schließt mit dem letzten Viertel des neunzehnten Jahrhunderts, in dem die Zahnheilkunde sich so weit gefestigt hatte, daß sie den Schritt in das moderne Zeitalter tun konnte, in welchem die neuen Prinzipien der Antisepsis die Verwendung der kostbaren Materialien und der damals üblichen dekorativen Details nicht mehr erlaubten.

Jegliche Art der reinen Objektstudie trifft auf ein gewisses Maß an Snobismus, weil nämlich stillschweigend vorausgesetzt wird, daß es sich bei der Philosophie, der Ethik oder der Soziologie der Zahnheilkunde um würdigere Themen handeln müsse. Ohne ihre Werkzeuge jedoch hätten die Zahnärzte nichts erreichen können; ihre Instrumente waren eine Verlängerung nicht nur ihrer Körper, sondern auch ihrer Ideen – Symbole des menschlichen Erfindungsgeistes in seinem unaufhörlichen Bemühen, Schmerzen zu lindern und der Gesundheit zu dienen.

2 Extraktionsinstrumente

1548 schrieb Thomas Vicary (gest. 1561), der Leibarzt von Königin Elisabeth I. *The Englishman's Treasure of The True Anatomy of Man's Body*. Er sagte darin: ,,Damit ein Zahn von selbst und ohne Instrumente oder eiserne Werkzeuge herausfällt ... Nimm Weizen." In *Poetic Fragments* sagte später Richard Baxter (1615–1691) etwas, das sich sogar im Reim übersetzen läßt:

*,,Ein weher Zahn ist besser drauß' als drin,
ein faulendes Glied ist kein Gewinn."*

Zieht man die Anzahl der über die Jahrhunderte überlieferten Methoden in Betracht, wie man sich ohne Kraftanwendung eines Zahnes entledigen könne, so mag es sonderbar erscheinen, daß das längste Kapitel dieses Buches ausgerechnet den Extraktionsinstrumenten gewidmet ist. In der Welt der Antike, ja selbst noch im Mittelalter galt die Extraktion als das äußerste Mittel, um bei Zahnweh Linderung zu verschaffen. Es war auch nur dann anzuwenden, wenn alles andere versagte; jedoch gehörte die Zahnextraktion zu den wenigen chirurgischen Eingriffen, von denen man wußte, daß sie die anderen Funktionen des Körpers nicht beeinträchtigen. Schließlich gab auch ein Kind seine Zähne her, also konnten sie nachwachsen. Hippokrates (460–375 v. Chr.) ordnete eine Extraktion nur dann an, wenn der Zahn bereits locker war, anderenfalls empfahl er Ätzmittel oder Brenneisen oder auch Mittel, die gekaut werden sollten. Der Eingriff konnte nicht immer als leicht angesehen werden. Abgesehen von den – bei den gängigen Methoden – qualvollen Schmerzen waren noch andere Risiken zu bedenken: Beschädigungen des Kiefers, tiefe Gewebeinfektionen und Blutungen, ja selbst Todesfälle waren bekannt. Noch im sechzehnten Jahrhundert warnt Ambroise Paré (1510–1590) die Leser seines Buches *Instrumenta Chirurgiae* davor, bei der Extraktion allzu energisch vorzugehen, da sonst auch ein Teil des Kiefers mit herausgebrochen werden könne.

Im Elisabethanischen England wurde ständig auf Zahnschmerzen, faule Zähne und Mundgeruch angespielt. Der Zustand der Zähne der Königin Elisabeth I. war allgemein bekannt; als Kind hatte sie ständig unter Zahnschmerzen zu leiden gehabt, vermutlich als Folge von Zuckergenuß. Zuckerhüte wurden seinerzeit als formelles Präsent benutzt und erfreuten sich großer Beliebtheit. In einem Schauspiel von 1659 spricht ein Zahnzieher von ,,faulen Zähnen durch das Essen von Bonbons und kandierten Früchten auf Beerdigungen". So ist es kaum verwunderlich, daß sich Königin Elisabeth I., obwohl sie am Tag und in schlaflosen Nächten erbarmungslose Zahnschmerzen gehabt haben mußte, sehr davor fürchtete, einen Zahn gezogen zu bekommen. Daraufhin erlaubte der Bischof von London dem Chirurgen, einen seiner eigenen Zähne zu ziehen – ,,und sie war dadurch ermutigt, sich selbst dem Eingriff zu unterziehen". Ihr Nachfolger,

Jakob I., beschäftigte sich zu seinem Privatvergnügen damit, anderen die Zähne zu ziehen, und zahlte jedem, der einwilligte, 18 Schillinge. Den meisten Menschen jedoch war sehr viel mehr daran gelegen, ihre Zähne zu behalten – und das nicht nur zum Essen. Zwei Jahrhunderte hindurch wurde zum Beispiel die Zulassung junger Männer zur Infantrie auch von dem Zustand ihrer Zähne abhängig gemacht: Sie mußten über genügend Schneide- und Eckzähne verfügen, um die Spitze der Kartusche abbeißen zu können (die automatische Zündnadel wurde erst 1865 eingeführt).

Viele der Operateure im Mittelalter und auch später hielten es für taktlos, sogleich die Extraktion vorzunehmen, das sah zu sehr nach einem gewöhnlichen Zahnzieher aus. Lieber versuchte man, den Zahnschmerz zu lindern, die Rezepte dazu waren oft recht erfindungsreich. John of Gaddesden (1280–1361) versuchte es mit dem allgegenwärtigen Aderlaß, mit Pflästerchen auf dem Zahnfleisch oder mit Abführmitteln, wie er in *Rosa Medicinae* (ca. 1350) berichtet. Zu jeder Art von kothaltigen Arzneien wurde geraten, Spatzenmist und das Öl süßer Mandeln sollten ins Ohr – einer bei der Behandlung von Zahnweh beliebten Öffnung – geträufelt werden; frischer Salbei, mit eigenem Urin vermischt, diente zum Einreiben des Zahnes; im März gesammelter Honig wurde mit den Exkrementen eines weißen Hundes und etwas Muskat zu einer Mischung verrührt. Um das fünfzehnte Jahrhundert wurden dem schmerzenden Zahn gelegentlich durch einen kleinen Metalltrichter Herbalmixturen zugeführt. John Josselyn (1630–1675) schrieb in seinem *Bericht zweier Reisen nach Neuengland*, ,,für den Zahnschmerz habe ich folgende, sehr leicht zu erhaltende Medizin gefunden: Schwefel und Schießpulver, vermischt mit Butter, reib' die Kinnbacken damit ein, zuvor muß die Außenseite aber gut durchwärmt sein."

Wenn die Zahnschmerzen heftiger wurden, bestand der nächste Schritt darin, zu veranlassen, daß der Zahn von selbst herausfiel. Pech, mit Raben- oder Mäusemist vermischt, könne – so glaubte man – zum Erfolg führen. Aulus Cornelius Celsus (25 v. Chr.–50 n. Chr.) sagte, ,,ein Pfefferkorn, von seiner Haut befreit, welches dann in die Zahnhöhle eingelegt wird, bewirkt, daß der Zahn sich spaltet und herausfällt." Plinius riet zum Saft einer in einem menschlichen Schädel gezogenen Pflanze. John of Gaddesden hielt viel vom Fett eines grünen Frosches – eine im ausgehenden achtzehnten Jahrhundert noch durchaus verbreitete Behandlungsweise –, aber auch er benutzte Extraktionsinstrumente. (Er war der Meinung, daß das Hirn eines Hasen einen Zahn nachwachsen ließe.) 1687 schrieb Charles Allen, daß ein Zahn durch das Hineinstreuen von einem Pulver aus roten Korallen herausfiele. Der Lockerungsprozeß, auf den die frühen Schriftsteller so häufig verwiesen, wurde oft mit Hilfe von arsenhaltigen Mitteln bewirkt, die eine Knochennekrose und schließlich das Herausfallen des Zahnes herbeiführen sollten.

Die ältesten Extraktionsinstrumente, von denen es noch Abbildungen gibt, sind jene aus *Chirurgicorum omnium* von Albucasis (936–1013). Albucasis war, als er sich schließlich gezwungen sah, eine Extraktion vorzunehmen, der erste, der das Zahnfleisch mit einem Skalpell vom Zahn ablöste. Dann luxierte und rüttelte er den

2 Extraktionsinstrumente

Zahn so lange, bis dieser herauskam, wobei Albucasis sehr darauf bedacht war, ihn nicht zu zerbrechen. Der Patient mußte dabei seinen Kopf auf die Knie legen. Albucasis' Extraktionsinstrumente, wie auch andere aus der Zeit des Mittelalters, scheinen sonderbare Fehlkonstruktionen zu sein, mit übergroßen Backen und sehr kleinen Griffen. Fünf Jahrhunderte später war ein holländischer Chirurg aus Leiden, Anton Nuck (1650–1692), wohl der erste, der eine ausreichende Kenntnis der Anatomie sowie Instrumente, deren Größe je nach Zahn variieren sollten, als wesentliche Voraussetzungen für eine erfolgreiche Extraktion ansah. Die fünf Hauptgruppen der Extraktionsinstrumente sind eingeteilt in: Pelikane, Elevatoren und Hebel, Schrauben, Schlüssel und Zangen.

Pelikane

12 *Pelikan, um 1650. (Museum der Schwedischen Zahnärztlichen Gesellschaft, Stockholm).*

Der Name des Pelikans stammt von seiner angenommenen Ähnlichkeit mit der Schnabelform dieses Vogels, obwohl, wie wir sehen werden, dieses Instrument in verschiedenen Formen mit austauschbaren Teilen vorkam. Es wurde dazu benutzt, den Zahn seitwärts mit viel Kraftaufwand herauszuzwingen, die Kralle faßte dabei über die Zahnkrone, das Widerlager wurde gegen den vestibulären Alveolarfortsatz gedrückt und der auf den Griff ausgeübte Druck sollte den Zahn aus seiner Verankerung ziehen. Zweifelsohne wurde dabei viel Schaden angerichtet.

John of Gaddesden beschreibt Instrumente aus Eisen, ,,die vorn breit und scharfkantig waren, und die den Zahn so herunterpressen, daß er herausfällt." Das mögen wohl Pelikanformen gewesen sein; der erste Hinweis auf einen Pelikan, wie wir ihn verstehen, kommt von Guy de Chauliac (1300–1368), der dabei das Werkzeug des Küfers zugrunde legte, mit welchem der letzte Reifen um ein Faß getrieben wurde. Der Venezianer Andreas della Croce (1509–1575) bildete in seinem 1596 veröffentlichten Buch *Chirurgiae* ein sehr ähnliches Gerät ab. Die ersten Abbildungen von einem Pelikan erschienen 1460 in Giovanni d'Arcolis (1412–1484) *Practica*. Obwohl diese Abbildungen recht grob ausgeführt waren, geben sie ein gutes Bild von dem Instrument jener Zeit: ein gerader Schaft mit einer einzelnen Kralle, die mit einer Niete befestigt war und ein stark gekerbtes Widerlager hatte. Walter Ryff (1500–1562) bildete einige davon in *Chirurgia Magna* (1545) ab, nun schon mit zwei Krallen, von denen jede eine aufgerauhte Innenkante hatte und die von unterschiedlicher Länge waren, um an verschieden große Zähne zu passen. Ryff zeigt ein Beispiel, bei welchem die Kralle abnehmbar mit einer Flügelschraube am Drehgelenk befestigt war. Seine Widerlager waren unglaublich scharf eingekerbt, aber es wird berichtet, daß sie vor Gebrauch mit einem Stückchen Leder umwickelt wurden. Um das siebzehnte Jahrhundert begegnete man dann runden, verzierten Griffen aus Stahl, Holz und Elfenbein, überladen mit Ornamenten, obwohl auch die einfachen Griffe immer noch existieren. 1627 zum Beispiel bildete der Mailänder Gabriele Ferrara in seinem Buch über Chirur-

13 *Pelikan, um 1570. 13,5 cm. (I. Freeman & Son, Simon Kaye Ltd, London).*

gie einen spatelförmigen Griff aus durchbohrtem Metall und fächerförmige Widerlager ab.

Lorenz Heister (1683–1758) führte eine wichtige Neuerung ein, indem er eine Kralle an einer verstellbaren Schraube anbrachte, die durch den Griff betätigt wurde; es konnten drei verschiedene Krallen befestigt werden. Jede von ihnen stand in einem anderen Winkel zum Schaft. In seinem Buch *Traité des Opérations de Chirurgie* (1725) bildete der Chirurg René-Jacques Garengeot einen Pelikan dieses Typus ab, aber im Gegensatz zu Heister benutzte er ein konkaves Widerlager und einen geraden Krallenschaft. In *Descrizione degl'Instrumenti* von 1766 zeigte Mauro Soldo eine ganze Serie von Pelikanen mit breiten, flachen Schäften, Einzelschäften und eigenartig kurzen, gedrechselten Griffen, charakteristische Merkmale des achtzehnten Jahrhunderts. In seinem Werk *Odontologia Ossia Trattato Sopra i Denti* von 1786 gibt Antonio Campani (geb. 1738) ein offen montiertes Widerlager wieder, das an beiden Enden von einem sich teilenden Schaft gehalten wird. Sowohl Garengeot wie auch der Berliner Zahnarzt Johann Jacob Joseph Serre (1759–1830) zeigten bewegliche Widerlager, die mehr Spielraum zur genauen Einstellung boten, als dies bei der Endlosschraube der Fall war, die vom Ende des Griffes bis zum Widerlager reichte. Die Endlosschraube war Mitte des achtzehnten Jahrhunderts bekannt und wurde von Jean-Baptiste Gariot in *Traités des Maladies de la Bouche* (1805) wieder eingeführt.

Der von Ryff konstruierte doppelendige Pelikan stellte einen komplizierten Typus dar. Er hatte zwei Widerlager und zwei Krallen, und jeder Schenkel hatte eine halbkreisförmige Vertiefung, in der die Finger einen festeren Halt hatten (Abb. 13). In seinem 1557 erschienenen Buch *Colloquia Breve* bildete Francisco Martinez (1518–1588)

2 Extraktionsinstrumente

14 *Pelikane, jeder etwa 12 cm. (Musée Fauchard, Paris).*

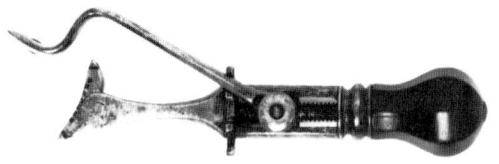

a *Konkaves Widerlager, eine Klaue mit Schraube verstellbar. Brager, 1775.*

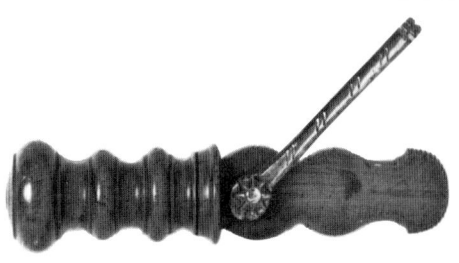

b *Ganz aus Holz mit ziselierter Metallklaue, um 1770.*

c *Zwei Klauen sowie ein zusätzlicher Hebel am hinteren Ende, um 1720.*

d *Zwei Klauen mit besonders schwerem Griff, um 1600.*

15 *Pelikane, jeder etwa 12 cm (Sammlung Proskauer-Witt, Bundeszahnärztekammer Köln).*

a *Doppelendiges Modell, um 1700.*

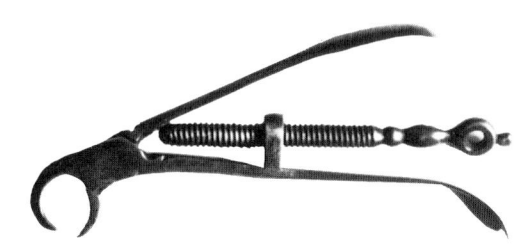

b *Zange mit Stellschraube nach Leber, 1770.*

c *Pelikan nach Knaur, um 1796.*

d *Pelikan, um 1730.*

einen ähnlichen Pelikan ab, jedoch mit konkaven Widerlagern. Dieser mit zwei Enden versehene Typus tauchte durch die Jahre hindurch immer wieder auf. John Woodall (1556–1643) stellte seine Version 1617 in *The Surgeon's Mate* vor; ein anderer Typus gehört zur *Prujean Collection* von 1653, die sich jetzt im *Museum of London* befindet. Paré benutzte zwei doppelendige Pelikane, beide von geometrischer Konstruktion. Alle oben erwähnten Pelikane kamen in einem vergleichsweise kurzen Zeitabschnitt in vier Ländern vor, so daß angenommen werden kann, daß sie auch allgemein benutzt wurden. Mit Beginn des 18. Jahrhunderts wurden die Schäfte dünner und eleganter, die konvexen Widerlager waren tief und gleichmäßig eingekerbt, und die Krallen waren mit einem Drehgelenk befestigt. Doppelendige Pelikane mit einer einzelnen Kralle wurden von dem Hersteller Jean-Jacques Perret in seinem Katalog von 1772 sowie von Antonio Campani im Jahre 1786 abgebildet, und beide weisen einen breiten, flachen Schaft in Form einer Doppelvase mit schlanken Krallenschäften auf.

Eine interessante Entwicklung in der Konstruktion der Pelikane fand 1799 mit der Veröffentlichung von *Recueil des Planches du Dictionnaire de Chirurgie* statt. Hierin wurden sattelförmige, in den Schaft eingeschraubte Widerlager gezeigt, die bewirkten, daß sich das Zusammenspiel von Kralle und Widerlager variabler gestalten ließ. Das Anbringen der Kralle an die Endlosschraube ermöglichte eine noch exaktere Einstellung, was Etienne Bourdet (1722–1789) in seinem 1757 erschienenen Buch *Researches and Observations* beschrieben hat.

In der 1687 erschienenen Ausgabe von *Curious Observations on the Teeth* gibt Charles Allen einen detaillierten Bericht über den Pelikan, „... der jedem so gut bekannt ist. Der Polican [sic] ist der beste der Extractoren", sagt er und beschreibt ein Instrument mit zwei Widerlagern und zwei Krallen. (Doch auch er rät strikt von der Extraktion ab, denn selbst Stümpfe in ihrem Bett helfen den anderen Zähnen, aufrecht stehenzubleiben, weshalb man sie nur dann entfernen sollte, wenn die Gefahr bestünde, daß sie „zu einem krankhaften Zustand des Zahnfleisches führen und somit die gesunden Zähne schädigen könnten!"). Der große Favorit der Operateure war der von Ryff und Paré dargestellte Pelikan mit dem tief gespaltenen Widerlager, der manchmal eine im rechten Winkel gebogene Kralle aufwies. John Woodall sagt in *The Surgeon's Mate* über die Zahnextraktionen (in zeitgemäßes Deutsch gebracht) folgendes:

> *„ ... durch unbesonnenes Ziehen am Zahn wird entweder der Kiefer gebrochen oder ein schlimmer Unfall verursacht ... ich halte denjenigen für einen unwürdigen Chirurgen, wie hoch auch immer er seinen Kopf trägt, weil er einen Zahn gut ziehen kann, der es im Notfall auf See verschmäht oder ablehnt, es zu tun ... Ob es sich nun um den entlegensten Zahn im Kiefer handelt, sei es oben oder unten, oder um einen Stumpf, mit Ausnahme bei den vordersten Zähnen, sind die Pullicans die geeignetsten Instrumente zum Ziehen."*

2 Extraktionsinstrumente

Farbtafel III *Verstellbarer Pelikan, um 1720. (Museum der Medizin der UdSSR, Kiew).*

Farbtafel IV *Ungewöhnlicher Pelikan mit Querbügel zur Abstützung. Die Klaue kann in zwei Stellungen angebracht werden; um 1780, 13,5 cm (I Freeman & Son, Simon Kaye Ltd, London).*

Pelikane

Farbtafel V *Pelikan aus Elfenbein. Von Charrière, um 1860, vermutlich eines seiner letzten Stücke. 10 cm. (Privatsammlung Dr. Claude Rousseau, Paris).*

Farbtafel VI *Früher Zahnschlüssel, um 1750. 12 cm. (Privatsammlung Dr. Claude Rousseau, Paris).*

2 Extraktionsinstrumente

16 oben: Pelikan, um 1620, 12 cm
unten: Seltener Pelikan mit Hebel, um 1730, 13 cm (I. Freeman & Son, Simon Kaye Ltd, London).

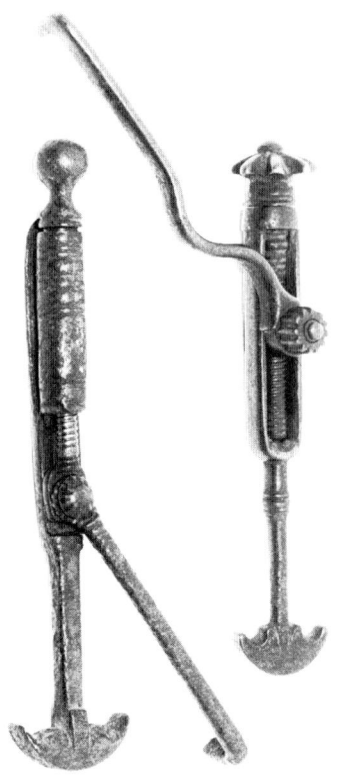

17 Pelikane mit Stellschrauben, um 1750, 13 cm. (Museum of the History of Science, Oxford).

Eine spätere Modifikation war das nach vorn gekrümmte Widerlager mit entsprechender Krümmung zur Kralle, wie sie von Perret in seinem Katalog von 1771 sowie von Juan Alexand Brambilla (1728–1800) in seinem 1781 erschienenen Buch *Instrumentarium Chirurgicorum Viennense* (Taf. 50) gezeigt wurde. Diese Form von Pelikan wurde als *tire-toir* oder *tirtoir* bekannt. Sie entwickelte sich zum *Douglas-Hebel*, benannt nach James Douglas, der zu Beginn des achtzehnten Jahrhunderts als Militärchirurg bei den Welsh Fusiliers seinen Dienst tat. Im Jahre 1742 wurde diese Form, um einen Elevator am entgegengesetzten Ende ergänzt, von Alexander Monro (1697–1767) in *Medical Essays and Observations* abgebildet. Brambilla hatte noch einen weiteren Pelikan entwickelt, bei welchem das Zusammenspiel von Kralle und Widerlager durch eine Reihe von Einkerbungen am Krallenschaft sowie durch ein Scharnier zur Änderung der Position variiert werden konnte. Andere Methoden zur Positionsänderung der Kralle brachten ein Gleiten der Basis des Krallenschaftes in eine Vertiefung des Hauptschaftes mit sich, wo sie durch eine Schraube am gewünschten Punkt gesichert werden konnte. Ryff bildete einen regulierbaren Krallenschaft ab, dessen Basis an einem Schraubengewinde offenbar um den Hauptschaft drehbar war. Heister zeigte diesen Typus mit dem Zusatz eines konkaven Widerlagers, das sich der Form des Zahnes anpassen konnte, wie bei dem von Thomas Knaur in seinem Buch *Selectus Instrumentorum Chirurgicorum* (1796) beschriebenen Pelikan.

Charles Laforgue (1763–1823), der Autor von *L'Art du Dentiste* (1802), führte einige Typen von Pelikanen ein, die den Zangen insofern ähnlich waren, als sie zwei Griffe hatten, die zusammengehalten werden mußten. Das vermutlich erste Vorbild dieser Art wurde 1656 von Joseph Schmidt im *Speculum Chirurgicum* dargestellt. Pelikane mit schräg geschnittenem Schaft wurden häufig von Dubois, dem Zahnbehandler Ludwigs XIV. benutzt, er schätzte sie deshalb so sehr, weil sie starr bleiben. In seinem *System of Surgery* (1782) bildete Benjamin Bell (1749–1806) zwar Pelikane ab, fand aber, daß sie den Schlüsseln gegenüber wenig vorteilhaft seien, besonders dann, wenn der Zahn nach lingual oder palatinal gedreht werden mußte. Auch Justus Christian Loder (1753–1832), der Goethe in Anatomie unterwiesen hatte und alle seine Instrumente an Leichen ausprobierte, hielt nicht allzu viel von Pelikanen.

Pierre Fauchard (1678–1761) begegnete dem Thema der Extraktion, wie überhaupt allen Zahnproblemen, mit praktischem, gutem Sachverstand. ,,Da gibt es gewisse Messerschmiede, die sich in das Zähneziehen einmischen. Die von ihnen hergestellten Instrumente scheinen in ihnen die Begierde auszulösen, sie auch auszuprobieren . . . Um den Patienten nicht zu erschrecken, soll man sehr darauf achten, daß das Instrument verborgen bleibt." Er wird wohl allen Grund dazu gehabt haben, denn seine Pelikane waren bei weitem gewagter und gröber als ältere Versionen, nämlich ,,in einer Art und Weise konstruiert, wie es zuvor noch nie geschehen ist." Der Körper des Instruments, so erzählt er uns, sollte aus dem Holz des Buchsbaumes sein, eine in Italien und Spanien sehr verbreitete Mode, außerdem sollte er mit zwei Eisen- oder Messingstreifen glatt mit der

Pelikane

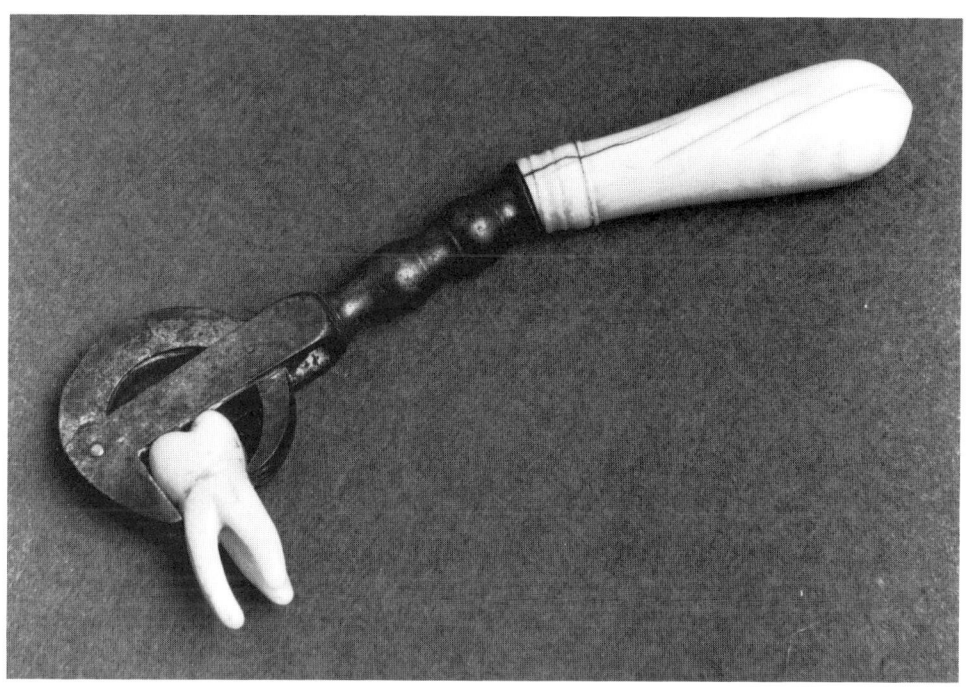

18 *Überwurf nach Entwurf von Jourdain, 1759. Die Klaue greift durch eine Aussparung im Schaft; 14 cm. Das Instrument diente zeitweilig als Hammer bei Tisch in der Messe des RADC HQ. (Royal Army Dental Corps Historical Museum, Aldershot).*

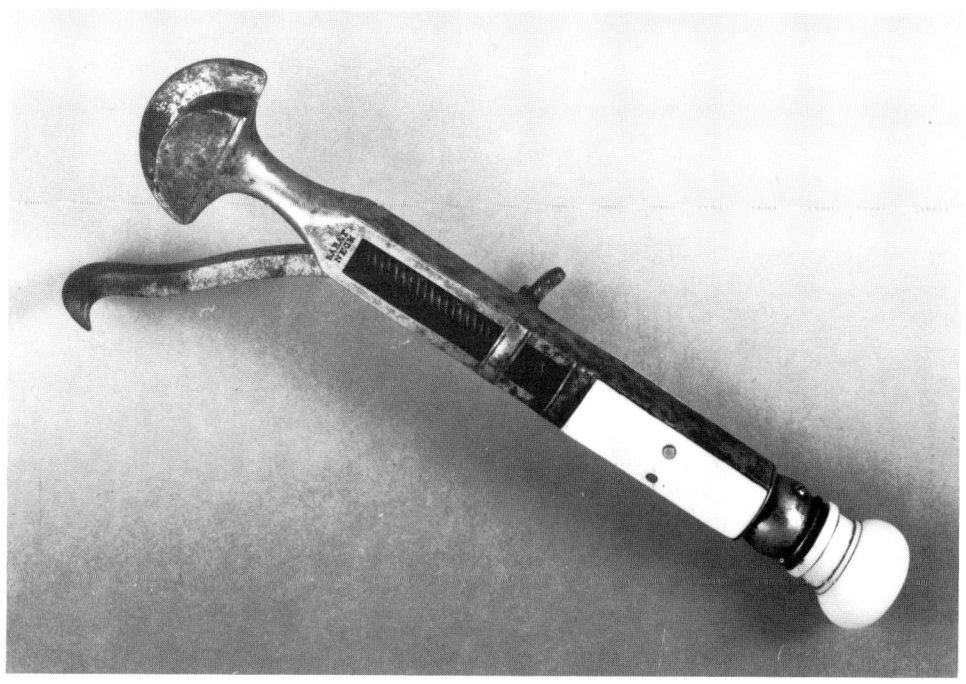

19 *Verstellbarer Pelikan mit Endlosschraube. Die Aussparung im Widerlager dient zur Aufnahme eines Lederpolsters. Elfenbeinmontierungen, Sabat Neck, um 1800, 12 cm. (Privatsammlung, London).*

Oberfläche verbunden sein. Die Widerlager sollten von weichem Leder und Leinen bedeckt sein und für den nächsten Patienten sogar ausgewechselt werden, wobei die Abdeckung der Konvexität das Zahnfleisch vor Beschädigungen schützen sollte. Fauchard fährt fort, die unglaubliche Vielfalt von austauschbaren Teilen zu beschreiben, deren Anbringung an ein und demselben Schaft er ermöglicht hatte. Manchmal hält er ein konkaves Widerlager für passend, so daß dann mehrere Zähne als Stützpunkt der Aktion dienen. Bei einem seiner Pelikane zeigt Fauchard einen schmalen, U-förmig gebogenen Bleistreifen, mit dem er die Alveole nach der Extraktion komprimierte.

Eugene d'Estanque konstruierte einen äußerst komplizierten Pelikan mit zwei Griffen, den er sich 1861 patentieren ließ. 1864 bildete er ihn in *L'Union Médicale* ab, daraufhin wurde dieser mit beträchtlichem feinmechanischen Können von Charrière und Mathieu hergestellt (Abb. 65).

Elevatoren und Hebel

*„One touch of that ecstatic stump
Could jerk his limbs and make him jump,"*

schrieb Thomas Hood in *A True Story*. Durch die Wirkungsweise des Pelikans blieb oft ein Zahnstumpf oder eine hartnäckige Wurzel zurück, die man mit einer anderen Art von Werkzeug hätte entfernen müssen. Der Hebel – zu dieser Gattung gehören auch der Elevator und das Stoßeisen oder Repoussoir – riß den Zahn aus seinem Wurzelbett. Die spitz zulaufende Klinge wurde zwischen der Wurzel und dem benachbarten Zahn eingeführt, eine Drehbewegung hob sodann den Stumpf oder die Wurzel aus der Alveole heraus. Darüber hinaus konnte der Hebel auch zur Extraktion von Schneide- und Eckzähnen benutzt werden. Seine Konstruktion wandelte sich im Laufe der Zeit nur geringfügig.

Ein Extraktionsinstrument aus Blei, das Odontagogon, wurde ca. 1000 v. Chr. im Tempel des Apoll – wessen sonst? – deponiert. Hierbei handelte es sich vermutlich um eine Votivgabe, da das eigentliche Instrument – eine Kombination aus Zange und Hebel – aus Eisen gemacht wurde. Zweitausend Jahre später wurde von Albucasis der erste bekannte Hebel in seiner eigentlichen Form, d. h. mit einem einfachen, geraden Schaft und mit einer kleinen, grob ausgearbeiteten Spitze abgebildet. Diese frühen Zeichnungen sind allerdings so ungenau ausgeführt, daß nur sehr schwer zu beurteilen ist, wie weit sie ihrem Vorbild entsprechen. Erschwerend kommt hinzu, daß sie in den verschiedenen Ausgaben desselben Buches doch erheblich voneinander abweichen. John of Gaddesden zeigte einen Elevator mit geschärftem Ende, dem er anderen Extraktoren gegenüber den Vorzug gab. Vermutlich fand er ihn leichter in der Handhabung. Dieser Ansicht waren auch die Zahnzieher, von denen der holländische Marinechirurg Cornelius Solingen (1641–1687) berichtete, der wiederum – ungeachtet der von ihm konstruierten Instrumente – Zähne mit der

Elevatoren und Hebel

Spitze eines Dolches heraushob. Walter Ryff bildete mehrere Arten ab, von denen jede mit einem anderen Schaft versehen war; einige waren gerade, einige gekrümmt, andere wiederum in einem Neigungswinkel gebogen, sie hatten verschiedene Köpfe, die gekerbt und gerillt waren. Unter ihnen befand sich auch die Konstruktion, die sich als die dauerhafteste erweisen sollte; sie erinnert an den ausgestreckten Daumen, über den sich halbkreisförmig der Zeigefinger wölbt. Johannes Scultetus aus Ulm (1595–1645) beschreibt das Instrument als Zahnkneifer, der in den Fällen, in denen Pelikan und Zahnzange ungeeignet waren, eingesetzt werden könnte. In seiner 1782 erschienenen wissenschaftlichen Abhandlung bildet Heinrich Bücking (1749–1838) ein ähnliches Stück ab, dessen Konstruktion Gorz seinem *Geißfuß* zugrunde legte, bei dem der gekrümmte Abschnitt mit einer regulierbaren Schraube befestigt wurde. Scultetus zeigte Hebel, deren Griffe überreich mit Blattwerk verziert waren, oder die gebogene, dreigeteilte Enden hatten, sowie eine andere und auch beständige Variante, den Geißfuß-Elevator. Diesen Typus zeigten u. a. auch Garengeot im Jahre 1725, der Enzyklopädist Diderot im Jahre 1762, der Instrumentenmacher Savigny 1798 und Serre im Jahre 1803. Man erkannte das Instrument an seinem tief gespaltenen Kopf, der später zwischen den beiden Spitzen ganz leicht ausgehöhlt wurde. In *Rudiments of the Art of Surgery*, dem etwa 1798 erschienenen Werk des Chirurgen August Gottlieb Richter (1742–1812), begegnet uns eine weitere Spielart, nämlich ein Geißfuß mit einem Haken, der das Abrutschen verhindern soll.

Der besondere, als Stoßeisen bekannte Typus hatte eine zweigeteilte Spitze und wurde – obwohl seine Wirkungsweise allein genügt hätte – dazu benutzt, die Zähne vor der mit einem anderen Instrument auszuführenden Extraktion zu lockern. Der Zahn wurde von beiden Seiten luxiert, nachdem das Zahnfleisch zuvor mit einem Raspatorium oder einem Gaumenmesser abgelöst worden war. Sodann wurde, wenn nötig, ein Pfund Blei gegen den Griff des Stoßeisens geschlagen, eine im achtzehnten Jahrhundert – sogar bei Fauchard – sehr verbreitete Praktik. Etienne Bourdet lehnte dieses Verfahren jedoch ab, da er meinte, daß es zur Gehirnerschütterung führen könnte. Woodall empfahl das Stoßeisen für die Schneide- und Eckzähne, mit der Anweisung, das aus dem allerhärtesten Stahl gemachte Instrument sorgfältig und so tief wie möglich an der Zahnwurzel anzusetzen. Fauchard beschrieb zwei Arten von Stoßeisen. Das eine war für den Druck „von außen nach innen", gemeint ist der Geißfuß, das andere war für den Druck „von innen nach außen" und hatte einen nach vorn angewinkelten Kopf mit gespaltener Spitze. Eine andere Art Stoßeisen nach Fauchard besaß einen geraden Schaft, der in einen Haken auslief, welcher durch eine Stellschraube in der Höhe regulierbar war. „Ich weiß", sagte er, „M. Dionis lobt es über alle Maßen, . . . was mich betrifft, ich benutze es selten". Die Griffe seiner Elevatoren waren von weich fließender Birnenform mit dekorativer Manschette. Garengeot zeigte ähnliche Griffe, führte aber abweichend die achteckige Form ein; als Materialien wurden Elfenbein oder Ebenholz verwendet, die sich bis in das neunzehnte Jahrhundert hinein großer Beliebtheit erfreuen. 1780 beschrieb Benjamin Bell ein

20 Stoßeisen (repoussoir) nach Garengeot, um 1725, 12 cm. (Musée d'Histoire de la Médicine de Paris; Cliché Assitance Publique).

2 Extraktionsinstrumente

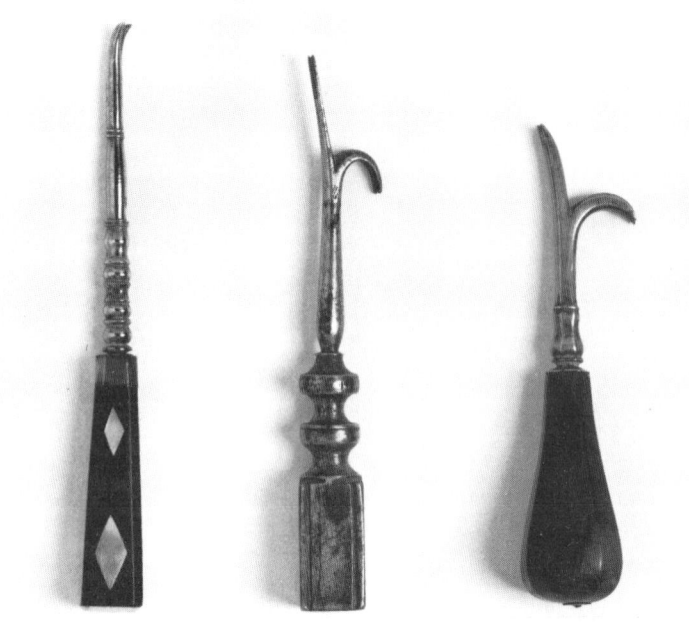

21 *Stoßeisen, von links nach rechts: Griff aus Ebenholz mit Perlmutteinlage, um 1790; Stoßeisen mit Haken, der Griff als Schlegel zu verwenden, um 1770; Stoßeisen mit Haken, um 1800. (Musée Fauchard, Paris).*

22 *Hebel, um 1840, 13 cm. Griffe aus Ebenholz mit Rautenmuster. (University of Alberta Dental Museum, Edmonton).*

23 *Hebel mit Elfenbeingriff nach Thomas Bell, um 1829, 15 cm. (Macaulay Museum of Dental History, Medical University of South Carolina).*

Elevatoren und Hebel

Stoßeisen mit geteiltem Schaft (Abb. 24). Bei diesem wurden zwei parallele, jeweils mit eigenem Kopf ausgestattete Schäfte durch einen Gleitring miteinander verbunden. Dadurch ließ sich die ausgeübte Kraft im Bedarfsfall auf eine erweiterte Fläche übertragen.

Der unter verschiedenen Bezeichnungen bekannte Hebel – er wurde Repoussoir, Hirschfuß oder – recht verwirrend – Geißfuß genannt, hatte eine zweigeteilte Spitze mit einer Kralle, wobei sich die Arme leicht voneinander fortbogen. Der obere Arm war für die Entfernung der Wurzeln vorgesehen, mit dem unteren sollten sie herausgehoben werden. Dieses Instrument wurde von Ryff und Martinez und noch bis in das neunzehnte Jahrhundert hinein von Gariot gezeigt.

Die einfachste Ausführung des Hebels bestand aus einem Stab, dessen Spitze zu einem Winkel gebogen war. 1708 wurde diese Form von Pierre Dionis (1643–1718) und 1728 von Fauchard abgebildet. Im Laufe der Jahre wandelte sich das Modell, indem die Spitze abgeflacht, gerifft oder konkav gestaltet wurde oder in einigen Fällen das Aussehen einer Pfeilspitze erhielt. In der zweiten Hälfte des achtzehnten Jahrhunderts wurde der Griff manchmal im rechten Winkel zum Schaft angebracht. Adam Anton von Brunner aus Wien (1737–1810) verbesserte dieses Modell, indem er den Schaft leicht krümmte, um so Verletzungen der Wange vorzubeugen. Seine neue Konstruktion wurde im Jahre 1803 von Serre abgebildet.

Eine andere, 1805 von Gariot vorgestellte Variante war die herzförmige, manchmal auf einem gebogenen Schaft sitzende Spitze, die als sog. „Karpfenzunge" bekannt wurde. Um 1800 versah man die Hebel gelegentlich mit einem Ring für den Zeigefinger, wodurch die Hebelwirkung erhöht wurde.

Nach Meinung von John Tomes (1815–1895) ist es hauptsächlich Thomas Bell (1792–1880) zu verdanken, daß der Hebel Eingang in die allgemeine Praxis fand. Der 1829 von Bell konstruierte Hebel hatte größtenteils Griffe aus Elfenbein, und der Kopf des Schaftes endete, sich verjüngend, in einer gebogenen Spitze. Er diente ihm zu verschiedenen Zwecken, einschließlich zur Entfernung von zu eng stehenden Schneidezähnen; für besonders erfolgreich galt dieser Hebel bei der Extraktion der unteren dritten Molaren. Samuel James Augustus Salter (1825–1897) benutzte ein ähnliches Stück, jedoch mit gekerbten Kanten, die ein Abrutschen verhindern sollten – eine Idee, die Savigny bereits früher schon erwähnt hatte. John Tomes übernahm Bells kräftigen, kurzen Schaft und versah ihn mit dem ihm eigenen speziellen Kopf, der auf der einen Seite flach und auf der anderen abgerundet oder häufig auch geschärft war. Der lange Griff war klobig und schwer konstruiert. Er bestand aus einem Metallblatt, welches beidseitig mit rautenförmig gekerbten Ebenholzplatten belegt war. Dieser Hebel ist ein typisches Beispiel für die von Tomes konzipierten Instrumente: von großer Wirkungskraft und geringem ästhetischen Reiz.

In seinem 1754 veröffentlichten Werk *Nouveaux Eléments d'Odontologie* stellt Louis Lecluse (1711–1792) seine eigene Version vor: Sein Hebel hatte einen T-förmigen Griff, und der eigentlich hebende Teil stand im rechten Winkel zum Schaft. Die Instrumentenmacher

24 *Stoßeisen mit geteiltem Schaft, um 1795, vorgestellt von Benjamin Bell, 1789. 12 cm. (Science Museum, Wellcome Collection, London).*

2 Extraktionsinstrumente

Evans & Wormall wandelten dieses Instrument ab und stellten eines vor, dessen Schaft eine flache Mulde erhielt, so daß auch der Druck des Fingers genutzt werden konnte; das ganze Instrument hatte das Aussehen einer aufgerichteten, angreifenden Kobra. Justus Christian Loder (1753–1832) Autor von *Anatomische Tafeln* (1794) mißtraute allen Hebeln, weil sie sich der benachbarten Zähne oder des Kiefers als Hypomochlion bedienten; mußte er dennoch einmal einen Hebel benutzen, so zog er den mit gebogenem Schaft vor.

1828 stellte C. F. Maury (? 1786–1840), Zahnarzt an der *Ecole Polytechnique* in Paris, einen Hebel vor, dessen bewegliche Kralle als Widerlager diente. Unter Anwendung dieses Prinzips wurde am *Royal College of Surgeons* in London ein Stück konstruiert, das aus zwei Teilen mit je einem Elfenbeingriff besteht. 1861 erhielt William Fitkin ein Patent für ,,Improvements in Apparatus or Instruments for Extracting Teeth'' für ein Instrument, das – so darf man wohl sagen – von ungewöhnlicher Beschaffenheit war. Ein rautenförmig gekerbter Griff hielt den Schaft des Widerlagers, welches auf der einen Seite des Zahnes angesetzt wurde, der andere Griff war mit einem zweizinkigen Hebel verbunden, der dann an der anderen Seite des betreffenden Zahnes angriff. Ein schmaler Steg über dem Zahn stellte die Verbindung her.

Zahnschlüssel

Zahnschlüssel wurden zum ersten Mal in Alexander Monros 1742 erschienenen Werk *Medical Essays and Observations* erwähnt, vermutlich waren sie aber schon seit ungefähr 1730 in Gebrauch. Ein Barbier-Koffer aus Newcastle aus dem Jahre 1703 enthält mehrere Extraktoren, aber keine Zahnschlüssel. Die Berichte, die einen Schlüssel ,,in der Regierungszeit von Queen Anne'' erwähnen, scheinen wenig zuverlässig zu sein. Die ursprünglichen Exemplare sahen genauso aus wie die Türschlüssel aus jener Zeit (Farbtaf. VI), mit geradem Schaft und großem, ringförmigen Griff, der später durch den querstehenden Griff aus Holz – häufig aus Ebenholz – oder aus Elfenbein ersetzt wurde. Am gegenüberliegenden Ende befand sich ein Widerlager mit drehbarer Kralle, das Widerlager wurde gegen die Zahnwurzel angesetzt und die Kralle über der Krone befestigt. Dann wurde der Schlüssel wie in einem Schloß herumgedreht, wodurch der Zahn von seinem Platz entfernt wurde – eine sehr schnelle Methode. In Frankreich und Deutschland nannte man ihn den englischen Schlüssel, während er in England mal als französischer, mal als deutscher Schlüssel bezeichnet wurde. Der französische Instrumentenmacher Henry ,,Coutelier de la Chambre des Pairs'' beschrieb den Schlüssel nach Garengeot in seinem 1825 veröffentlichten Werk *Précis Descriptif sur les Instruments de Chirurgie,* wies jedoch mit Bestimmtheit auf seinen englischen Ursprung hin (Abb. 27 u. 29). Monro verwies unter der Bezeichnung ,,Fothergill-Schlüssel'' auf ihn, obwohl anzunehmen ist, daß die einzige Verbindung zwischen diesem Schlüssel und dem Chirurgen Fothergill darin besteht, daß Fothergill

25 *Zusammenlegbarer Zahnschlüssel. Das Unterteil kann in den Griff hineingeklappt werden; um 1750, 15 cm. (Sotheby & Co., London).*

Zahnschlüssel

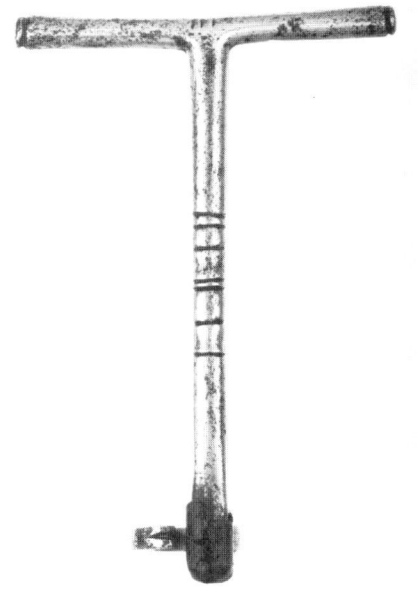

26 Zahnschlüssel mit Lederpolster, um 1750, 13 cm. (I. Freeman & Son, Simon Kaye Ltd, London).

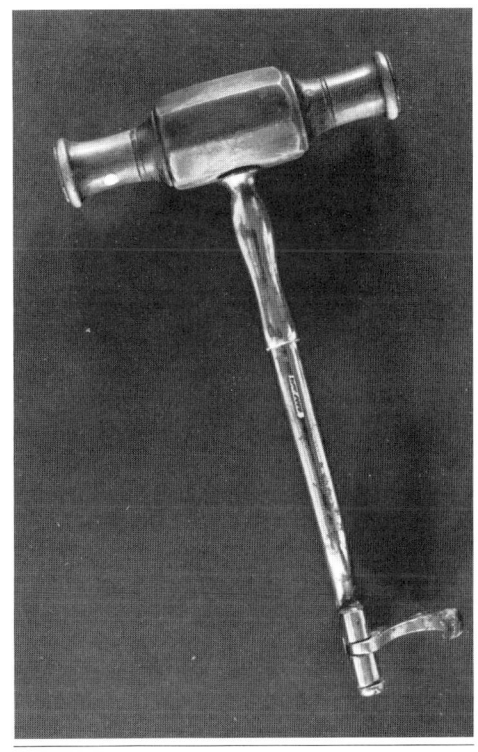

27 Zahnschlüssel (Clef de Garengeot), um 1770, 15 cm. (Musée du Val-de-Grâce, Paris).

28 Zahnschlüssel, um 1770, 13 cm. (University of Alberta Dental Museum, Edmonton).

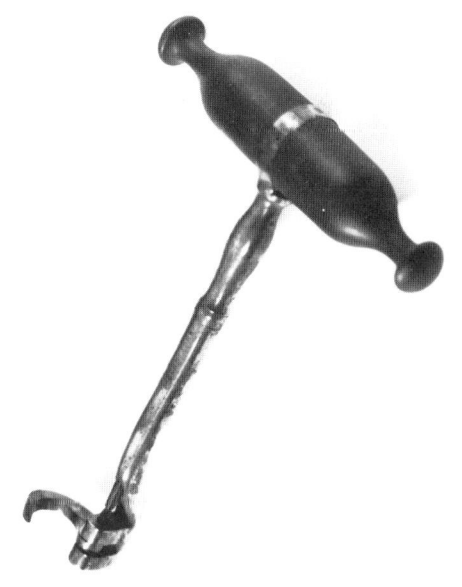

29 Zahnschlüssel (Clef de Garengeot), um 1770, 13 cm. (Musée d'Histoire des Sciences, Genf).

2 Extraktionsinstrumente

einen davon als Muster für die derzeit in London benutzten Schlüssel an Monro geschickt hatte. Monro war der erste, der den ganz aus Metall gefertigten Griff durch einen aus Holz oder Elfenbein ersetzte. Der erste dieser Art war oval geformt, später kam der gerade Griff mit Abschnitten feiner Stabverzierungen auf. Gegen Ende des achtzehnten Jahrhunderts setzte sich die Form des kreuzweise schraffierten Mittelstücks durch, dessen Enden leicht antailliert waren.

Der erste Schlüssel, der – 1757 – in Frankreich auftauchte, wurde wahrscheinlich von Bourdet abgebildet, ein recht unausgereiftes Modell mit leichter Krümmung zum Schaft hin und mit einem Quergriff, der durch das Endstück hindurch eingeschraubt war. Bourdet zeigte auch ein Exemplar mit zweifacher Krümmung, das ein sehr frühes Beispiel für diese Verbesserung ist. Eine weitaus einfallsreichere Version entwickelte 1766 Mauro Soldo, nämlich einen Zahnschlüssel mit herzförmigem Widerlager und einem phantasievoll mit Blattwerk verzierten Griff. Bereits um das Jahr 1747 hatte Louis Lecluse „einen Pelikan, nach dem Muster des englischen Schlüssels gemacht", erwähnt.

In den siebziger Jahren des achtzehnten Jahrhunderts war der Zahnschlüssel das gebräuchlichste und beliebteste Extraktionsinstrument überhaupt, kleinere Größen für die Behandlung von Kindern waren nicht ungewöhnlich (Abb. 33). Er wurde sogar noch bis in unser Jahrhundert hinein benutzt, und tatsächlich stieß die Verfasserin dieses Buches auf ein unverfälschtes Exemplar dieser Art, das ohne erkennbare Zugeständnisse an die Gepflogenheiten unserer Tage, im Jahre 1984 in Marrakesch noch in Gebrauch war.

Ein 1762 im *British Magazine* gezeigter Schlüssel weist einen Griff auf, der entfernt und dann als Hebel benutzt werden kann. 1722 beschrieb der Instrumentenmacher Perret vier Schlüssel, die als anschauliche Beispiele für die bis dahin stattgefundene Entwicklung gesehen werden können: Einer davon glich der Konstruktion von Monro, ein anderer stellte eine von Garengeot eingeführte Neuerung dar, d. h., er hatte eine drehbare Kralle, so daß er für beide Seiten des Mundes benutzt werden konnte. Bei einem anderen Schlüssel war die Kralle durch einen Stangenmechanismus am Schaft befestigt. Der sogenannte „Schlüssel des Frère Côme" hatte eine kleine Schraube, mit der ein Drehen der Kralle verhindert wurde. Manchmal konnte man bei diesem Schlüssel den Griff abschrauben, wodurch dann der unvermeidliche Schraubenzieher sichtbar wurde. Hierbei handelte es sich um einen später von Charrière hergestellten Typus. Bei allen vier Schlüsseln war die Kralle mit einem einzigen Spalt versehen, und die Oberfläche ihrer Innenseite war jeweils gezackt. Eine doppelendige Version aus ungefähr dieser Zeit befindet sich im *Royal College of Surgeons* in London.

In einer sehr detaillierten Beschreibung des Zahnschlüssels schlägt Benjamin Bell vor, das Widerlager vor Gebrauch mit Leinen zu umwickeln. William Rae griff diese Idee später wieder auf, allerdings mit dem Unterschied, daß er zur Umwicklung Werg oder Sämischleder vorschlug. Etwa um 1765 wurde der bis dahin gerade Schaft mit einer leichten Krümmung versehen, die bis etwa 1780 von Ferdinand Joseph Leber zu einer deutlichen Biegung weiterentwickelt wurde,

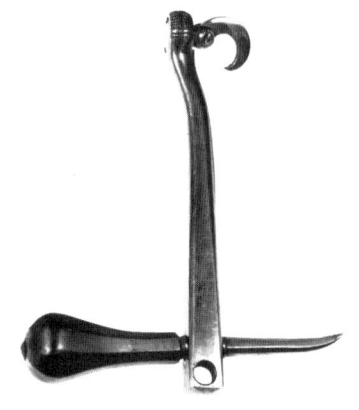

30 *Zahnschlüssel. Der Griff kann abgenommen und als Hebel verwendet werden, um 1765, 13 cm. (Musée d'Histoire de la Médicine de Paris; Cliché Assistance Publique).*

Zahnschlüssel

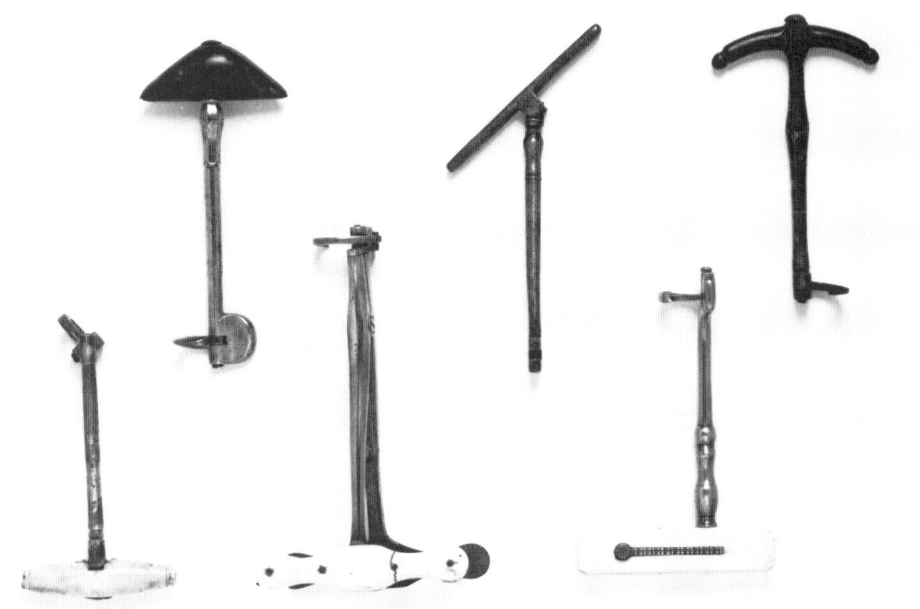

31 *Verschiedene Zahnschlüssel. Im Uhrzeigersinn: massives Widerlager um 1790; kippbarer Griff, um 1770; gebogener Griff wie bei Gariot, um 1805; ,,Clef de Garengeot perfectionnée" nach Maury, um 1833; doppelter Elfenbeingriff, geteilter Schaft, um 1825; drehbares Widerlager, um 1795; jedes etwa 12 cm. (Musée Fauchard, Paris).*

32 *Verschiedene Zahnschlüssel mit originaler Ledertasche, um 1750–1800, jedes etwa 12 cm. (Hartford Dental Society, Hartford, Conn.).*

2 Extraktionsinstrumente

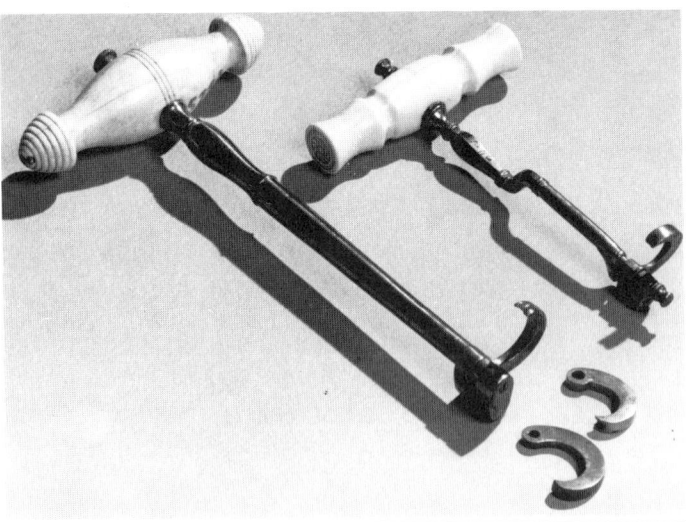

33 Zahnschlüssel, um 1790, 12 cm und desgleichen für Kinderbehandlung, um 1830, 9 cm. (Howard Dittrick Museum of Historical Medicine, Cleveland, Ohio).

34 Zahnschlüssel, um 1810, 15 bzw. 16 cm (Macaulay Museum of Dental History, Medical University of South Carolina).

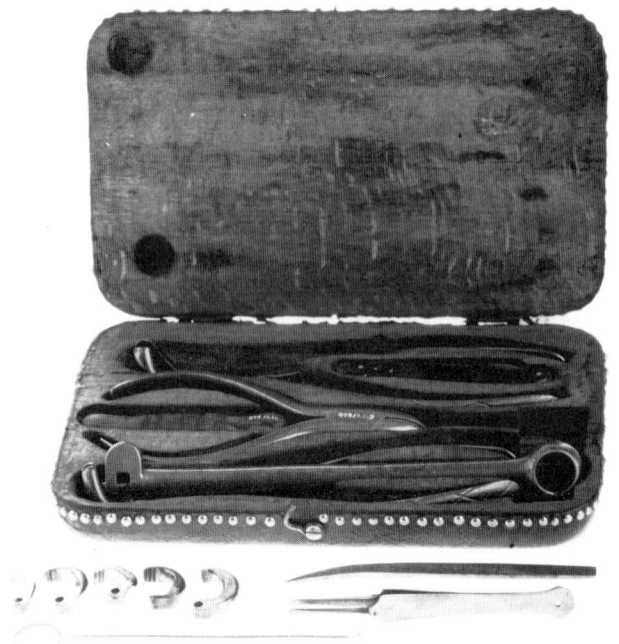

35 Satz ländlicher Zahnextraktionsinstrumente: Zahnschlüssel mit fünf Klauen, Gaumenmesser, Pinzette, Hebel, Zange, um 1860. (University of Alberta Dental Museum, Edmonton).

36 Modifizierter Zahnschlüssel, um 1800. Durch Niederdrücken des elfenbeinernen Bügels am Griff des Instrumentes wird das Maul betätigt. (Odontological Museum of the Royal College of Surgeons, London, J. 28.1).

37 Pelikan, um 1840, 12 cm, und verstellbarer Zahnschlüssel, um 1840, 14 cm. (Sammlung Bichlie, Museum der Schwedischen zahnärztlichen Gesellschaft, Stockholm).

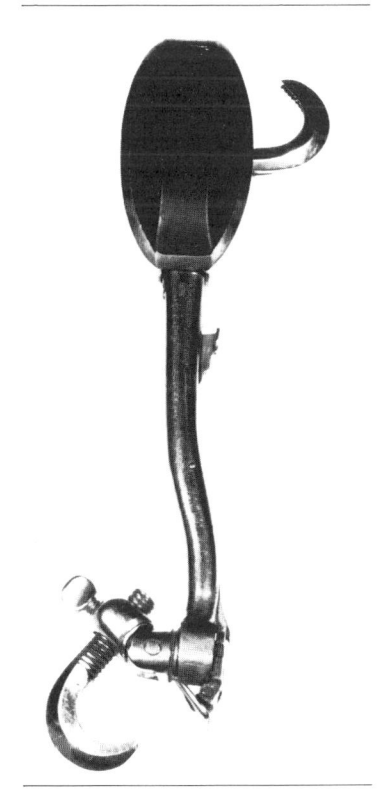

38 Zahnschlüssel mit beweglichem Widerlager, angegeben von Duval im Jahre 1802; 14 cm. (Musée d'Histoire de la Médicine de Paris; Cliché Assistance Publique).

wodurch ein übermäßiger Druck auf die angrenzenden Zähne vermieden werden sollte. Gegen Ende des Jahrhunderts führte Robert Clarke (1767–1798) dann eine zweite, rechtwinklige Krümmung ein, so daß der Schaft durch den Mund hindurch bis hin zum entfernteren Teil des Kiefers reichte. Außerdem wurde auch die Kralle vielseitiger gestaltet; so konnte sie nun durch eine Raste in verschiedenen Positionen arretiert werden. Ein weiterer Arretierungsmechanismus wurde von James Spence zwischen 1760 und 1780 und ein dritter im Jahre 1806 von Joseph Fox (1776–1816) eingeführt. Fox fügte ein zusätzliches Widerlager hinzu, das an einem anderen als dem zu ziehenden Zahn angebracht werden konnte, was sich im Falle eines bestehenden Abszesses als sehr nützlich erwies.

In seinem Katalog von 1795 sagte der Instrumentenmacher Savigny, der Hauptfehler des Zahnschlüssels läge in der Breite des Widerlagers. Er fügte hinzu, daß es mit seinem neuen Zahnschlüssel möglich sei, einen Zahn fast lotrecht herauszuziehen, was ja immer das angestrebte Ziel gewesen war. Charles Laforgue führte ein konkaves Widerlager und einen stark gekrümmten Schaft mit einer Auswahl von verschiedenen austauschbaren Krallen ein. 1796 besaß Knaur einen Schlüssel mit abnehmbaren Widerlagern, der recht verbreitet war. Der Schlüssel Henrys aus dem Jahre 1825 sieht an sich recht einfach aus, aber er besitzt einen der großartigsten Griffe überhaupt. Er ist achteckig mit zwei Streifen silberner Ränftelung und einer facettierten Manschette. Es gab zahlreiche Variationen, und jeder erhob für seine Version den Anspruch, daß sie im praktischen Gebrauch von „universellem" Nutzen sei.

1819 wurden Korkstückchen mit einem Silberfaden an einem konkaven Widerlager befestigt, um so den auf den Zahn ausgeübten Druck zu verringern; 1829 tauchte ein kugelförmiges Widerlager auf, und 1833 bildete Maury einen Schlüssel mit reich verziertem Schaft ab, der durch eine Raste in das eine Ende des Griffes eingepaßt werden konnte, wodurch während des Eingriffs eine größere Kraftübertragung erreicht wurde. Joseph Linderer (1809–1879) brachte 1848 ein bewegliches Widerlager ein, welches am Schaft entlang herunter- und heraufgeschoben werden konnte, was für die Fälle gedacht war, in denen das Hypomochlion auf der der Kralle gegenüberliegenden Seite nicht benötigt wurde. Savigny zeigte einige leicht zu transportierende Konstruktionen: einen zusammenschiebbaren Schaft zum Beispiel und einen, der in einen Metallzylinder paßte, welcher durch eine Flügelschraube abzunehmen war. James Snell (? 1795–1850), der Autor von *Practical Guide to Operations on the Teeth* (1831) unterstrich immer wieder, wie wichtig es doch sei, die Größe der Kralle der des Zahnes anzupassen. Selten war ein Instrument zur Zahnbehandlung Gegenstand einer solchen Fülle von Ideen.

1811 beschrieb der Instrumentenmacher Simpson einen Schlussel, bei dem die Notwendigkeit der Regulierung der Kralle, während sie im Munde war, einfach umgangen wurde, indem an der Basis des Widerlagers eine kleine, zusätzliche Schraube installiert wurde. Zu Anfang des neunzehnten Jahrhunderts versuchte man, die Position der Kralle durch eine Federvorrichtung am Schaft zu fixieren. 1843 führte F. S. Prideaux eine Kralle mit einem geschärften Rand ein. Wurde der Griff seines Schlüssels in umgekehrter Richtung herumgedreht, so schnitt die Kralle im Kreis herum das Zahnfleisch unter dem Zahnhals ein.

In *Surgical Essays* von 1771 sagte John Aitken (nachgewiesen 1770–1790), die Hauptmängel des Zahnschlüssels lägen zum einen darin, daß der Zahn in schräger Richtung herausgezogen würde, und zum anderen in der schweren Quetschung, die dem Zahnfleisch zugefügt würde. Zur Beseitigung dieser Probleme ersann er ein sehr elegantes und kompliziertes Instrument. Es hatte einen achteckigen, in einer Muffe liegenden Schaft und konnte somit vorwärts und rückwärts, nicht aber im Kreise bewegt werden. Gesteuert wurde diese Vorrichtung durch eine Kralle am Schaft sowie durch ein kompliziertes Zusammenspiel von Widerlager und Kralle.

Es wurden noch viele erweiterte Arten von Zahnschlüsseln erfunden, die, obwohl sie weiterhin dem allgemeinen Muster des Schlüssels folgten, mit ähnlicher Kraftanwendung wie die Zahnzangen gehandhabt wurden. Durch diese Übergangsmodelle wird ein sehr bedeutendes Entwicklungsstadium veranschaulicht. Wie die englischen Sprichwörter sagen: ,,Musik hilft bei Zahnschmerz nicht" und ,,Die Zunge geht immer wieder zum schmerzenden Zahn", so war die zwingende Notwendigkeit, etwas gegen den Schmerz zu unternehmen, immer gegenwärtig. 1799 erhielt Robert Simpson das Patentrecht für eine federnd gelagerte Kralle, die mit einer Zange am Zahn befestigt wurde. Dann wurde die Zange herausgenommen, und der Zahn wurde mit Hilfe eines schlüsselartigen, in jede gewünschte Richtung drehbaren Mechanismus entfernt. Eine andere Erfindung war ein aus vier Stahlteilen zusammengesetzter Schaft, der einen Stab enthielt, welcher mittels eines Querteiles innerhalb des Griffes angebracht war. Drückte man diese Querstange herunter, so wurde die Kralle in Aktion gesetzt (Abb. 36). Außerdem hatte dieser Schlüssel ein Widerlager mit flachen Nuten und mit Vorsprüngen auf beiden Seiten, so daß der zu ziehende Zahn festgehalten wurde, sowie eine Kralle, die in die jeweils benötigte Nute hineinpaßte. Ähnlich kompliziert ist ein aus dem neunzehnten Jahrhundert stammender Schlüssel mit zylindrischem Schaft, der mit einer Schraube versehen war, deren Betätigung durch einen Quergriff erfolgte, welcher wiederum den Abstand zwischen zwei Krallen regulierte. Es gab noch viele andere Höhenflüge mechanischer Erfindungsgabe, von denen jeder einzelne ohne Zweifel das Ergebnis gutgemeinten einfallsreichen Scharfsinns war. In der praktischen Anwendung waren diese Instrumente jedoch so verwickelt und kompliziert, daß sie wohl

39 *Modifizierter Zahnschlüssel von Ash, um 1835, 19 cm. (Odontological Museum of the Royal College of Surgeons, London, J. 27.1.).*

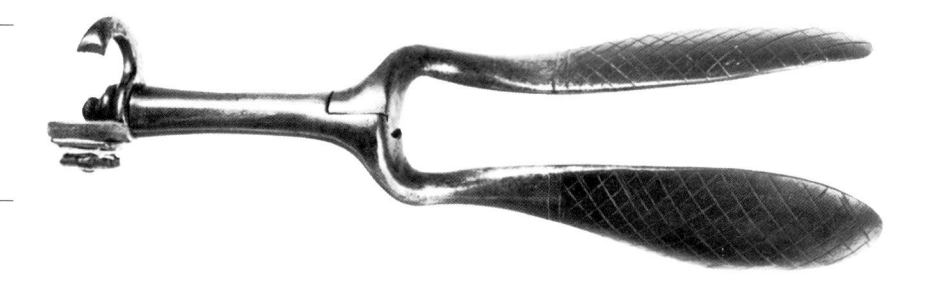

kaum über das Stadium der Erstausführung hinausgekommen sein dürften.

In der Zwischenzeit breitete sich der Gebrauch des Zahnschlüssels immer mehr aus. Von einem Zahnbehandler in Kairo wurde berichtet, daß er mit einem gewöhnlichen Türschlüssel und mit einem Stück Bindfaden „mit großer Geschicklichkeit und Schnelligkeit" Zähne gezogen habe. Wenn das möglich war, wozu dann noch die oben beschriebenen schwierigen Prozeduren?[8]

Schrauben

Schrauben wurden dort benutzt, wo kein leicht zu fassendes Teil mehr verblieben war, d. h. bei der Entfernung von Stümpfen der Schneide- und der Eckzähne. Die beiden 1803 gezeigten Schrauben von Serre und Laforgue waren vermutlich die ersten ihrer Art. Serre behauptete von seiner Schraube, die mit einer Reihe konischer Spitzen ausgestattet war, welche in einen einfachen, geraden Schaft mit abgerundetem Griff eingepaßt werden konnten (Abb. 42), daß sie die Wurzeln „wie einen Korken aus der Flasche" zöge. 1825 bildete der französische Instrumentenmacher Henry einige prächtig verzierte, von Serre entworfene Exemplare ab, deren beeindruckende, reich mit Blattwerk geschmückte Griffe eingelassene Schildchen trugen, in die das Monogramm des Behandlers eingraviert werden konnte. Die Version von Laforgue beschränkte sich mehr auf das Wesentliche: ein auf einem kurzen Schaft befestigter Kopf mit querstehendem Metallgriff.

Spätere Neuerungen waren natürlich komplizierter, wie zum Beispiel die Schraube, die mit einer Flachzange in den Zahn eingesetzt und dann mit einem schlüsselartigen Instrument zusammen mit dem Stumpf wieder herausgezogen wurde. Eine andere Kombination bestand aus einer Schraube mit Zahnzange (Abb. 56). Das *Americal Journal of Dental Science* in Baltimore veröffentlichte S. P. Hullihens (1810–1857) Beschreibung seiner „Compound Screw Forceps", ein Instrument, das eine Länge von 9 Zoll hatte. Zwischen den Backen der Zahnzange befindet sich ein Metallrohr mit einer bis in die Zahnschraube hineinreichenden Feder. Diese wird in den Zahn eingedreht und dann mit der Zange wieder herausgezogen. Die Anwendung dieses Gerätes soll in Amerika recht verbreitet gewesen sein. Ihm folgten ähnliche Variationen eines anderen Typs, der speziell für zersplitternde Wurzeln konstruiert war. Dieser sah folgendermaßen aus: Der eine Schaft enthielt eine Zahnschraube, der andere eine Kralle. Beide waren durch ein Gelenk miteinander verbunden. 1851 erfand H. N. Wadsworth eine Zahnschraube, die in die Pulpahöhle einzuführen und dann mit einem Hebel zu extrahieren war. „Keine Wurzel", so sagte er, „kann dem standhalten". Bei seiner Methode mußte ein Stückchen Hickoryholz auf die angrenzenden Zähne gelegt werden, die als Hypomochlion dienten, wobei es fraglich ist, ob sie dieser Methode dann auch tatsächlich standhalten konnten.

2 Extraktionsinstrumente

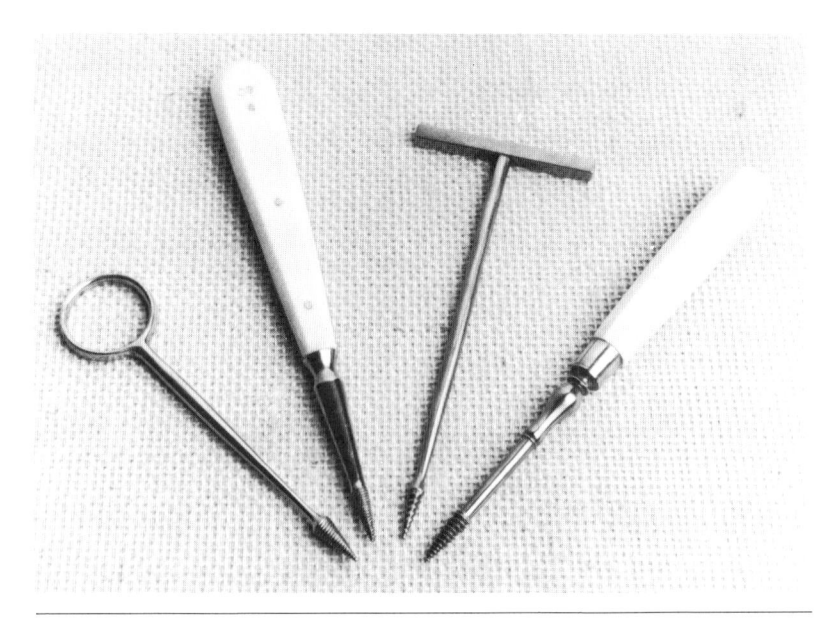

41 Verschiedene Schrauben wie abgebildet bei Serre, 1803, jede etwa 13 cm (Museum of the British Dental Association, London).

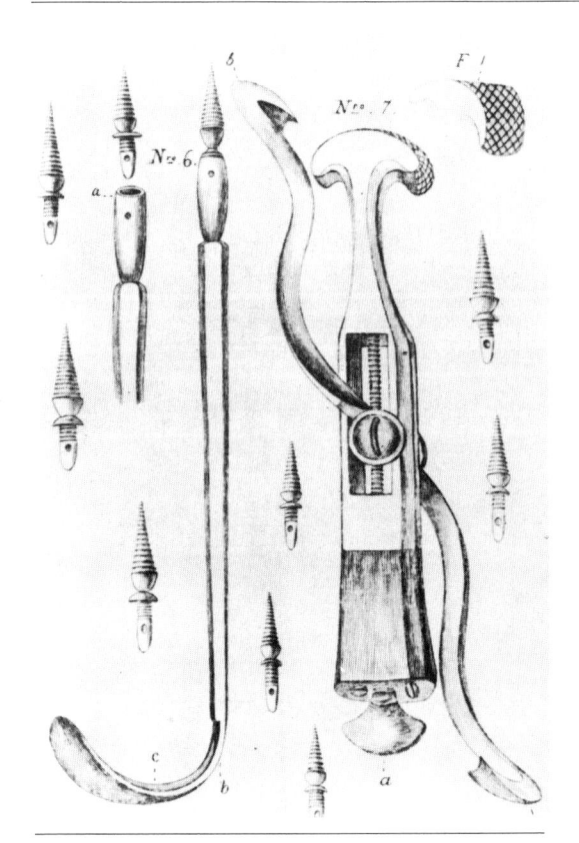

40 Schwere eiserne Schraube nach Serre. Abgebildet bei S. S. White 1867. (Macaulay Museum of Dental History, Medical University of South Carolina).

42 Abbildung aus dem Buch von Johann Jacob Joseph Serre, 1803: Schrauben, Pelikan und Wangenabhalter.

Zahnzangen

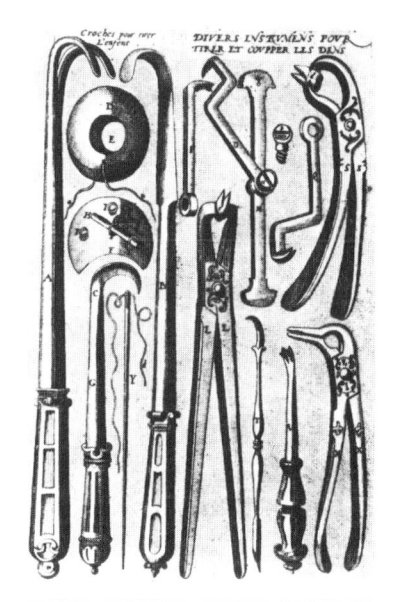

43 Zahnzangen. Abbildung aus W. Ryff: „Chirurgia Magna" (1545).

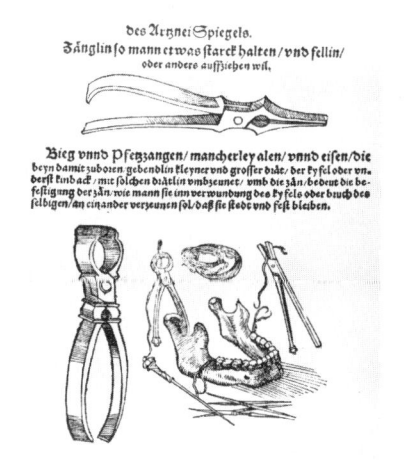

44 Abbildung aus: Oeuvres de Chirurgie von Jacques Guillemeau, 1598: drei Zangen, ein Pelikan und zwei Hebel.

Die Zahnzange ist wohl das älteste aller Instrumente zur Zahnbehandlung, nach den Fingern natürlich, denen gegenüber Aristoteles ihr den Vorzug gab. Es sind sowohl griechische als auch römische Exemplare bekannt, alle mittelalterlichen Autoren bildeten sie ab. Offenbar wurde sie nicht nur zur Extraktion, sondern im gleichen Maße auch dazu benutzt, die Zähne durch Rütteln zu lockern.

Es entwickelten sich mehrere Typen, von denen jeder, seinem Aussehen entsprechend, entweder nach dem Schnabel eines besonderen Vogels oder den Kiefern eines Hundes benannt wurde.

Albucasis bildete sechs Typen ab, die alle aus Damaszener Eisen gefertigt waren: vier für unversehrt gebliebene Zähne und zwei zur Wurzelextraktion. Jede dieser Zangen hat eine längere Backe, die sich jeweils über die kürzere hinauswölbt. Die innere Oberfläche ist gefurcht, um so einen festen Halt zu gewährleisten. 1545 zeigte Ryff frühe Formen sowohl des Papageienschnabels als auch des Krähenschnabels, des weiteren Zangen zur Wurzelextraktion, deren unterer Griff zurück- und damit um die Finger herumgebogen war. Martinez hingegen beschrieb 1557 drei vergleichsweise sehr schlichte und eckige Zangen: Bei der einen davon handelt es sich um Ryffs Papageienschnabel, bei der anderen sind die Backen in der Verlängerung der Griffe ausgerichtet, und die dritte hat gerade spitzzulaufende Bakken, die in einem Winkel zu den Griffen stehen. Paré brachte eine Abweichung des Papageienschnabels mit einer an zwei Stellen gespaltenen oberen Backe. Seinem Vorschlag folgend sollte der Patient auf einem niedrigen Stuhl sitzen und seinen Kopf zwischen die Beine des Operierenden legen. Als erstes sollte das Zahnfleisch gelöst und dann der Zahn mit einem Stoßeisen luxiert werden. Die Zangen sollten lediglich als letztes Hilfsmittel benutzt werden, erst die eine, dann die andere, je nach Größe und Stellung des Zahns. „Ich hätte den Zahnzieher gern erfahren und umsichtig ... denn, wenn man sich nicht darauf versteht, sie leicht und geschickt zu handhaben, dann wird er es kaum vermögen, drei Zähne auf einmal herauszubringen". Andreas della Croce war ebenfalls der Ansicht, daß die Zangen das zuletzt anzuwendende Hilfsmittel seien, aber er bildete zwei Versionen ab. Jacques Guillemeau (1550–1613) benutzte einen Papageienschnabel und einen Krähenschnabel sowie eine dritte Art, deren parallel verlaufende Backen im rechten Winkel zu den Griffen angeordnet waren.

Scultetus zeigte die von Fabricius ab Aquapendente (1533–1619), einem Professor aus Padua, befürworteten Instrumente. Der allgegenwärtige Papageienschnabel „ist ein Paar gewöhnlicher Zangen für die Zähne", sagte er und brachte ihn auf den neuesten Stand, indem er ihn zur Regulierung des Drucks mit einer durch den Griff hindurchgehenden Stellschraube versah. Sein Krähenschnabel war für Wurzelextraktionen bestimmt; er hatte bemerkt, daß die Wurzeln bei der Zahnextraktion größtenteils zurückblieben. Des weiteren erwähnt er einen für die Schneidezähne anzuwendenden Storchenschnabel und eine Zange „mit dem Biß eines Hundes".

2 Extraktionsinstrumente

45 Zwei Zangen, um 1600. (Science Museum, Wellcome Collection, London).

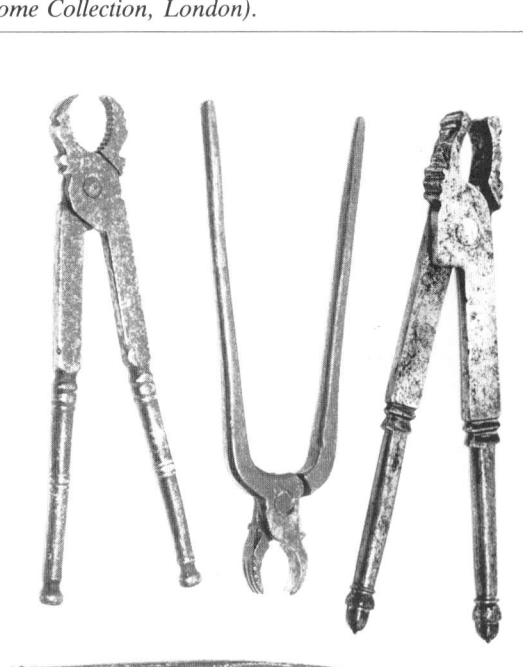

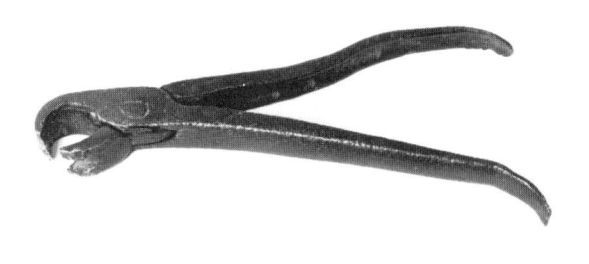

46 Ungarische Zange, um 1650. (Semmelweis-Museum, Budapest).

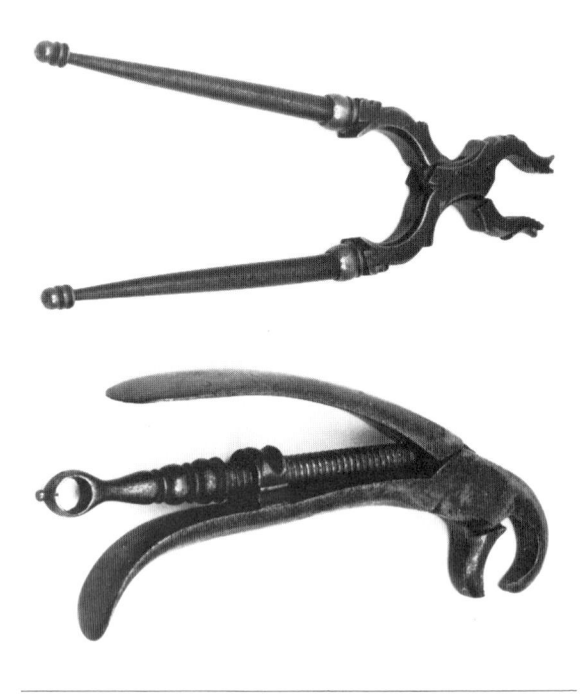

47 Zange, um 1690; Zange mit Stellschraube, um 1760. Jede etwa 12 cm. (Museum der Schwedischen zahnärztlichen Gesellschaft, Stockholm).

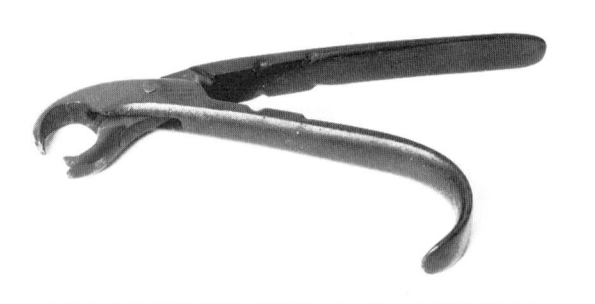

48 Zangen, um 1700, jede etwa 13 cm. (Museum of the History of Science, Oxford).

49 Ungarische Zange, um 1790. (Semmelweis-Museum, Budapest).

Zahnzangen

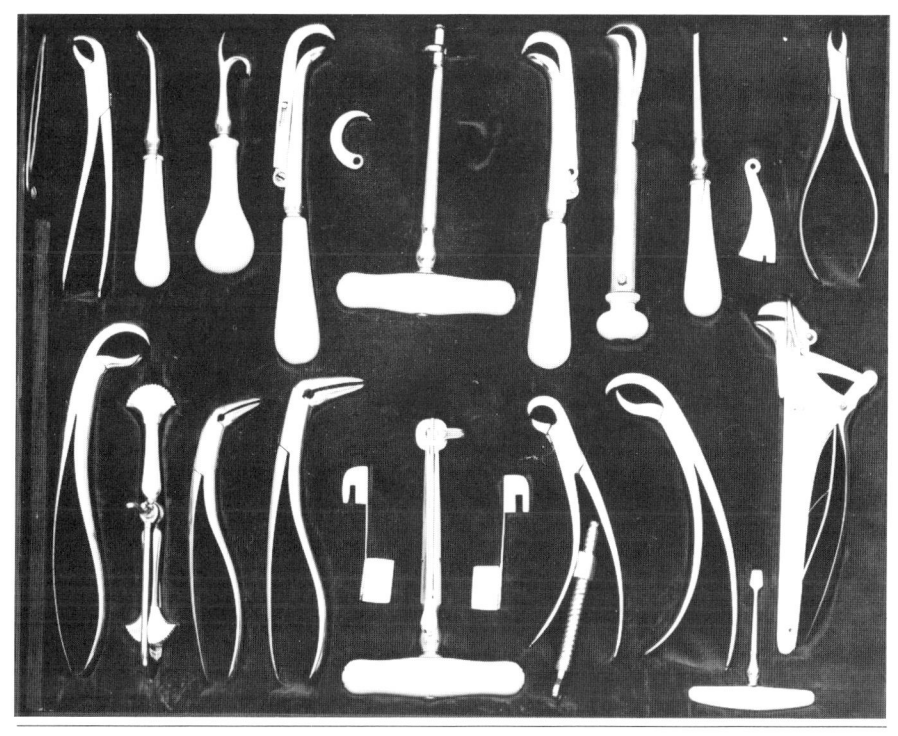

50 *Instrumentenkasten von Giovanni Alessandro Brambilla, um 1780. (Museum für die Geschichte der Wissenschaften, Florenz).*

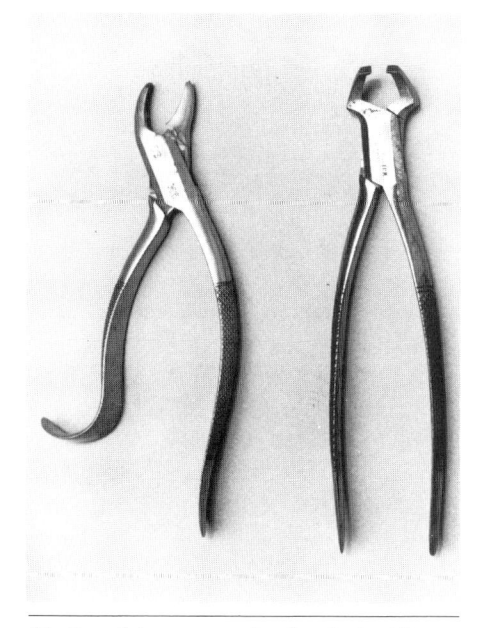

51 *Extraktionszange. Links: S. S. White, um 1870, mit dem SSW-Warenzeichen. Rechts: Chevallier nach Angabe von Cyrus Fay, 1835, 15 cm. (Howard Dittrick Museum of Historical Medicine, Cleveland, Ohio).*

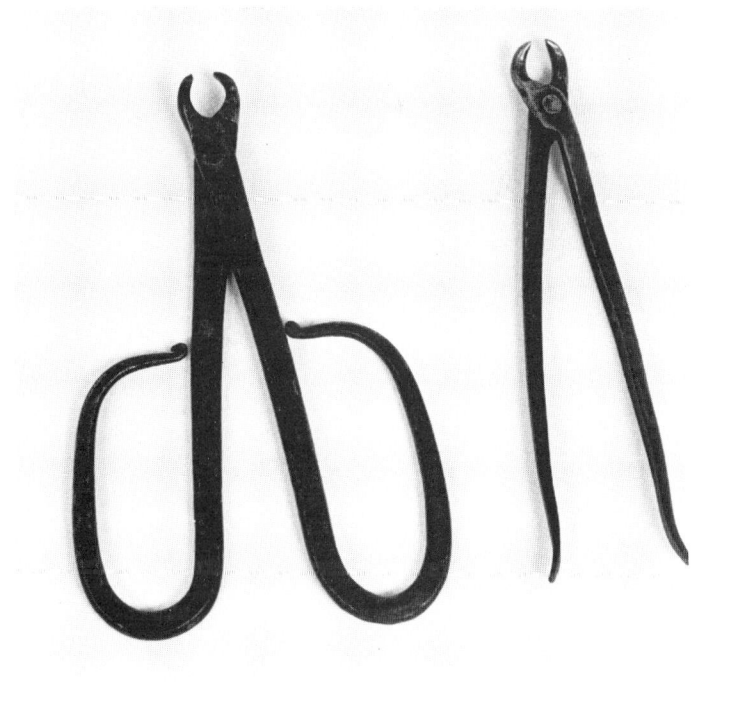

52 *Zangen, um 1840, wohl vom örtlichen Schmied angefertigt. (Hartford Dental Society, Hartford, Conn.).*

2 Extraktionsinstrumente

1617 schrieb John Woodall, „... wenn es um irgendeinen anderen der großen Backenzähne geht und um einen vernünftigen Halt auf der Innenseite zu haben, führt man es am besten mit den Pacis (Zangen) aus ..., mindestens zwei Arten von Pacis müssen in einem Instrumentenkasten sein." Laut der am 10. Juli 1626 von Woodall erstellten Liste der ersten autorisierten *Army Dental Outfit* (Ausrüstung zur Zahnbehandlung in der Armee) benötigten Instrumente gehörte folgendes dazu: Pacis (Zangen), Pelikane, Hebel, Stoßeisen, Krähenschnäbel, Stichel (kleine Zahnreiniger).

Anton Nuck unterschied die Zähne nach ihrer Größe und war bemüht, jedem Zahn das für ihn geeignete Instrument anzupassen. Er ist sogar so praxisbezogen, daß er die Notwendigkeit eines Beckens zum Ausspülen nahelegte. Dionis zeigte die beiden Haupttypen der Zangen und ergänzend dazu eine dritte, von ihm als Krähenschnabel bezeichnete Version, die in Wirklichkeit jedoch mit so überaus scharfen Backen ausgestattet war, daß sie „da, wo sie zu scharf sind, die Gliedmaßen abschneiden würden".

Zu Beginn des achtzehnten Jahrhunderts wurde dann mehr Kraft benötigt, da zum ersten Mal eine Feder zwischen den Griffen auftauchte und man viele neue Versionen zu sehen bekam. Garengeot entwickelte einen Papageienschnabel, dessen Griffe an eine Ballettposition erinnern, und ein Exemplar, dessen Backen im rechten Winkel zu den Griffen stehen.

1728 illustrierte Fauchard vier Spielarten: einen Papageienschnabel, einen Krähenschnabel (der sich, nun mit längeren Backen, zum Kranichschnabel entwickelte) und zwei pinzettenähnliche Zangen mit konkaven, sich der Form des Zahns anpassenden Backen. Alle, so sagte er, sollten ein versenktes Schloß haben, welches auf beiden Seiten in einer tiefergelegenen Rille vernietet ist. Die Feder lehnte er mit Entschiedenheit ab, da sie, wie er meinte, oft einfach im Wege sei und die von der Hand ausgehende Kraft verringere.

Eine Zange mit Stellschraube zur Druckregulierung wurde 1770 von Leber und, im Laufe der folgenden sechzig Jahre, von vielen anderen wieder eingeführt. 1772 erfand Perret eine Zange, deren obere Backe – wie auch beim Papageienschnabel – haubenförmig war, jedoch eine stärker gefurchte Innenoberfläche hatte, während die untere Backe T-förmig mit leicht erhobenen Armen war. Diese empfahl er speziell zur Extraktion der Schneide- und der Eckzähne, da es bei den Vorderzähnen nahelag, daß mit Komplikationen zu rechnen war. Im Jahre 1782 brachte Bücking eine furchterregende Zange heraus: mit langen, gebogenen Griffen und flachen, kurzen und gekrümmten Backen – ein solches Modell hatte es nie zuvor gegeben. Auch Campani betrat Neuland mit seiner Zange, deren Backen serpentinenartig gewunden waren. 1803 beschrieb Serre eine geniale Zange, deren einer Griff in einer Öse endete, die über den Zahn gelegt werden mußte. Serre selbst bezeichnete sie als „Aufschlitzer" und „Zahnbrecher".

Zu Beginn des neunzehnten Jahrhunderts waren die vielen Spielarten der Zange weitaus schwerfälliger konstruiert: Ihre Griffe waren im Rautenmuster gerillt oder hatten, wie zum Beispiel die 1828 von Maury vorgestellten Versionen, ein charakteristisches Fischgräten-

53 *Zangen für die vertikale Extraktion. Die kleine, um 1800, die große, signiert H. J. Batchelor, patented 1. 7. 1856. (Rijksuniversiteit Utrecht).*

Zahnzangen

Farbtafel VII *Teilansicht eines prachtvollen Instrumentenkastens von Charrière, um 1825. Zu sehen sind Hebel, Zahnreinigungsinstrumente, ein Spiegel und ein Skalpell. Griffe aus Perlmutt mit vergoldeten Montierungen. (Privatsammlung, Paris).*

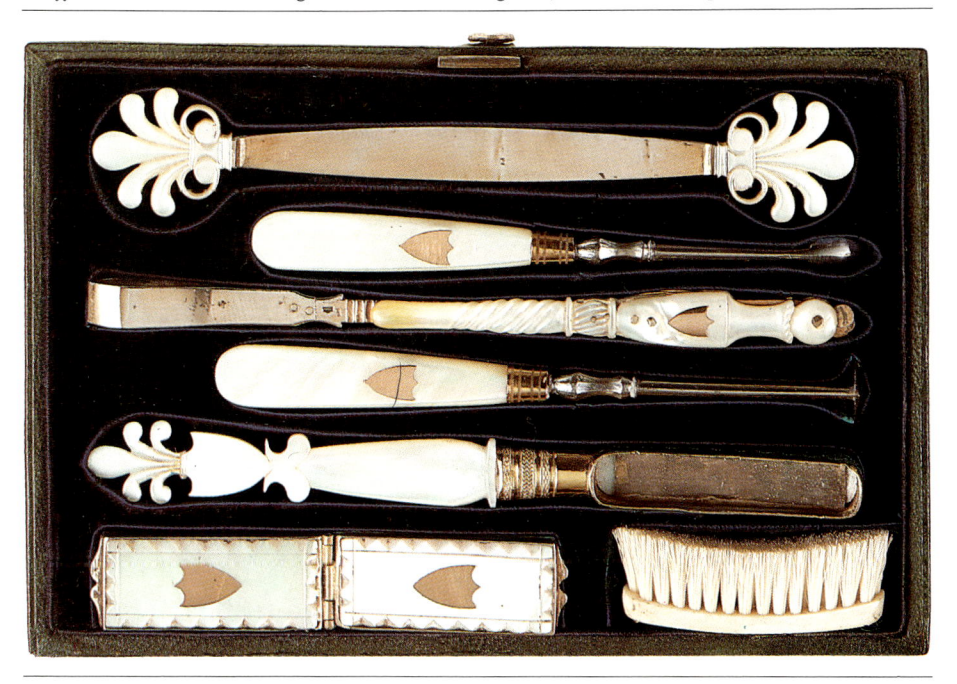

Farbtafel VIII *Kasten mit Mundhygieneinstrumenten. Griffe aus Perlmutt und vergoldetem Silber, frühes 19. Jahrhundert. Holländische Arbeit. (Museum of the British Dental Association, London).*

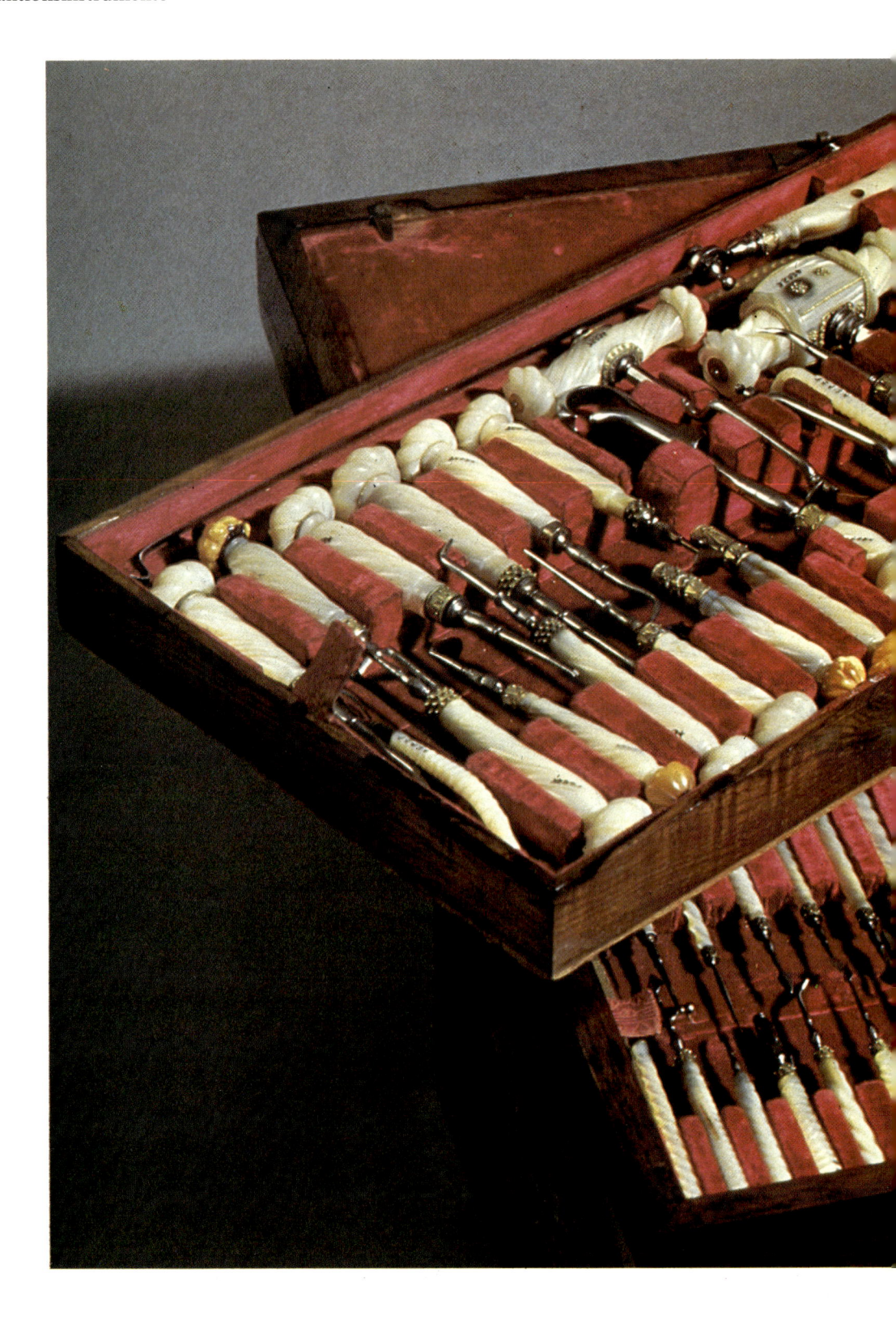

2 Extraktionsinstrumente

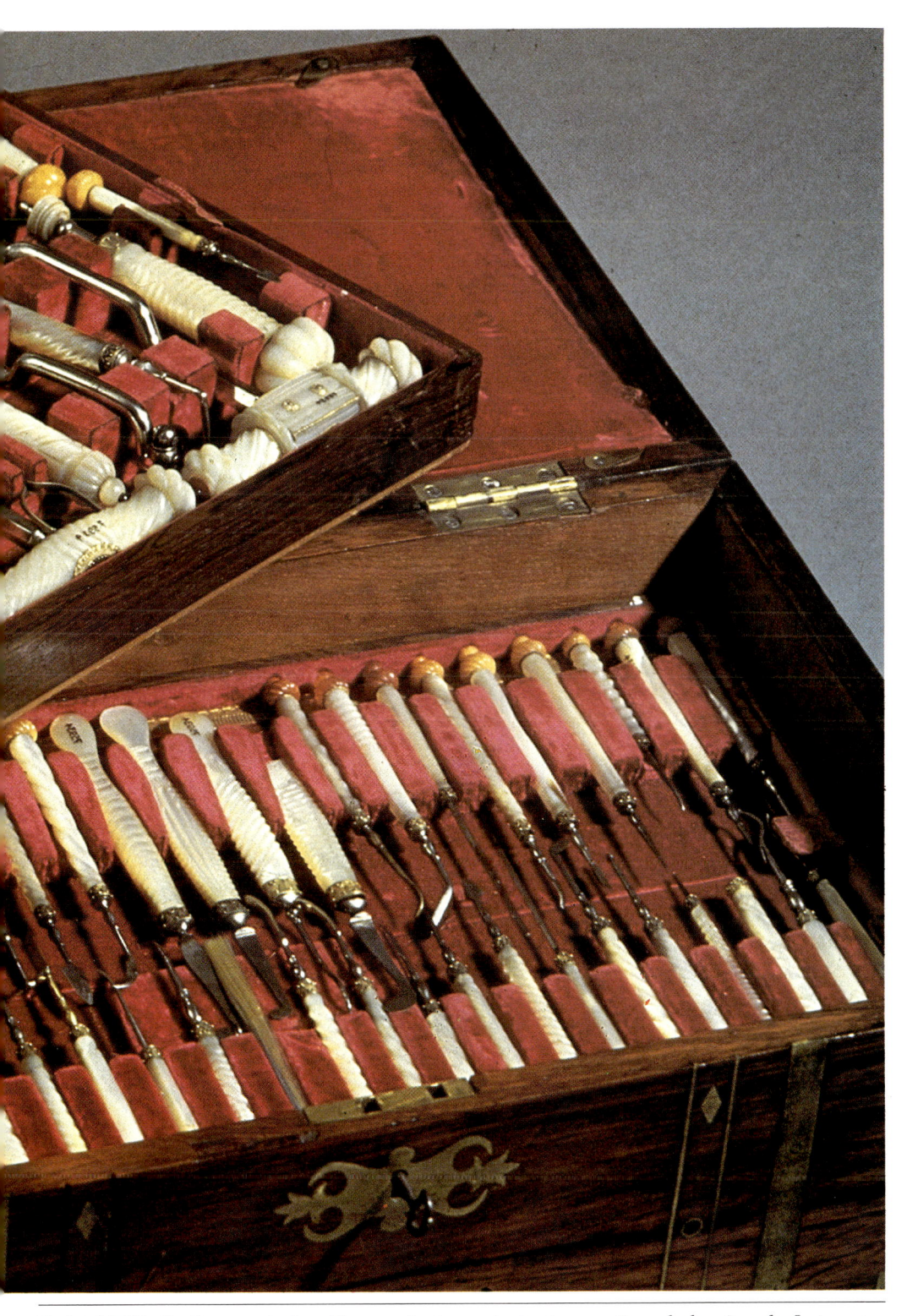

Farbtafel IX *Großer messingbeschlagener Instrumentenkasten aus Rosenholz mit sechs Instrumententabletts. Amerikanische Arbeit, wohl ein Ausstellungsstück, um 1840. (Science Museum, Wellcome Collection, London).*

Farbtafel X *Der Blick in ein zahntechnisches Laboratorium des 19. Jahrhunderts läßt ahnen, unter welchen Bedingungen Zahnersatz hergestellt wurde. (Rijksuniversiteit, Utrecht).*

Zahnzangen

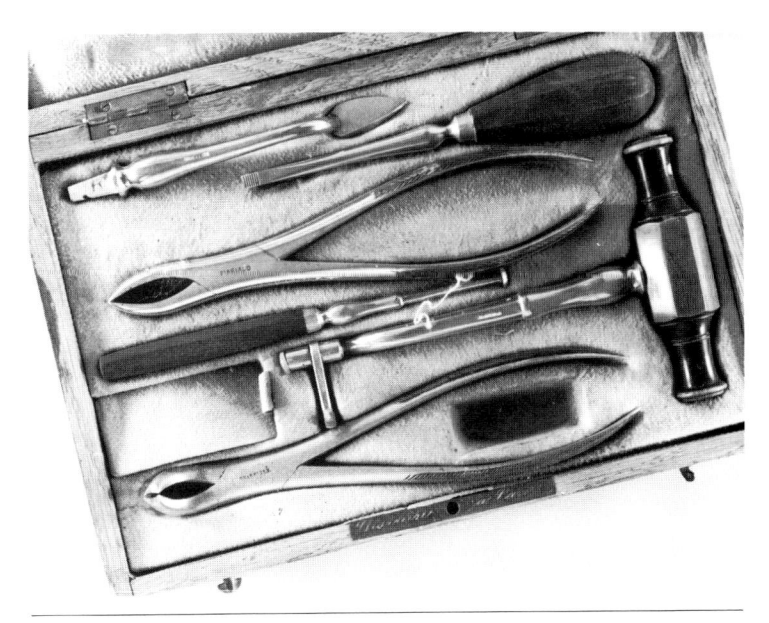

54 *Kasten mit Extraktionsinstrumenten, um 1810 (Musée de Val-de-Grâce, Paris).*

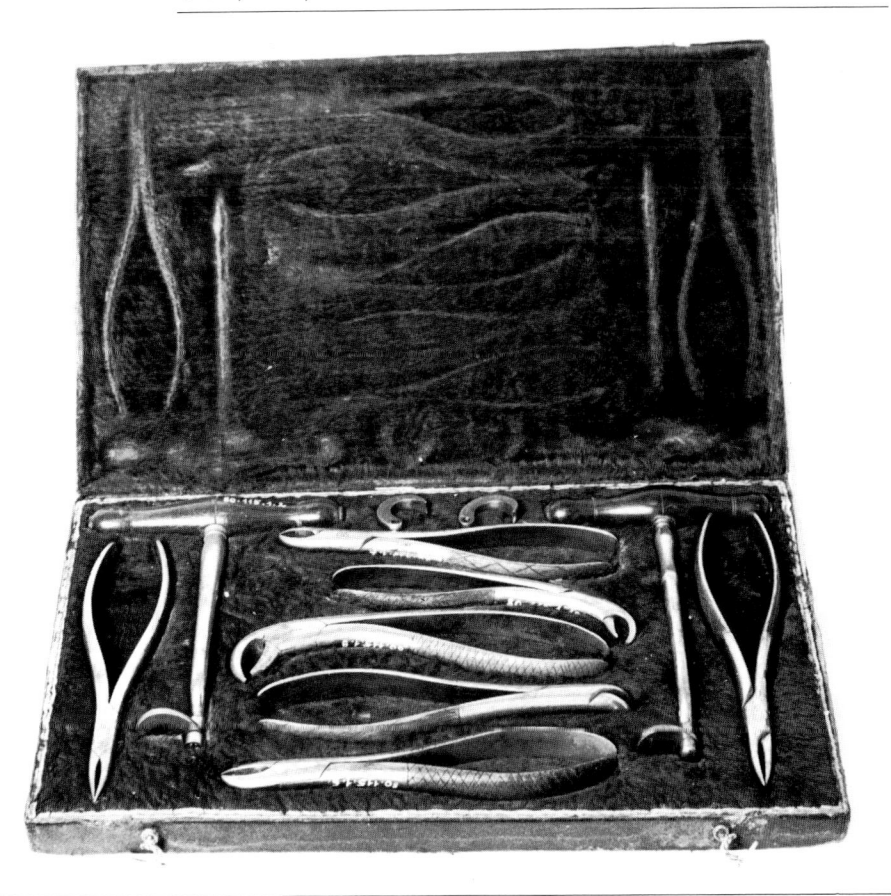

55 *Instrumentenkasten, um 1800. Neuhold, Wien (Semmelweis-Museum, Budapest).*

2 Extraktionsinstrumente

56 Zange nach C. H. Dubs, 1848, 14 cm. (Macaulay Museum of Dental History, Medical University of South Carolina).

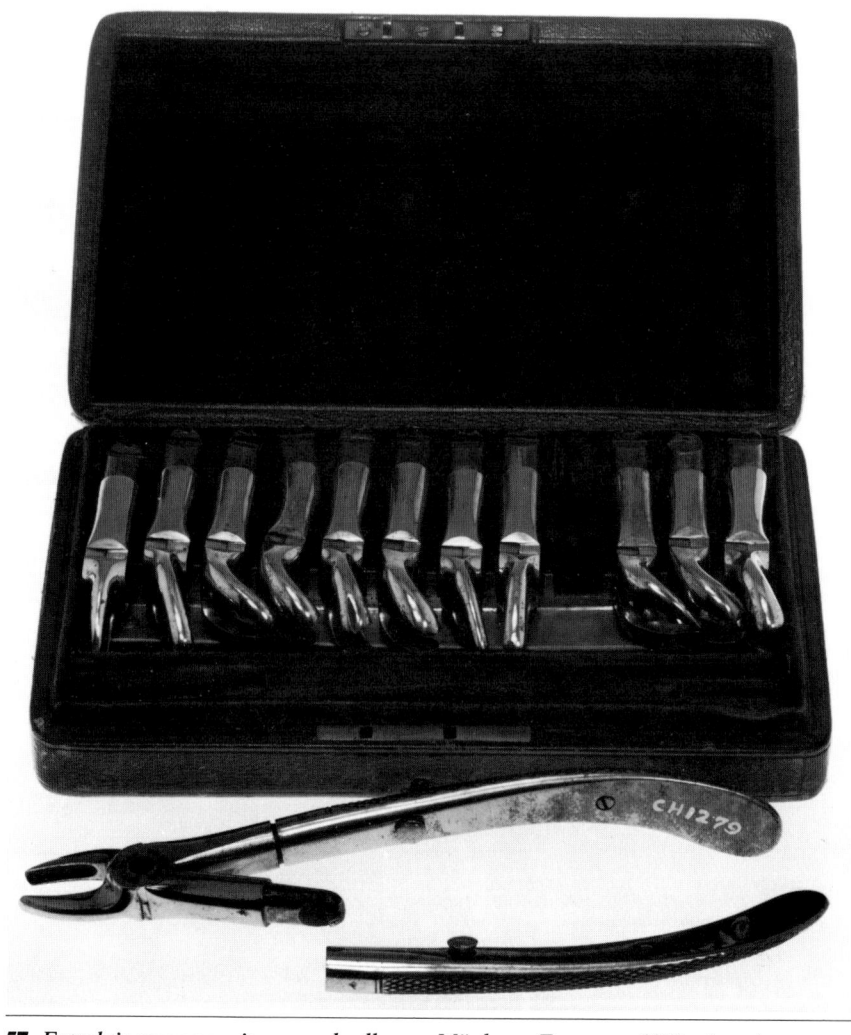

57 Extraktionszange mit auswechselbaren Mäulern, Ferguson 1865. Aus dem ehemaligen Besitz von Dr. Dentz, erster Lehrstuhlinhaber für Zahnheilkunde in Holland. (Rijksuniversiteit, Utrecht).

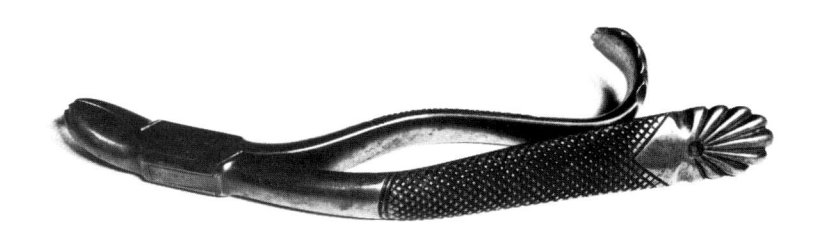

58 *Extraktionszange Arnold, um 1850, 14 cm. (Privatsammlung Dr. Gary Lemen, Sacramento, Cal.).*

muster. 1803 wies Serre nicht weniger als 13 Typen vor, die zwar mit anmutigen Windungen verziert, aber nur mit Mühe dem Zahnhals anzupassen waren. Der große Durchbruch kam 1826 mit Cyrus Fay (1778–1839), der als erster die mechanische Funktionsweise der Extraktion untersuchte und für seine „Verbesserte Zange für den Gebrauch der Zahnärzte" von der ([englischen] d. Ü.) *Society of Arts* mit einer Silbermedaille ausgezeichnet wurde. Diese Zange, sagte er, „kann akkurat für die verschiedenen Arten von Zahnhälsen angewandt werden . . . ohne jegliche Gefahr, einen kariösen Zahn bei dem Versuch, ihn zu ziehen, zu zerbrechen." Sie würde nicht abrutschen und es sei auch nicht nötig, das Zahnfleisch vorher einzuschneiden; die schnabelförmigen Backen würden einen Stumpf sogar unterhalb des Zahnfleischrandes ergreifen.

Unterdessen verlangten die Praktiker eine Zange, die nach rationalen Gesichtspunkten konstruiert war und deren Griffe so gebogen waren, daß sie der Form der Hand gerecht wurden. Ihre Backen sollten exakt auf Zahnhals und Zahnkrone passen. Daher wurde es immer notwendiger, anstelle von einer oder zwei Zangen einen ganzen Satz zu haben. Josiah Foster Flagg aus Boston (1763–1816) soll einen Satz von elf Zangen besessen haben, von denen jede einzelne der Anatomie des jeweiligen Zahnes entsprochen haben soll. James Snell entwarf eine Zange, deren Griff so gebogen war, daß er dem kleinen Finger Halt bot. Dadurch sollte ein Abrutschen bei warmer Witterung vermieden werden. J. Glasford Shepherd, der eine ganze Serie von Zangen vorstellte, die von Weiss angefertigt und in ihrem Katalog von 1843 gezeigt wurden, entwarf für den Zahnstumpf eine Zange mit scharfer Kante, wodurch die Anwendung des Gaumenmessers überflüssig wurde. Eine seiner Neuerungen war eine Sicherheitszange mit gleichförmig gebogenen Backen, die jeden auch noch so wulstigen Zahn fest in den Griff bekommen sollten. Ganz vorbehaltlos vertraute er dieser Zange aber wohl doch nicht: „ . . . Der Zugriff dieser Zange ist von so gleichbleibender Kraft, daß es wohl kaum möglich ist, ihn (den Zahn) zu zerbrechen; zumindest ist es unwahrscheinlich." Thomas Bell hielt trotzdem sehr viel von ihr. Er selbst hatte in seinem 1829 veröffentlichten Buch *Anatomy, Physiology and Diseases of the Teeth* eine Ratsche zwischen den Griffen der Zange vorgestellt. Dieser Mechanismus machte es möglich, den Zahn allein durch mechanische Kraft fest in den Griff zu bekommen; somit war die Hand frei, und ihre Kraft konnte ausschließlich zur Bewegung des Instrumentes genutzt werden.

Erst durch Sir John Tomes, der, auf der Arbeit von Cyrus Fay aufbauend, den heute benutzten Typ der Zange entwarf, wurde der Zahnschlüssel schließlich ganz verdrängt. 1841 veröffentlichte er *On the Construction and Application of Forceps for Extracting Teeth,* ein Werk, das aufgrund seiner Unzufriedenheit mit den derzeit zur Verfügung stehenden Schlüsseln und Zangen entstanden war. Er schloß sich in einer Art partnerschaftlicher Arbeitsgemeinschaft mit dem Instrumentenmacher Evrard (1808–1882) zusammen, dessen Werkstatt ganz in der Nähe des Middlesex Hospitals lag, in welchem Tomes als Zahnarzt beschäftigt war. Evrard fertigte die Zangen nach Tomes Anweisungen an, für jede Art von Zahn jeweils eine. Diese Zangen stellten etwas gänzlich Neues dar (Abb. 154). 1843 veröffentlichte Chitty Clendon eine Arbeit, in der ähnliche Zangen abgebildet waren, die ebenfalls von Evrard hergestellt wurden. Daraus ergab sich, verständlicherweise, ein unschicklicher und lange währender Streit zwischen den beiden Männern. Die in der Folgezeit herausgegebenen Kataloge zeigten Zangen, die mal dem einen, mal dem anderen zugeschrieben wurden. Die Geschichte stand jedoch auf Tomes' Seite, er war einer von vielen, die als Vater des britischen Zahnärztestandes bezeichnet wurden. Überhaupt war er der Angesehenere von beiden, hatte er doch im Laufe seiner Karriere bewiesen, daß es möglich war, eigene konstruktive Beobachtungen in sein Fachgebiet einzubringen.

Gegen Mitte des neunzehnten Jahrhunderts tauchten Zangen mit austauschbaren Backen auf, die man an die Zangengriffe anschrauben konnte. Da ihre Konstruktion aber nicht auf die individuelle Beschaffenheit der Zähne abgestimmt war, ist es unwahrscheinlich, daß es zu der Zeit noch eine Nachfrage nach ihnen gegeben hat.

Kombinierte Instrumente, Instrumente zur senkrechten Extraktion

---

Während der zweiten Hälfte des achtzehnten Jahrhunderts zeigte man großes Interesse an den Versuchen, ein Instrument zu erfinden, mit dem die Zähne in vertikaler Richtung gezogen werden konnten. Die Resultate waren zwar sehr abwechslungsreich, jedoch von geringem praktischen Nutzen. Die Erfinder wandten das Prinzip des einarmigen Korkenziehers an, wobei sie sich sehr um eine Verbesserung der alten Methode bemühten, nach welcher die Zähne zuerst gerüttelt und gelockert werden mußten. Philipp Pfaff (1713–1766), dessen Buch *Abhandlung von den Zähnen* (1756) die Ausbildung in der Zahnheilkunde in Deutschland ein gutes Stück vorangebracht hatte, entwarf einige Zangen nach dem Ratschen-Prinzip, aber immer noch bedurfte es großer Kraftaufwendung, um den Zahn in eine Aufwärts- oder Abwärtsrichtung zu bringen. Eine andere Version von 1762 hatte ein separates Widerlager. Benjamin Bell verbesserte hier einiges, indem er eine Zange entwarf, deren Backen im rechten Winkel zu den Griffen standen, außerdem war sie mit einem Widerlager unter dem Kinn, sozusagen an den Kiefern, ausgestattet. In seinem 1837 erschienenen Buch *Dental Practice* beschrieb John Gray ein Instru-

Kombinationsinstrumente

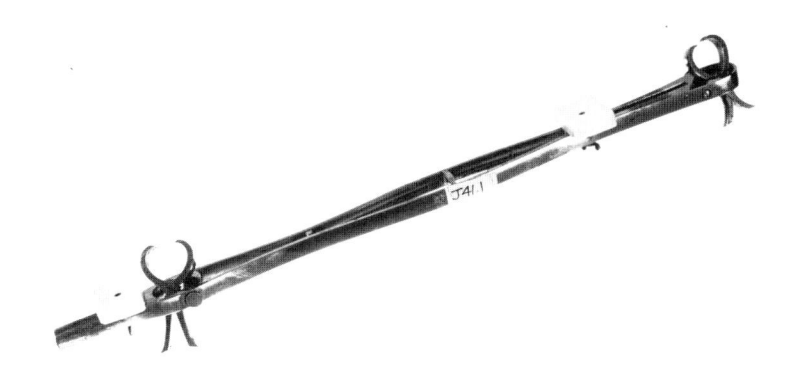

59 *Instrument für die senkrechte Extraktion (Pendelextraktion). Entworfen von John Gray 1837. Die Zangenmäuler werden geöffnet, indem man einen Finger zwischen die gegenüberliegenden Schenkel legt. Die Widerlager aus Elfenbein sind verstellbar, 19 cm. (Odontological Museum of the Royal College of Surgeons, London, J. 41.1.).*

ment mit einem Maul und einem Widerlager an beiden Enden; die Zangenmäuler wurden geöffnet, indem man die Finger zwischen die rautenförmig angeordneten, durch eine Stellschraube regulierbaren Schenkel legte (Abb. 59).

Gegen diese Art von Instrument wurden mehrere Einwände hervorgebracht, da der Operierende sehr viel Zeit benötigte und die benachbarten Zähne trotz der Lederbedeckung der Widerlager leicht hätten verletzt werden können; außerdem gab es oft nicht einmal benachbarte Zähne, auf die der Gegendruck gerichtet werden konnte. Als Beispiele mechanischer Kompliziertheit und technischen Scharfsinns stellen sie sicherlich mehr als nur kleine Wunderwerke dar, dennoch ist es unwahrscheinlich, daß sie jemals in größerer Anzahl produziert worden sind. Eines von ihnen, das sich im *Royal College of Surgeons* in London befindet, besteht aus einem viereckigen Außengehäuse, in dem sich eine Schraube zum Öffnen und Schließen des Maules am Ende des Instruments befindet; die vertikal wirkende Kraft wird durch Niederdrücken des oberen Griffes erzeugt (Abb. 60). Ein sehr grobes und schwerfälliges Instrument aus der gleichen Sammlung, das für die Schneidezähne vorgesehen war, hat ein Zangenmaul, das sich mittels einer Flügelschraube über dem Zahn schließen läßt. Der Zahn wird dann durch eine innerhalb des Schaftes angebrachte Schraube vertikal nach unten gezogen. Diese Methode erinnert ebenfalls sehr an den Korkenzieher.[9]

Ein merkwürdiges, offensichtlich zum Hausgebrauch bestimmtes Werkzeug war unter der Bezeichnung „Pfaffsche Hebelzange" bekannt, obwohl Pfaff es nie erwähnte. Perret behauptete, es sei von dem Chirurgen Charpentier erfunden worden. Man sagte, es habe „weniger Reißen und damit auch weniger Schmerz als gewöhnliche Instrumente verursacht", und es sei daher auch „für jene, die den Mut aufbrachten, Eingriffe an sich selbst vorzunehmen" geeignet gewesen: Eine breite, flache Klinge war an einem drehbaren oberen Griff angebracht; durch Niederdrücken dieses Griffes wurde der

2 Extraktionsinstrumente

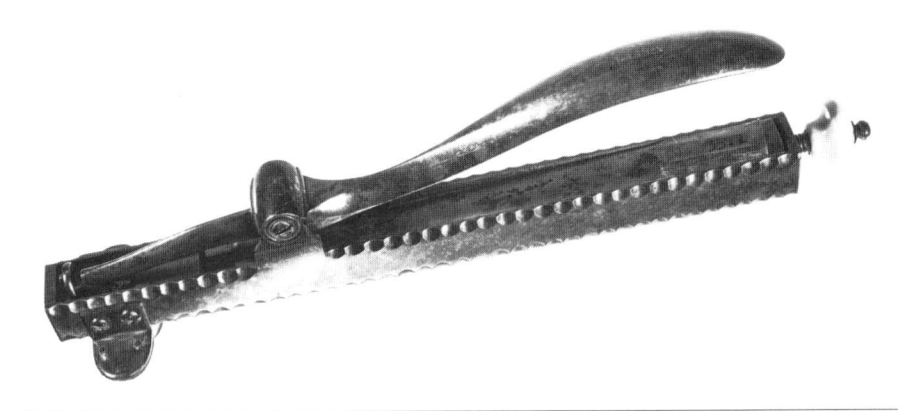

60 *Instrument für die senkrechte Extraktion, um 1780. Das Maul wird durch Drehen der Schraube geschlossen, die vertikal wirkende Kraft wird durch Niederdrücken des Hebels erzeugt. 20 cm. (Odontological Museum of the Royal College of Surgeons, London, J. 35.1).*

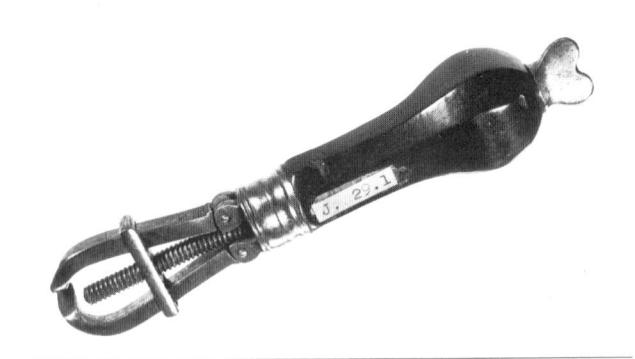

61 *Instrument für die senkrechte Extraktion, um 1780. Durch Drehen der Schraube wird der Metallbügel nach oben geschoben und das Maul schließt sich. 13 cm. (Odontological Museum of the Royl College of Surgeons, London, J. 29.1.).*

62 *Instrument für die senkrechte Extraktion von Schneidezähnen, um 1790. Die Funktionsweise ähnelt der eines Korkenziehers. 9 cm. (Odontological Museum of the Royal College of Surgeons, London, J. 38.1.).*

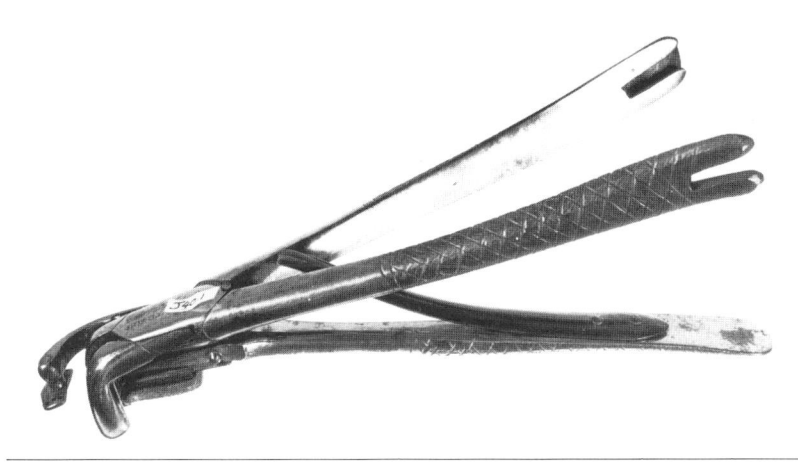

Kombinationsinstrumente

63 *Instrument für die senkrechte Extraktion, um 1810. Das Widerlager liegt auf den benachbarten Zähnen, das Maul schließt sich um denjenigen, der entfernt werden soll. 18 cm. (Odontological Museum of the Royal College of Surgeons, London, J. 40.1).*

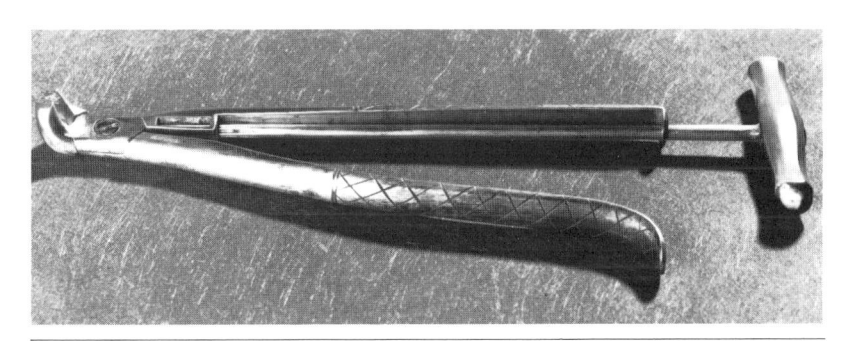

64 *Instrument für die senkrechte Extraktion, entwickelt von Ludwig Puppi, 1841. (Museum für Geschichte der Medizin, Wien).*

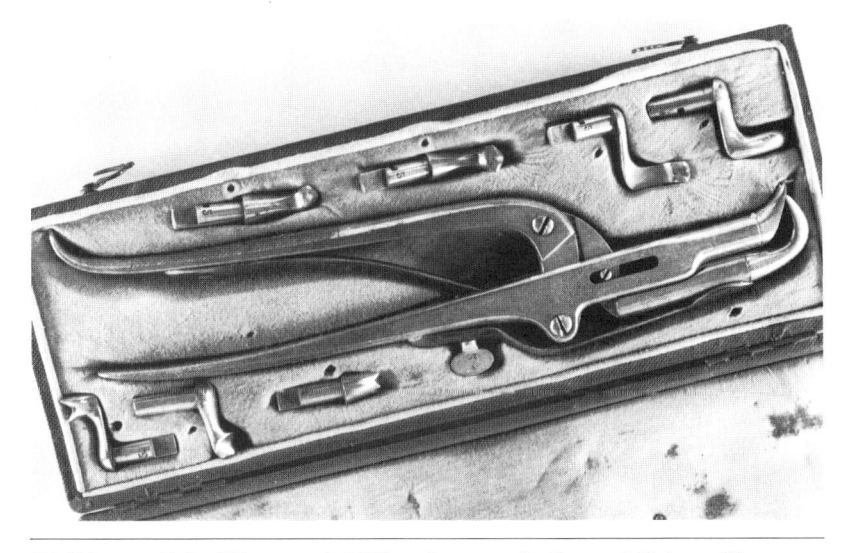

65 *'L'attractif de d'Estanque', 1861, mit auswechselbaren Mäulern. 22 cm. (Musée de Val-de-Grâce, Paris)*

Zahn zwischen den Klauen hindurch nach oben gezogen. J. R. Duval (1758–1854), Autor von *Le Dentiste de la Jeunesse* (1817), konnte diese wie auch ähnliche Instrumente nicht akzeptieren, solange sie nicht erprobt waren. Von den Erfindern meinte er, daß ihnen die Anatomie der Zähne unbekannt gewesen sein muß. Und dennoch wurden diese Instrumente weiterhin produziert, und jedes schien klüger als das letzte konstruiert, jedes einzelne war gut durchdacht und sorgsam ausgeführt und dabei doch so umständlich in der Handhabung. Mit Sicherheit aber erfüllten diese Werkzeuge ihre Erfinder mit großer Genugtuung über die von ihnen geleistete schöpferische Gedankenarbeit. John Palmer meldete seine Erfindung 1825 zum Patent an; es handelte sich dabei um ein Vielzweckgerät, das die Grundkonstruktion einer Zange mit der eines Zahnschlüssels und mehreren sich dabei ergebenden Ergänzungen kombinierte.

1848 ließ sich Henry Gilbert eine der interessantesten Extraktionsmethoden, die zu diesem Zweck auch einen speziellen Behandlungsstuhl vorsah, patentieren. Er bildete einen geraden Lehnstuhl mit hoher, gepolsterter Rückenlehne ab. An dieser befindet sich in Kopfhöhe ein gelenkig angebrachter Stangenmechanismus, der in den Mund des Patienten hereinschwenkbar ist und dort als Widerlager dient. Dabei wird jede nur mögliche Verletzung von Zähnen und Zahnfleisch vermieden. Es wurden gewöhnliche Zangen benutzt, und mit dem Gestänge wurde eine Hebelkraft erzeugt, entweder oberhalb oder unterhalb der Stange, je nachdem, ob sich der zu ziehende Zahn im Ober- oder Unterkiefer befand.

Zu den einfacheren Kombinationen gehörte ein Exemplar, das sich in der *Wellcome Collection* im *Science Museum* in London befindet. Dieses hat an einem Ende einen Schlüssel und am anderen einen Hebel. Eine weitere 1719 von Heister beschriebene Version funktionierte sowohl als Pelikan wie auch als Hebel. Noch interessanter ist das Exemplar im *Royal College of Surgeons* in London, welches wahlweise als Zange, Pelikan oder Hebel benutzt werden konnte. Es stammt aus Virginia und ähnelt einem Instrument, das dem Chirurgen der Mayflower gehörte (Abb. 66).

66 *Instrument, welches wahlweise als Pelikan, als Hebel oder als Zange verwendet werden kann. Ähnlich dem Instrument, welches seinerzeit dem Schiffsarzt der „Mayflower" gehört haben soll. Um 1620, 16 cm. (Odontological Museum of the Royal College of Surgeons, London, J. 14.1.)*

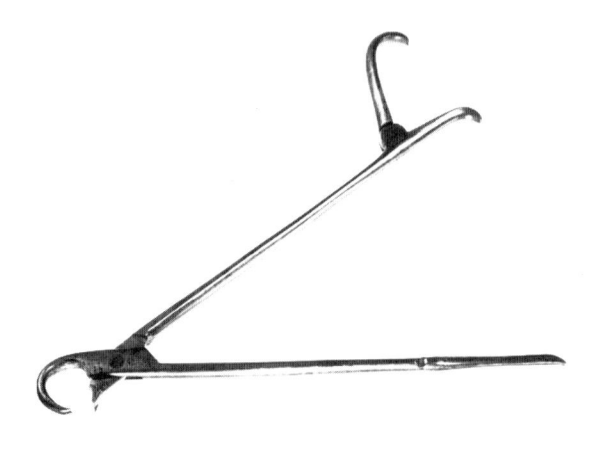

3 Bohrinstrumente, Brenneisen, Materialien für Füllungen

Ohne Frage ist die Karies eine Krankheit unserer Zeit, es gibt jedoch Beweise dafür, daß Höhlenbären aus dem Pleistozän, vor einer Million Jahren also, schon kariöse Zähne gehabt haben. Zweifellos litt auch schon der Mensch in früherer Zeit in ähnlichem Maße unter Karies und suchte nach Behandlungsmethoden. Diese basierten zum größten Teil auf der Theorie vom Zahnwurm, ein Glaube, der, wie wir bereits feststellen konnten, noch lange fortbestehen sollte. Selbst im achtzehnten Jahrhundert noch untersuchte René-Jacques Garengeot (1688–1759) das Loch im Zahn, ohne den Wurm zu entdecken, wohingegen Nicholas Andry (1658–1742) ihn mit Bestimmtheit eben dort gesehen haben wollte. Zur gleichen Zeit leistete John Hunter (1728–1793) Beachtliches zur Erforschung kariöser Prozesse und kam zu der Erkenntnis, daß sich diese, auf der Oberfläche des Zahnes beginnend, nach innen vorarbeiteten und daß die Bedingungen für ihre Entstehung an jenen Stellen besonders günstig seien, wo sich kleine Teile von Essensresten ablagern. Levi Spear Parmly (1790–1859), ein amerikanischer Zahnarzt, der 1820 in London arbeitete, untersuchte Tausende von Zähnen, die man gefallenen Soldaten entnommen hatte, und zeigte, daß die anfängliche Öffnung derartig winzig ist, daß sie normalerweise gar nicht wahrgenommen wird, man konnte sie tatsächlich nur sehen, wenn man gezielt nach ihr suchte. Erst im Jahre 1830 berechtigte die Feststellung einer „Odontalgia" zur Aufnahme in ein Militärkrankenhaus. Nach 1855 und als Folge der dem Krimkrieg folgenden Kontroverse wurde der *Medical Staffs Corps* gebildet und trat an die Stelle der Regimentschirurgen. Diese Körperschaft hielt ihre Offiziere dazu an, mehr auf die Erhaltung der Zähne als auf deren Extraktion hinzuarbeiten, und gab ganze Sätze von Füllinstrumenten heraus. Diese waren jedoch so unzulänglich, daß sie gar nicht erst benutzt wurden.

Bohrer

Es ist eigentlich kaum möglich, den Zeitpunkt, an dem Bohrer eingeführt wurden, mit Bestimmtheit zu nennen. Berichten Galens (129–199 n. Chr.) ist zu entnehmen, daß der römische Arzt Archigenes mit einem kleinen Trepan Zähne öffnete. Die frühesten Hinweise der Neuzeit auf, zweifellos mit einem ähnlichen Trepan durchgeführte Bohrungen am Zahn stammen von Giovanni d'Arcoli (1412–1484), obwohl er es nahelegte, gezielter an die Quelle des Übels vorzudringen. In seiner 1516 veröffentlichten Abhandlung *Practica* erwähnt Giovanni da Vigo (1450–1525) das Aushöhlen des

3 Bohrer, Brenneisen, Füllungen

faulen Zahnteils mit einem Bohrer, einer Feile oder dem Skalpell. ,,Wir können die besagte Korrosion mit Trepans, Feilen oder anderen passenden Instrumenten entfernen." Andreas della Croce (1509–1575) bildete 1573 zwei verschiedene Fiedelbohrer ab. Michael Blum, der 1530 in Leipzig für das *Artzney Büchlein* schrieb, erörtert darin einen ,,feinen, kleinen Meißel, ein kleines Messer . . . oder ein anderes geeignetes Instrument", und Fabricius ab Aquapendente (1533–1619) schreibt in seinem *Pentateuchos Chirurgicum* von 1604 von der Benutzung eines Bohrers, gefolgt von der Einträufelung einer scharfen Säure und der Anwendung des Brenneisens. Cornelius Solingen (1641–1687) entwarf eine frühe Form des Handbohrers, mit dem er Löcher in den Zähnen ausfeilte. Hierbei dreht er einen polygonalen Stiel mit einem Bohrkopf fortwährend zwischen seinen Fingern hin und her. 60 Jahre später bediente Garengeot sich zur Entfernung von Karies einer ,,Schlangenzunge", einem rautenförmigen Kopf mit erhobenem Dorn.

1687 schrieb Charles Allen, daß einige schadhafte Zähne, die ,,noch nicht so weit zerstört sind, daß sie von keinem Nutzen mehr wären", mit den ,,richtigen Instrumenten" ausgeschabt werden könnten. Nach Entfernung der faulen Materie könnten die Zähne mit Ingredienzien gefüllt werden, die weder im Munde zerfielen noch übelschmeckend seien. Diese wenig präzise Aussage wird für seine Leser damals ebenso enttäuschend gewesen sein, wie sie es heute für uns ist.

Pierre Fauchard (1678–1761) gab als erster eine konstruktive, ins Detail gehende Beschreibung des Exkavierens. Er empfahl, die kariöse Stelle mit einer halbrunden Feile zu vergrößern und die schlechte Substanz mit einer Raspel und mit einer Ahle abzutragen und daraufhin das Loch mit einer großen, von einer Pinzette gehaltenen Nähnadel zu durchstoßen. Damit sollte das Pulpenkammerdach durchbohrt werden, so daß ein möglicherweise bestehender Abszeß abfließen konnte. Durch die Nadel mußte ein Faden laufen, der auch während des Eingriffs dort zu verbleiben hatte. So wollte man der Gefahr vorbeugen, daß der Patient, falls die Nadel aus der Pinzette fallen sollte, diese verschluckte. Für bestimmte Zähne war diese Methode allerdings ungeeignet; dann mußte der Bohrer eingesetzt werden, und zwar ,,auf ein Gerüst montiert, in der linken Hand zu halten, die rechte Hand hält den Bogen". Danach sollte ein in Zimt- oder Nelkenöl getauchter Wattebausch in das Loch eingelegt werden. Erst nach Ablauf vieler Wochen konnte man versuchen, den Zahn weiterzubehandeln. In manchen Fällen dauerte es ebenso lange, bis der Patient seine Einwilligung dazu gab. Schneidezähne und Eckzähne müssen manchmal trepaniert werden. In einer detaillierten Beschreibung des von ihm dargestellten Fiedelbohrers, der von einer Violinsaite angetrieben und zusammen mit der gleichen gewöhnlichen Nähnadel benutzt wurde, bezieht Fauchard sich zwar nur im Zusammenhang mit der Herstellung von Zahnprothesen auf diesen, allem Anschein nach handelt es sich hierbei jedoch um dasselbe Modell, das zuvor in Verbindung mit der Bohrtätigkeit geschildert wurde. Dieser Typ war bei Juwelieren und Elfenbeindrechslern sehr gefragt. Fauchard beschreibt zwei Exkavatoren, die in Ergänzung des Papageien-

67 Bohrmaschine, angetrieben von einem Spinnrad, konstruiert von John Greenwood, um 1790. (New York Academy of Medicine)

Bohrer

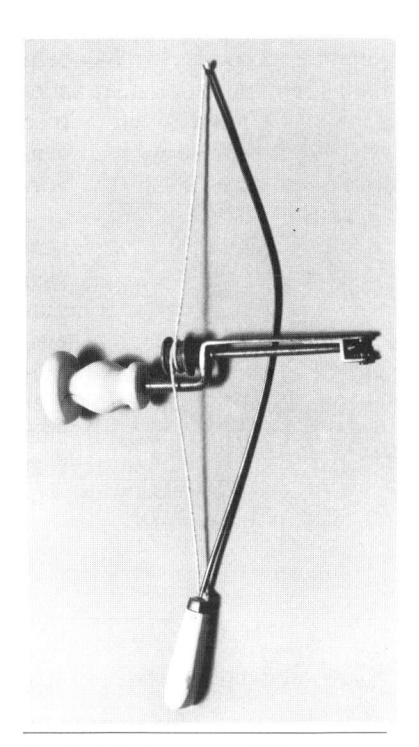

68 Fiedelbohrer, um 1800. (Howard Dittrick Museum of Historical Medicine, Cleveland, Ohio)

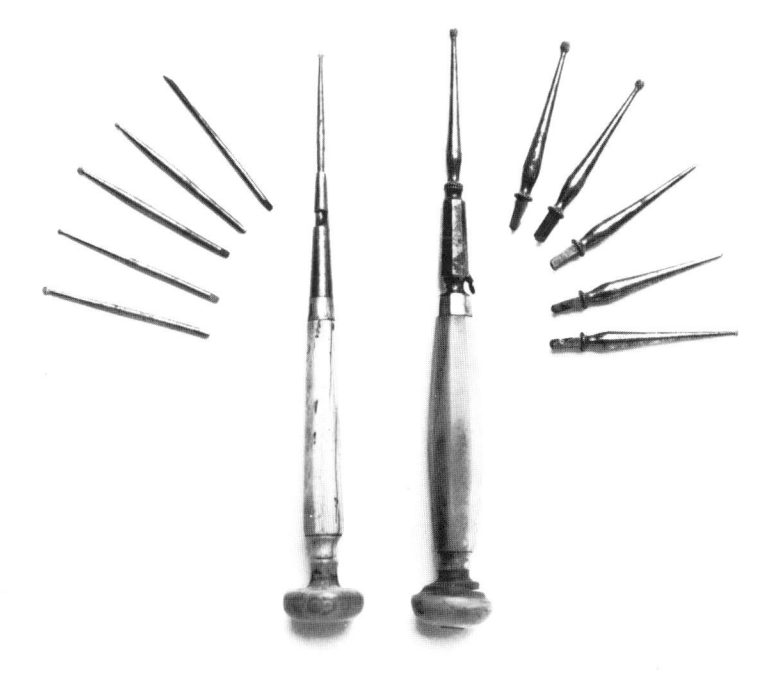

69 Auswechselbare Rosenbohrer für einen gewöhnlichen Handgriff nach Serre. Ein Handgriff aus Elfenbein, einer aus Perlmutter, um 1820. Zusammengesetzt je etwa 15 cm. (Macaulay Museum of Dental History, Medical University of South Carolina)

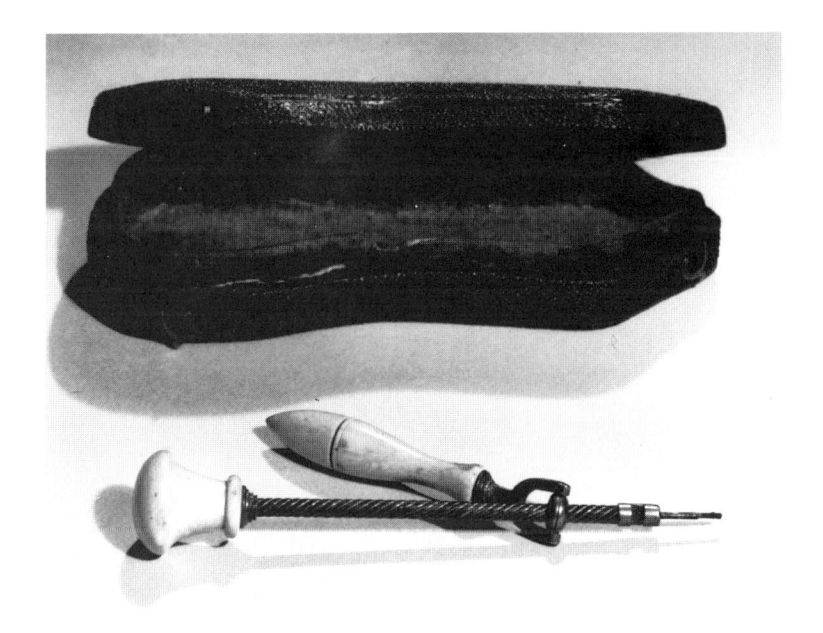

70 Drillbohrer mit Ebenholzgriff. Kasten mit Chagrinleder bezogen, um 1800, 15 cm. (Privatsammlung Raymond Babtkis, New York)

3 Bohrer, Brenneisen, Füllungen

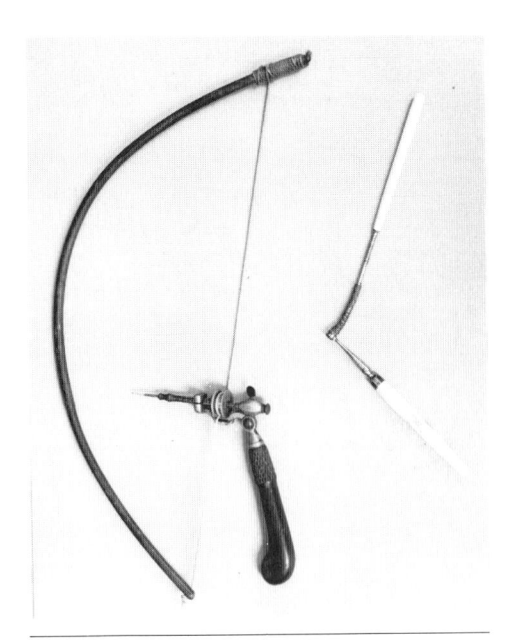

71 Fiedelbohrer, um 1840, sowie Handbohrer nach Nasmyth, um 1830. (Sammlung Proskauer-Witt, Bundeszahnärztekammer Köln)

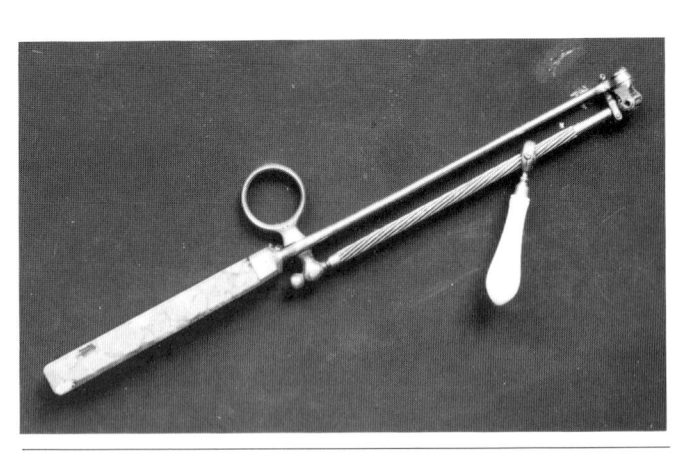

72 Bohrmaschine von McDowell, um 1850, 17 cm. (Sammlung Proskauer-Witt, Bundeszahnärztekammer Köln)

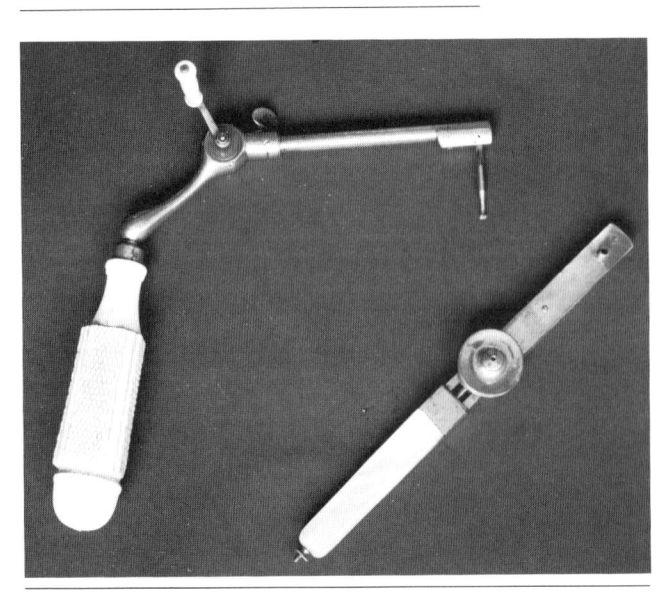

73 Abwandlung des Bohrers von Chevalier, um 1855. Bohrmaschine (Porte-foret) von Maury, um 1830. (Sammlung Proskauer-Witt, Bundeszahnärztekammer Köln)

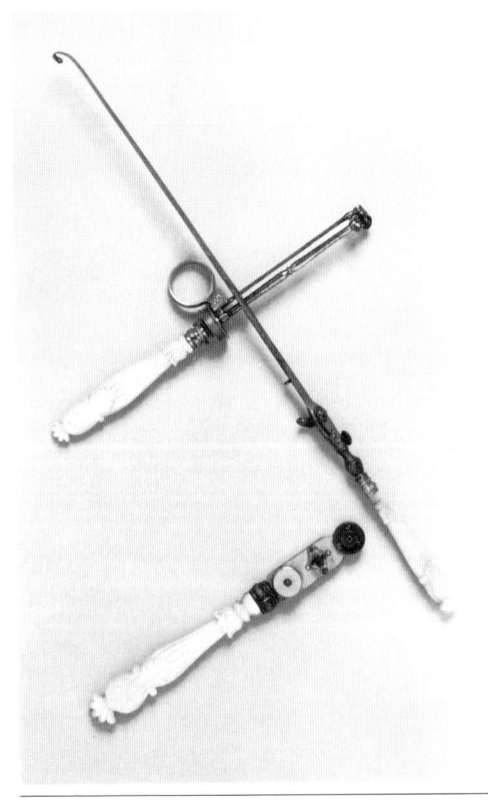

74 Fiedelbohrer von Blanc, um 1840. Handbohrer nach dem Porte-foret-Modell (Maury), um 1840. Beide mit beschnitzten Perlmuttgriffen (Musée Fauchard, Paris)

schnabels und der Ahle zum Ausschaben von Karies bestimmt waren, einer davon hatte vier in einer scharfen Spitze endende Facetten, der andere drei Facetten auf einem gebogenen Schaft. Als Alternative dazu empfahl er den Gebrauch von Zahnreinigungsinstrumenten.

Der Bohrer von Johann Jacob Joseph Serre war ein nadelähnliches, zwischen Daumen und Zeigefinger hin- und herzudrehendes Instrument. Ursprünglich hatte diese Art Bohrer einen fest montierten Griff, später wurde er jedoch so konstruiert, daß mehrere auswechselbare Bohrerspitzen in die Fassung paßten (Abb. 69).

1790 konstruierte John Greenwood (1760–1819) aus New York eine Bohrmaschine, für deren Antrieb er ein fußbetriebenes Spinnrad benutzte (Abb. 67). Der nur unvollständig ausgebildete Sohn eines Elfenbeindrechslers und Herstellers von mathematischen Instrumenten trat während der amerikanischen Unabhängigkeitskriege als Pfeifer in die Armee ein. Etwa um 1784 ließ er sich als Zahnbehandler in New York nieder. Das dazu notwendige Geld hatte er sich möglicherweise auf einem Kaperschiff verschafft. Sein Bohrer wurde dazu benutzt, Löcher zur Befestigung von Zähnen in Prothesen aus Knochen und Elfenbein zu bohren, nicht jedoch zur Kariesentfernung. Dennoch war seine Erfindung bedeutend, denn sie gab der Suche nach anderen Methoden neuen Antrieb.

Die Bohrmaschine von Calmann Jacob Linderer (1771–1840) aus dem Jahr 1797 bestand aus einem länglichen Holzkasten mit einem außenliegenden Rad. Der innere Übersetzungsmechanismus sorgte für die Umdrehung des Bohrers. Um die Jahrhundertwende war der Fiedelbohrer der Juweliere noch allgemein im Gebrauch (Abb. 71), zusammen mit dem Bohrer nach dem Prinzip der Archimedischen Schraube, wie ihn die Tischler benutzten (Abb. 72). Dieser wurde in England und in den Vereinigten Staaten als ,,Archimedes-Drill" bezeichnet, weil Archimedes die Spirale entdeckt hatte und seine Konstruktion auf dem Prinzip der Spirale beruhte. Auch hier ist anzunehmen, daß diese Art Bohrmaschine nur selten zur Entfernung von Karies gedient hat.

Danach gab es kaum nennenswerte Fortschritte in der Entwicklung – bis 1829 der schottische Ingenieur und Erfinder des Dampfhammers, James Nasmyth (1808–1890), eine flexible Welle zum Antrieb für kleine Bohrer herstellte. 1830 zeigte Maury eine ,,Bohrzwinge" (porte-foret), zwei von einem Elfenbeingriff gehaltene Metallplatten, zwischen denen sich Räder befinden, welche mittels einer Darmsaite fünf Rosenbohrer antreiben. Der Handbohrer mit verstellbarer Spitze erschien 1830 in Amerika, und John Lewis ließ ihn sich patentieren. Er bestand aus einem hölzernen Griff in Form eines birnenförmigen Knaufs. An dessen entgegengesetztem Ende befand sich eine Drehscheibe, deren Betätigung durch einen weiteren kleinen Griff erfolgte; die Bohrerspitze stand im Winkel zu der gezahnten Scheibe (Abb. 76 a). Im gleichen Jahr brachte die Londoner Firma Ash eine Bohrmaschine mit Kugelgelenk heraus. 1841 sprach Pierre Joachim Lefoulon davon, Karies mit einem löffelförmigen Exkavator zu entfernen, nachdem er zuvor das Loch mit einem Handbohrer erweitert hatte. Er trocknete es mit Alkohol und füllte es mit

75 Exkavator mit Perlmuttgriff, um 1800. Hergestellt von Paul Revere für seinen Schüler Josiah Flagg. 13 cm. (Macaulay Museum of Dental History, Medical University of South Carolina)

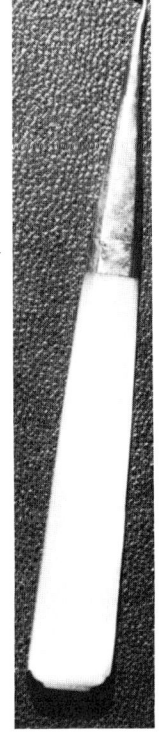

3 Bohrer, Brenneisen, Füllungen

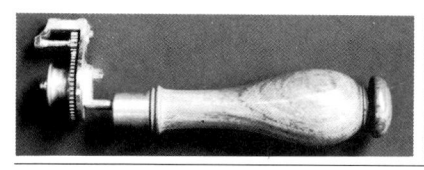

76 a *Teil eines Handbohrers nach dem Modell von John Lewis, um 1830, 14 cm, sowie Maurys Bohrmaschine (porte-forêt), um 1840, 17 cm. (Sammlung Proskauer-Witt, Bundeszahnärztekammer Köln)*

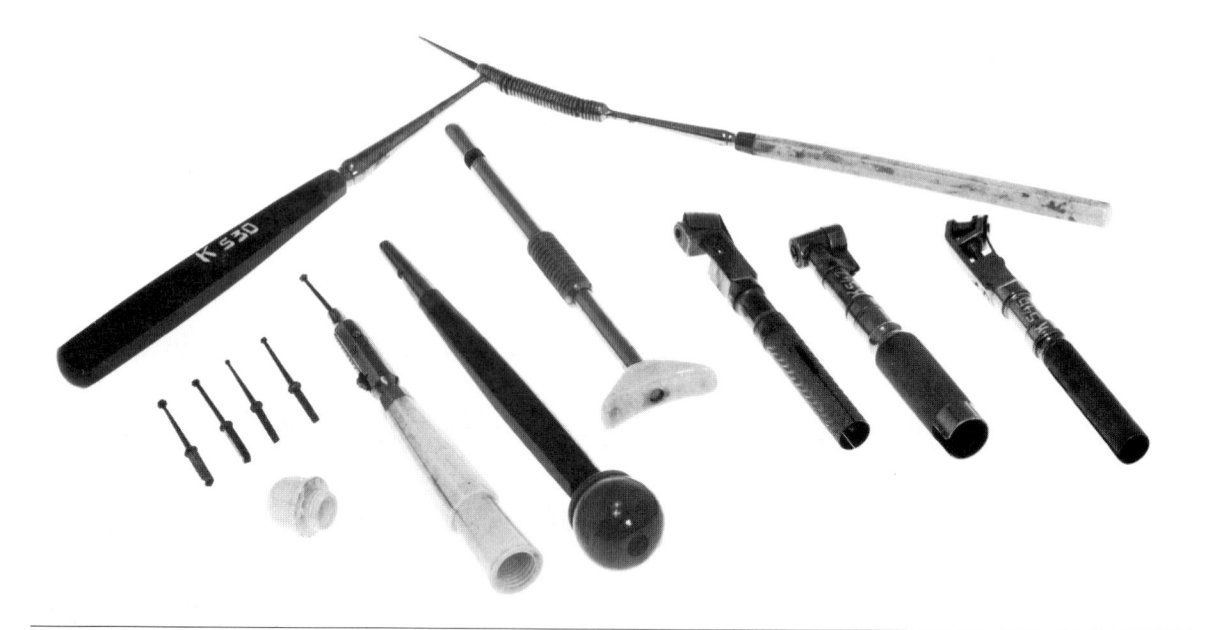

76 b *Oben: Bohrer von Merry, um 1868. Unten von links nach rechts: Bohrer mit Metallhebel-Mechanismus von Capron, 1840; Bohrer aus Ebenholz, Knopf aus Horn von Ash, um 1860; Bohrer von Tomes, um 1859; auf Handstück aufsteckbarer Rechtwinkelkopf, patentiert 1874; auf Handstück aufsteckbarer Rechtwinkelkopf, patentiert durch Hodge, 1884; auf Handstück aufsteckbarer 135°-Winkelkopf, patentiert durch S. S. White, 1874. Die drei Winkelköpfe eignen sich bereits zur Verwendung für die heute noch gebräuchlichen Winkelstückbohrer. (Rijksuniversiteit, Utrecht)*

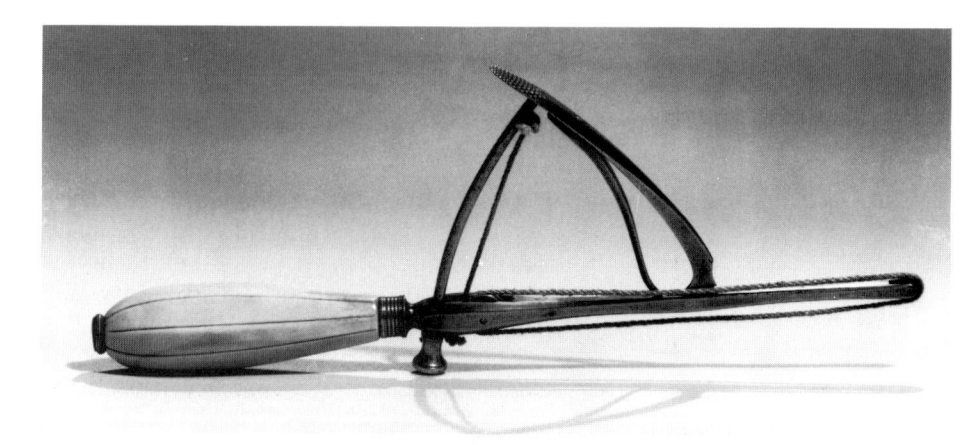

77 *Bohrmaschine mit Schnurantrieb. Im Elfenbeingriff ist eine Anzahl von Bohrern untergebracht, um 1850, 21 cm, (Privatsammlung Raymond Babtkis, New York)*

78 *Harringtons Bohrmaschine mit Uhrwerkantrieb „ERADO", 1864. (Sammlung Proskauer-Witt, Bundeszahnärztekammer Köln)*

Hilfe einer Sonde und eines kleinen Stopfers. Bei dem von ihm abgebildeten Handbohrer handelt es sich um einen einfachen Rosenbohrer auf einem geraden Schaft ohne jeden Mechanismus.

Im Jahre 1846 hatte der Amerikaner Joseph Foster Flagg (1828–1903) den ersten Bohrer produziert, der auch bei den Zahnärzten jenseits des Atlantiks auf ernsthaftes Interesse stieß, den Vorläufer des mit einem über den Zeigefinger zu ziehenden Ring ausgestatteten Bohrers. An seinem unteren Ende befand sich ein kolbenförmiger Handgriff, der sich bequem der Handfläche anpaßte. Die Drehung des Bohrers wurde durch Daumen und Zeigefinger erzeugt. Dieser Typus wurde von vielen Zahnärzten weiterentwickelt, unter ihnen ein anderer Amerikaner, Amos Westcott (1815–73). Mitte des Jahrhunderts kamen mehrere Handbohrer in Gebrauch, von denen es viele Variationen gab, wie zum Beispiel in Amerika die Exemplare von Spencer und von S. L. Finzi, die beide 1848 erschienen.

Zwischen 1850–1858 war eine schnurgetriebene Handbohrmaschine sehr beliebt, die verschiedene Bohrer und Fräsen aufnehmen konnte. Sie besaß einen länglichen, melonenförmigen Griff, der gewöhnlich aus Elfenbein war. Austauschbare Bohrer aller verschiedenen Größen konnten in diesem Griff untergebracht werden (Abb. 77). Der ältere Archimedesbohrer von McDowell wurde zwar immer noch benutzt, als neue Erfindung galt jedoch die Bohrmaschine von Chevalier, deren in der Mitte des Schaftes angebrachter Griff den Bohrer in beide Richtungen drehen konnte und somit einen zusätzlichen Vorteil bot. Die bis dahin beste Idee kam von Charles Merry aus St. Louis, der im Jahre 1858 seine „Zahnärztliche Bohrmaschine", eine Weiterentwicklung der Erfindung von Nasmyth, vorstellte. Diese war mit zwei Griffen ausgestattet, der eine diente als Handgriff, während der andere, der an eine flexible Welle angeschlossen war, eine präzise Handhabung des Bohrers ermöglichte. 1862 erweiterte Merry dieses Modell um den ersten Winkelkopf. In seinem Lehrbuch von 1859 beschrieb Jonathan Taft (1820–1903) einen einfachen Bohrer, der aus einem geraden Schaft mit Rosenbohrern bestand, der ebenfalls von einem unterstützenden Finger-Ring angetrieben wurde. 1862 erschien Perkins Handbohrer, dem die Federmotor-Bohrmaschine des Amerikaners Philo Soper folgte: ein schwerer, unansehnlicher Zylinder, aus dem ein kurzer Schaft für den Bohrer herausragte. George Fellows Harrington (1812–1895) stellte seine verbesserte Bohrmaschine mit Uhrwerkmotor im Jahre 1864 vor; im darauffolgenden Jahr wurde diese um austauschbare Bohrer und einen Winkelkopf erweitert. Aus Messing und mit prächtigen Gravierungen verziert, sah seine in der Hand zu haltende Bohrmaschine wie eine Spieldose aus, und in der Tat war sie in der Anwendung äußerst geräuschvoll. Die Beliebtheit des Uhrwerkmechanismus hielt sich in Grenzen, da der behandelnde Zahnarzt dieses Instrument nur mit großer Mühe zu beherrschen vermochte.

Die allen Neuerungen gegenüber so aufgeschlossene Firma von S. S. White in Philadelphia stellte 1868 eine äußerst geniale, von dem Erfinder George F. Green entworfene Maschine her, nämlich einen Apparat mit pneumatischem Antrieb: ein mit dem Fuß zu betätigender Blasebalg war an einen Gummischlauch angeschlossen, der seinerseits – wie bei einer Windmühle – Flügel rotieren ließ. Es gab auch Versuche, hydraulisch betriebene Bohrmaschinen zu konstruieren; 1874 entwarf Green die erste elektrische Bohrmaschine, deren Handhabung jedoch als zu kompliziert befunden wurde.

Der große Durchbruch kam 1872, als James Beall Morrison (1829–1917) seine neue Patentbohrmaschine vorstellte. Diese fußbetriebene, nach dem gleichen Prinzip wie die Nähmaschine arbeitende Maschine erreichte 2000 Umdrehungen pro Minute, wodurch das Bohren deutlich erleichtert und verbessert wurde und sich für die Praxis der Zahnheilkunde neue Möglichkeiten ergaben. Morrison schrieb von

„ . . . einigen recht nervösen Damen, für die ich schon vorher durch manuelles Bohren Karies entfernt habe. Nach ihrem einstimmigen Urteil ist diese Art von Eingriff mit Hilfe der Maschine vollkommen schmerzlos und vergleichsweise viel angenehmer als jede andere Methode der Resektion."

Nach Morrisons Dental Engine taucht eine Fülle von neuen Varianten auf. 1874 kam eine Maschine heraus, deren Treibriemen direkt am Schaft des Handstücks angebracht war, sowie eine weitere, erstmals mit flexibler Welle. Danach brachte die Firma S. S. White fast in jedem Jahr eine Verbesserung ihres vorhergehenden Modells heraus, und auch hierfür nahm sie wieder die Dienste des so vielseitigen G. F. Green in Anspruch. 1885 wurde eine von einem Elektromotor betriebene Handbohrmaschine entwickelt, eine besonders geräuschvolle Angelegenheit. Der erste Elektromotor kam in den frühen siebziger Jahren des 19. Jahrhunderts heraus, und im nächsten Jahrzehnt folgten noch mehrere verbesserte Versionen. Nur wenige dieser Motoren brachten den von ihnen erwarteten Erfolg, aber sie waren die Wegbereiter für weitere Erfindungen, die es überhaupt erst möglich machten, daß wir uns heute mit relativer Gelassenheit mit diesem besonders unbeliebten Gegenstand des zahnärztlichen Instrumentariums befassen können.[10]

Ein weiterer Fortschritt in der vorbereitenden Behandlung des Zahnlochs lag in der Erkenntnis, daß eine Kavität erst vollkommen trocken sein muß, bevor man sie füllen kann. Ein erster Schritt in dieser Richtung wurde 1864 von Sanford Christie Barnam (1838–1885) getan: Er entwickelte ein dünnes Gummituch, den sog. „Cofferdam", der so zugeschnitten war, daß er um den Zahn herumgelegt werden konnte und so den Speichel von ihm fernhielt. Schon 1859, also bevor man von der Antisepsis wußte, sagte man, daß Instrumente sauber und glänzend zu halten seien, da „nichts mehr dazu angetan sei, den Widerwillen selbst des unempfindlichsten Patienten hervorzurufen, als die Anwendung rostiger oder blutiger Instrumente in seinem Munde." Diese Aussage gibt uns ein Bild von den – ungeachtet der hier beschriebenen technischen Erfolge – immer noch angewandten Methoden der Zahnbehandlung.

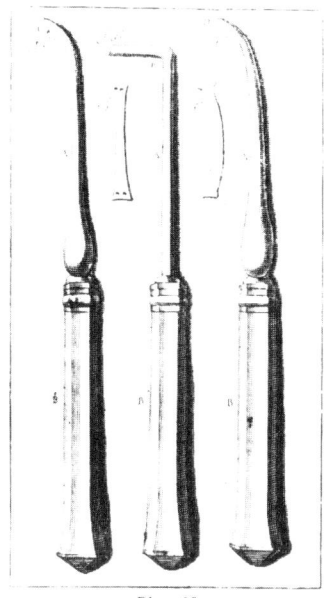

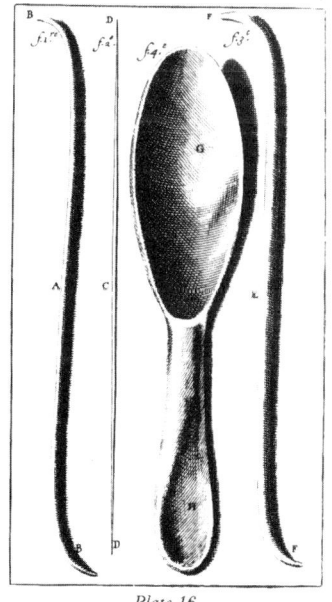

Brenneisen

Bei der Behandlung von Karies stellte das Brenneisen eine frühe Alternative zum Bohren dar. Das Kautern diente, jedenfalls in der Zahnheilkunde, vielen Zwecken, so wurde es zum Beispiel angewandt, wenn nach der Extraktion die Blutung anhielt, desgleichen bei der frühen Wurzelbehandlung sowie bei Zahnfleischgeschwüren und als Linderungs- und Ablenkungsmittel bei Zahnweh. Im elften Jahrhundert begegnete Albucasis (936–1013) den Zahnbetterkrankungen mit Kautern des Zahnfleisches. Die Behandlung von Zahnschmerzen durch das Brenneisen wurde oft an Ludwig XIV. durchgeführt, der in hohem Maße von diesem Übel heimgesucht wurde. Die von ihm erlittenen Qualen veranlaßten seinen Zahnarzt Dubois, an einem einzigen Tag, nämlich dem 10. Januar 1685, das Brenneisen 14mal hintereinander bei ihm anzuwenden. Seine Qualen sollen so groß gewesen sein, daß sie die von ihm im gleichen Jahr verfügte Aufhebung des Edikts von Nantes beeinflußt hätten.

Das Brenneisen gehörte im Mittelalter zu den bei der Zahnbehandlung am meisten verwendeten Instrumenten (Abb. 6). Jan Yperman (gest. ca. 1329), ein Schüler von Lanfranc in Mailand, der etwa um 1305 die erste medizinische Abhandlung in flämischer Sprache schrieb, erwähnt das Kautern des Zahnes mit einer schützenden Kanüle, was sich immerhin schon sehr fortschrittlich anhört. In den meisten Fällen jedoch bestand das Brenneisen aus einem Kupferstab, wie zum Beispiel das der im neunten Jahrhundert gegründeten medizinischen Schule von Salerno. Brenneisen für die Zahnbehandlung waren normalerweise lang und schmal, und vor dem 17. Jahrhundert hatten sie fast nie einen Handgriff. Daher ist anzunehmen, daß sie mit Hilfe einer Pinzette zu halten waren, wodurch der ohnehin komplizierte Umgang mit ihnen noch erschwert wurde. Johannes Scultetus aus Ulm (1595–1645) erwähnt das „Abbrechen" von Zähnen als eine der Extraktion entgegengesetzte Behandlungsmethode, die es ermöglichen sollte, mit Arzneimitteln oder mit dem Brenneisen in den Zahn hineinzugelangen. Peter Lowe (? 1550–? 1612) schildert in *A Discourse of the Whole Art of Surgery* ein goldenes Brenneisen, welches der Behandlung von adligen Patienten vorbehalten war.

Pierre Fauchard behauptete, Zahnschmerzen durch das Brenneisen beseitigt zu haben. Auch er erwähnt Kautern als Kariesbehandlung und berichtet zugleich, daß er von vielen Patienten aufgesucht worden sei, bei denen diese Behandlungsmethode versagt hatte, woraus zu schließen ist, daß er selbst sie wohl nicht gern angewandt hat. Die von ihm abgebildeten Brenneisen (Abb. 79) sind entweder flach und schmal mit jeweils in entgegengesetzte Richtung gebogenen Enden, oder sie sind scharf und nadelähnlich, alle jedenfalls ohne Handgriff. Auf der gleichen Abbildung zeigt Fauchard einen silbernen, löffelförmigen Wangenabhalter, den er beim Kautern der Zähne für unbedingt notwendig erachtete. Wenn geeignete Brenneisen nicht zur Hand sind, sagte er, dann stellen Stricknadeln aus Messingdraht ein vorzügliches Instrument dar, außerdem gibt es diese in allen Größen. Philipp Pfaff (1713–1766), der Zahnarzt Friedrichs des

79 *Abbildungen aus Pierre Fauchards „Le Chirurgien Dentiste" (Ausgabe 1746). Auf Tafel 15 sind Füllinstrumente abgebildet, auf Tafel 16 drei Brenneisen und ein Wangenabhalter*

3 Bohrer, Brenneisen, Füllungen

Farbtafel XI *Von links nach rechts: Stoßeisen mit Haken, Horngriff, um 1780, 11,5 cm; Stoßeisen mit Haken, um 1780, 16 cm; Geißfuß um 1820, 13 cm. (I. Freeman & Son, Simon Kaye Ltd, London)*

Brenneisen

Farbtafel XII *Zähne nach Fonzi; obere Reihe 1808–1820, untere Reihe 1820–1830. (Museum der Schwedischen zahnärztlichen Gesellschaft, Stockholm)*

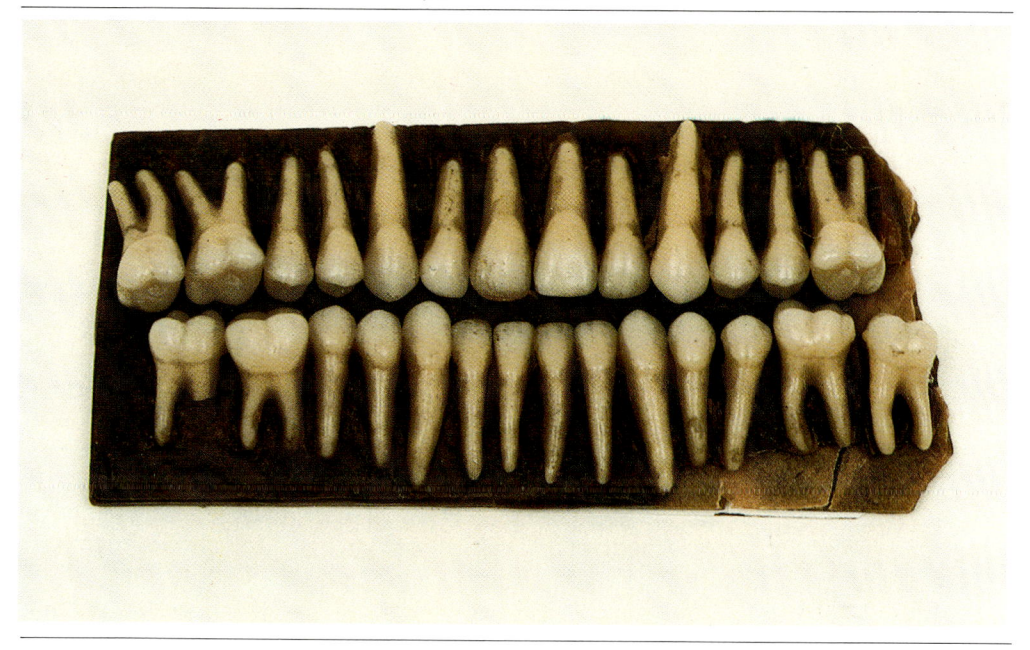

Farbtafel XIII *Porzellanzähne für ,,continuous-gum-work'' von S. S. White auf originaler Wachsplatte, um 1861. (Museum der Schwedischen zahnärztlichen Gesellschaft, Stockholm)*

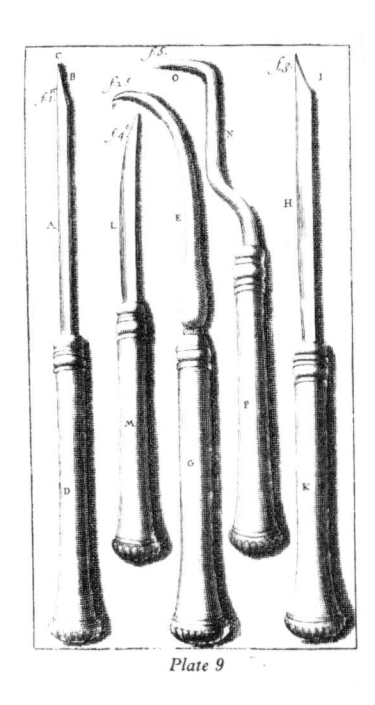

3 Bohrer, Brenneisen, Füllungen

Großen, bildete 1756 Brenneisen und Wangenabhalter ab, die große Ähnlichkeit mit denen von Fauchard hatten. Etienne Bourdet (1722–1789) kauterte erst das Zahnfleisch und führte dann ein flaches Brenneisen zwischen Zahnfleisch und Zahnwurzel ein, zweifellos zur Erleichterung einer Extraktion.

1842 beschrieb Delmond von Paris eine seiner eigenen Erfindungen, von der er meinte, daß sie viel schmerzloser sei als der damals übliche Gebrauch des Brenneisens. Dabei handelt es sich um einen stählernen Nervenextraktor zur Entfernung der Pulpa, an dessen äußerem Ende sich ein Haken befand. Sein Erfinder bezeichnete seine Wirkungsweise als schnell und zügig. 1832 entwarf James Snell (? 1795–1850) ein geniales, neuartiges Brenneisen: ein Stahlinstrument, an dessen Ende sich eine birnenförmige Verdickung befand, aus welcher ein Platindraht hervorragte. Die Hitze in dieser Birne hielt so lange an, bis der Draht in den Wurzelkanal eingedrungen war. Ein von George Derby Waite (1804–1880) entworfenes elektrisches Brenneisen wurde auf der 1. Weltausstellung von 1851 in London ausgestellt. Zwischen 1858 und 1873 wurden von Ash ähnliche Exemplare hergestellt. Im neunzehnten Jahrhundert tauchten immer wieder andere Arten von Brenneisen auf: schmale Stahlschäfte, die in einer scharfen Spitze ausliefen oder in einem winzigen konischen Kopf endeten. Der Handgriff war so weit von der Spitze entfernt, wie eine sichere Handhabung des Instrumentes dies erlaubte.[11]

Verschiedene Materialien für Füllungen

Nachdem das Loch im Zahn – mit welchem Instrument auch immer – ausgebohrt worden war, mußte es gefüllt werden. Fauchard bildete eine kleine Injektionsspritze mit gebogener Kanüle ab, die zum Ausspülen der Zahnhöhle diente. Der Tupferhalter daneben war wahrscheinlich zum Trocknen bestimmt. C. F. Maury (1786–1840) stellte 1828 eine ähnliche Injektionsspritze her und sagte dazu, daß er zum Trocknen der Zahnhöhle Alkohol benutzte. Die Einführung des Cofferdams hat hier bereits Erwähnung gefunden.

Die im frühen Mittelalter verwendeten Zahnfüllungen reichten von dem Wachs der Osterkerze bis zum Gummi und zum Harz, im ländlichen Deutschland wurde Rabenmist sowie altbackenes Brot und Mastix verwendet. Sehr gern wurde Blei genommen, aber auch Gold gewann immer mehr an Bedeutung. Wahrscheinlich gehörte Giovanni d'Arcoli zu den ersten, die Gold für Füllungen verwandten. In seinem Werk *Practica* empfahl er, es behutsam nach und nach in die Zahnhöhle hineinzupressen. Es ist jedoch auch möglich, daß das Gold schon einige Zeit zuvor in Gebrauch war. 1516 sagt Giovanni da Vigo in seiner Beschreibung des Füllens mit Goldfolie: „Für denjenigen, der diese manuelle Arbeit in bester Art und Weise durchzuführen wünscht, wird es daher von größtem Nutzen sein, des öfteren Männer aufzusuchen, die hierin Experten sind, und sich ihre Arbeitsweise anzusehen und sehr wohl im Gedächtnis einzuprägen."

Plate 9

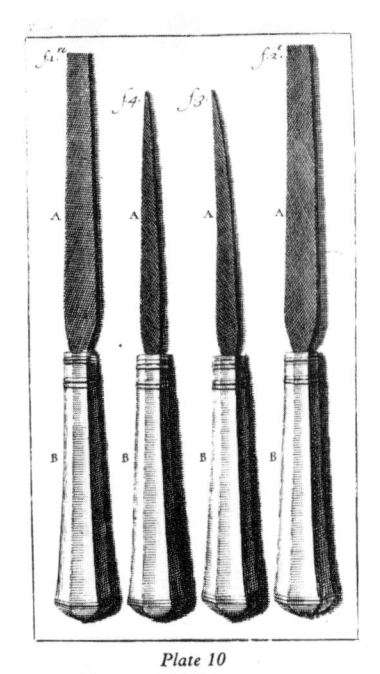

Plate 10

80 *Abbildungen aus Pierre Fauchards „Le Chirurgien Dentiste" (Ausgabe 1746). Tafel 9 zeigt fünf Zahnreinigungsinstrumente, Tafel 10 vier Feilen.*

Füllungsmaterialien

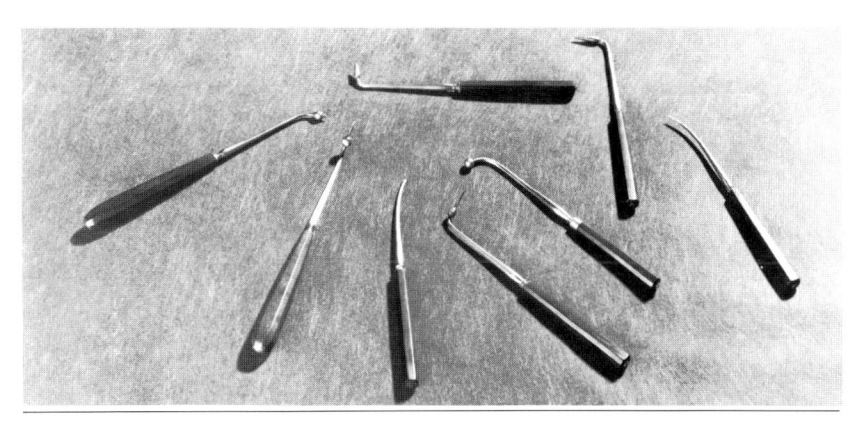

81 *Acht zahnärztliche Brenneisen, um 1860 (Museum für Geschichte der Medizin, Wien)*

82 *Links: Tomes' mechanischer Goldhammer mit Federmechanismus, hergestellt von Evrard, 1860, Mitte: Automatischer Goldstopfhammer „Automaton", entwickelt von Amos Kirby aus Bedford, Ash, 1871. Rechts: Goldpellets und Goldfolie für Füllungszwecke in Aufbewahrungskästchen. Unten: Goldstopfhammer. (Museum of the British Dental Association, London)*

3 Bohrer, Brenneisen, Füllungen

Michael Blum aus Leipzig (siehe oben) zählte zweifellos zu diesen Experten. Johannes Stocker (ca. 1657), ein Arzt aus Ulm, beschreibt eine frühe Art von Amalgam. Das erste zufriedenstellende Füllungsmaterial stammt vermutlich von Jacques Guillemeau (1550–1613), er hat es in seinem 1598 veröffentlichten Werk *Oeuvres de Chirurgie* beschrieben. Er empfahl, weißes Wachs, vermischt mit dem Harz des Ölbaumes oder ein bißchen Mastix, weiße Koralle und gemahlene Perlen zu einer Paste zu verrühren. René Jacques Garengeot wiederum verweist auf Gold, Zinn und auch Blei, das bis etwa 1830 allgemein verwandt wurde. Man drehte das Blei zwischen den Fingern und zwängte es in die Zahnhöhle. Anschließend wurde es poliert. Im *Musée Fauchard* in Paris ist ein kleiner Instrumentenkasten mit einem Fach für die Bleikügelchen zu sehen.

Auf die weniger gewissenhaften Praktiker, die ihre Füllungen so färbten, daß sie wie Gold aussahen, gibt es viele Anspielungen. Blei oder Zinn wurden mit Safran, Curcuma, amatto[12] und dem Harz des Gummibaumes vermischt und mit Brandy aufgegossen. Fauchard hielt jedoch nicht allzuviel von Gold als Material für Füllungen, sondern neigte mehr zur Verwendung von Blei- oder Zinnfolien, die er beide für gleich geeignet befand, obwohl dem Zinn allgemein der Vorzug gegeben wurde, weil es von größerer Haltbarkeit ist und auch nicht nachdunkelt. Diejenigen, die sich Gold leisten konnten, hatten natürlich die Wahl. John Hunter, der das Bohren des kariösen Zahns lehrte, empfahl Blei. Für im achtzehnten Jahrhundert gebräuchliche Füllungen wurden auch Bienenwachs und Pech verwendet.

Hatte man sich für eine Füllung aus Gold entschieden, dann wurde dieses zu einer zylindrischen Form gerollt und so fest wie nur möglich in die Zahnhöhle hineingepreßt. Um das neunzehnte Jahrhundert verfiel man darauf, diese Röllchen über einer Spiritusflamme in die gewünschte Form zu drücken; einen Zahn mit Gold zu füllen, konnte bis zu drei Stunden dauern.[13] Auf jeden Fall mußte die Zahnhöhle erst einmal durch präzises Bohren sauber vorgeformt sein – und gerade das ließ sich mit den frühen Handbohrern nicht erreichen.

Auguste Onésime Taveau (gest. 1843) führte zwischen 1826 und 1835 in Paris einige Amalgame ein, die bereits vor dieser Zeit in Deutschland und China bekannt waren (siehe oben). Diese „Silberpaste" bestand aus einer Legierung aus Quecksilber und dem von Münzen abgefeilten Silber. Da sich aber Silber und Quecksilber ausdehnen, wenn man sie miteinander verbindet, passierte es häufig, daß der Zahn auseinanderbrach, wenn er damit gefüllt wurde. Daraufhin wurde mit einer Silber-Zinn-Legierung experimentiert, diese zog sich jedoch zusammen, so daß fein aufeinander abzustimmende Proportionen der Schätzung überlassen werden mußten. 1848 versuchte man es mit einer Legierung aus reinem Zinn und einer kleinen Menge Kadmium, um das Zusammenschrumpfen zu vermeiden. Aus guten Legierungen wurden nicht zwangsläufig auch gute Füllungen, und alles in allem waren diese Amalgame nicht allzu beliebt, und so kamen sie auch schon bald außer Gebrauch.

Als im Jahre 1848 Zahnfüllungen aus Guttapercha eingeführt wurden, faßte man neuen Mut. Später sollte sich jedoch herausstellen, daß es nur für provisorische Füllungen geeignet war.

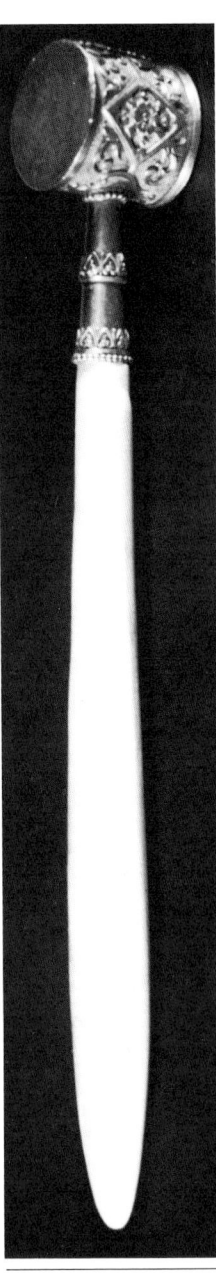

83 *Goldstopfhammer mit Elfenbeingriff, um 1860, 16 cm. (Sammlung Proskauer-Witt, Bundeszahnärztekammer Köln)*

Füllungsmaterialien

84 *Goldstopfer mit Perlmuttgriffen, amerikanisch um 1840–1850, das längste 19 cm. (Privatsammlung Dr. Gary Lemen, Sacramento, Cal.)*

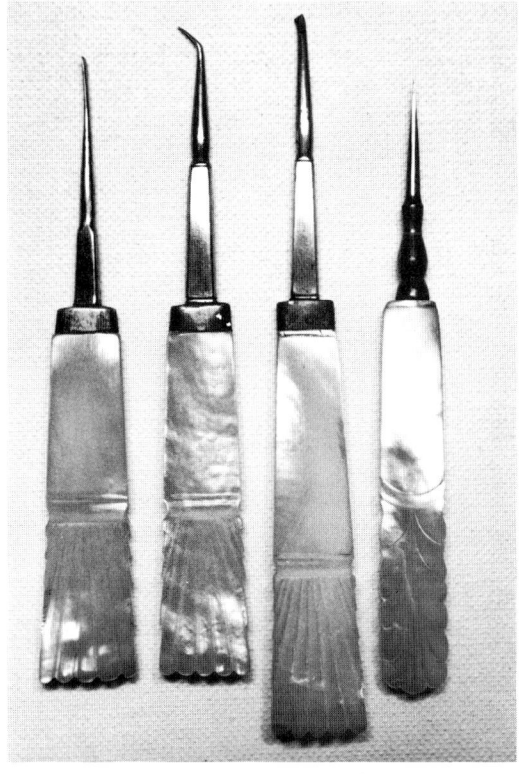

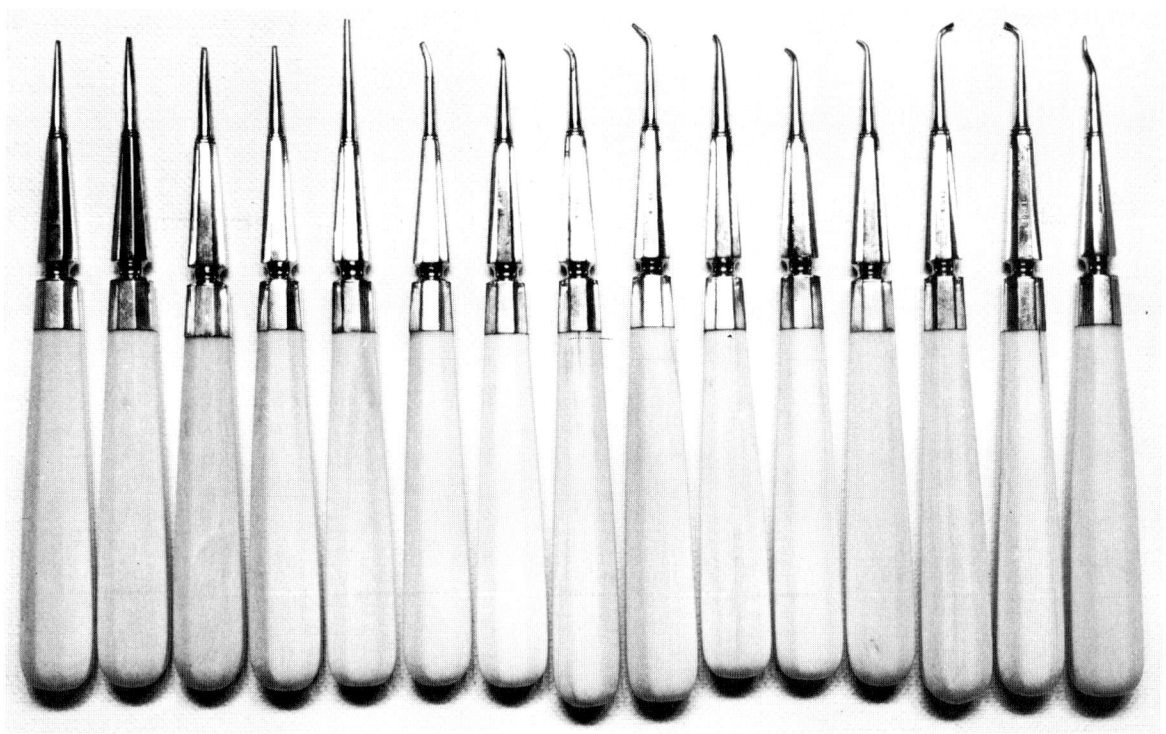

85 *Goldstopfer mit Elfenbeingriffen; Leslie, um 1860, 15 cm. (Privatsammlung Dr. Gary Lemen, Sacramento, Cal.)*

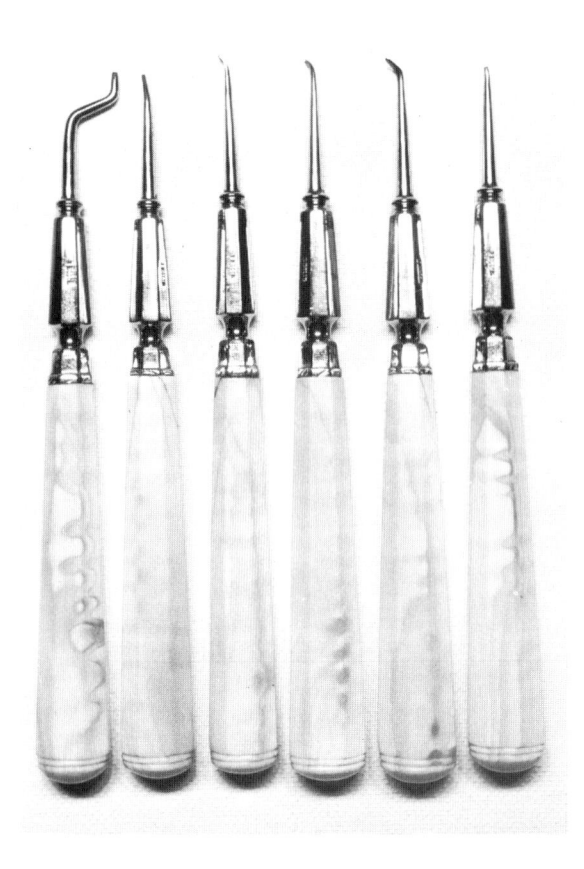

3 Bohrer, Brenneisen, Füllungen

86 *Goldstopfer mit Onyxgriffen, Leslie, um 1860, 16 cm. (Privatsammlung Dr. Gary Lemen, Sacramento, Cal.)*

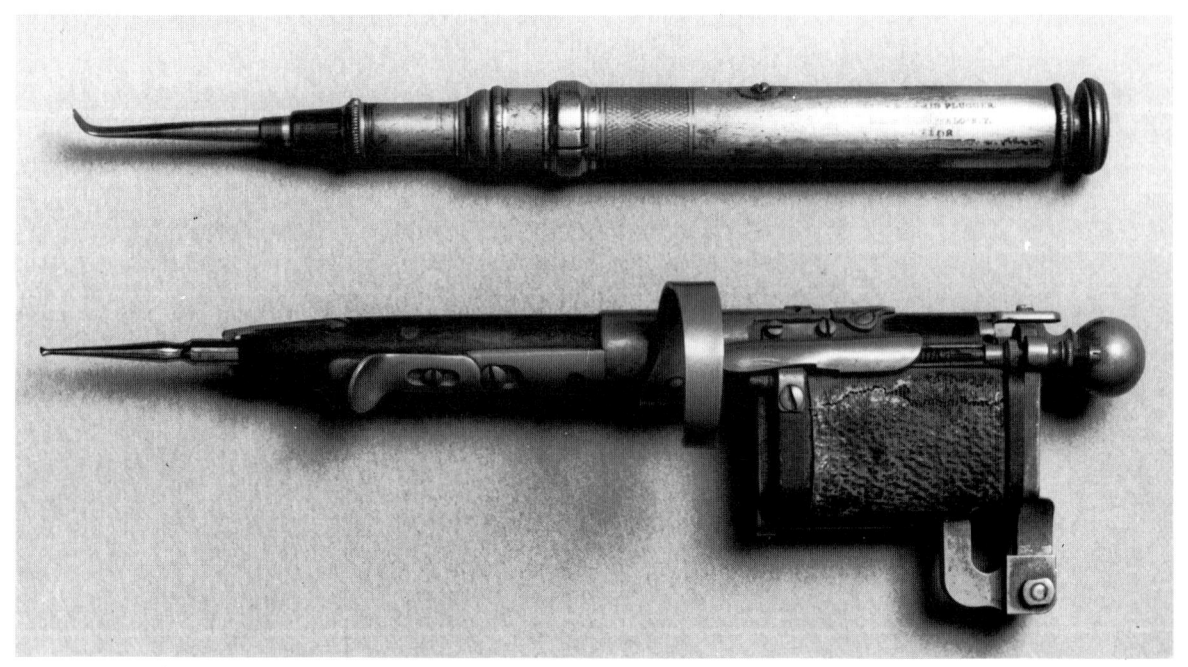

87 *Mechanischer Stopfer und elektromagnetischer Stopfer, beide Ende 19. Jahrhundert, 18 cm. (Howard Dittrick Museum of Historical Medicine, Cleveland, Ohio)*

In der Zwischenzeit, d. h. zu Beginn des neunzehnten Jahrhunderts, waren die Zahnärzte in Amerika dazu übergegangen, Füllungen aus einer Mastixlösung und Sandarakharz herzustellen. Eine weitere, 1820 eingeführte Verbindung enthielt Wismut, Blei, Zinn und Quecksilber, das geschmolzen und in die Zahnhöhle gegossen wurde. Louis Nicholas Regnart (1780–1847) schlug vor, Quecksilber hinzuzufügen, um so den Schmelzpunkt herabzusetzen. 1833 kamen die Crawcour Brüder aus Frankreich mit ihrem so propagierten „royal mineral succadeneum" in England an. Sie eilten von Ort zu Ort, um Zahnlöcher zu füllen, ob diese nun ausgebohrt waren oder nicht, und wo ihnen das nicht möglich war, da füllten sie die Zahnzwischenräume. 1845 beschloß die *American Society of Dental Surgeons,* diejenigen ihrer Mitglieder aus ihren Reihen auszuschließen, die Amalgam verwendeten. Erst im Jahre 1850 wurde diese Bestimmung aufgehoben. Hills Füllung, eine Mischung aus Guttapercha, Kalkquarz und Feldspat kam 1849 auf den Markt und wurde zur Grundlage für das heute noch für provisorische Füllungen verwendete Material. 1855 beschrieb Dr. Arthur Robert aus Philadelphia die Kohäsion von Goldfolien als Zahnfüllung, aber immer noch fehlten entsprechende Bohrinstrumente. Auf der Jahrhundertausstellung von 1876 in Philadelphia lud Eleazer Parmly Black dazu ein, die von ihm angefertigten Goldfüllungen im Munde seiner Patienten zu begutachten. Green Vardiman Black (1836–1915), Verfasser mehrerer bedeutender Veröffentlichungen, entwickelte die Füllungsmaterialien fort, um auch die Festigkeit der Legierung zu gewährleisten.

In der Mitte des neunzehnten Jahrhunderts wurde in Frankreich Zahnzement eingeführt, das den Anforderungen jedoch bis 1880 nicht entsprach. Es ist schon recht interessant zu sehen, daß die Versuche, die Zähne mit Einlagefüllungen (sog. „Inlays") zu versehen, vor dem Ende des neunzehnten Jahrhunderts wenig erfolgreich waren, wenn man bedenkt, daß Einlegearbeiten aus Holz, Marmor und Schildpatt etc. in den letzten 200 Jahren mit großem Geschick angefertigt wurden. In den fünfziger Jahren des neunzehnten Jahrhunderts machte man Versuche, Porzellan so zu zermahlen, daß es die Zahnhöhle ausfüllte, jedoch müssen die sich dabei ergebenden Schwierigkeiten unüberwindbar gewesen sein. Die Bedeutung der dann auf dem Markt erscheinenden Bohrmaschine kann gar nicht genug hervorgehoben werden, da sie sehr großen Einfluß auf Füllungen und Kronen, auf Zähne und Füllungsmaterialien hatte.

In dem Maße, in dem die Qualität der Zahnfüllungen verbessert wurde, nahm auch die Vielfalt der Füllinstrumente zu. Fauchard nahm sie schon früh in seine Liste der notwendigen Instrumente auf. Drei Arten davon waren seiner Meinung nach erforderlich: die eine zylindrisch und pyramidenförmig, mit scharfer, gebogener Spitze; die zweite sollte den gleichen Schaft haben, ihr Ende jedoch gebogener und stumpfer sein, und die dritte sollte einen viereckigen Schaft haben, dessen Ende rund und im rechten Winkel angebracht war. Alle drei Arten sollten unterschiedlich groß, mit guten Manschetten versehen und mit Kitt sicher am Handgriff befestigt sein. Diese soliden Grundsätze sollten – von wenigen Abweichungen abgesehen – noch für zwei weitere Jahrhunderte Gültigkeit haben.

4 Künstliche Zähne

Ein großer Nachteil der scheinbar so gesunden Ernährungsweise unserer Vorfahren lag in der Menge groben Sandes sowie anderer in ihrer Nahrung enthaltener Rückstände, die den Zahnschmelz angriffen, wodurch die Entstehung von Löchern in den Zähnen begünstigt wurde. Dieser Umstand führte unweigerlich zum Verlust der Zähne, der, wie wir bereits an anderer Stelle gesehen haben, mit dem Verlust der Virilität und schließlich sogar des Lebens assoziiert wurde. Gewisse erste Ansätze zur Herstellung künstlicher Zähne fußten auf der Eitelkeit und dem Aberglauben. Die im Talmud enthaltenen Hinweise auf die Prothetik beziehen sich größtenteils auf Frauen; ein neuer Zahn durfte aus Holz oder aus Metall sein; auch eine Hülse aus Gold und Silber durfte über den verstümmelten Zahnstumpf gezogen werden. Ein vieldiskutierter Streitpunkt war das Problem, ob eine Frau, der es gestattet war, mit einem Silberzahn das Haus zu verlassen, sich auch mit einem Goldzahn herauswagen dürfe. Nicht klar ist allerdings, ob diesem Zweifel die Furcht vor dem Raub ihres Zahnes oder – nun, da sie noch attraktiver geworden war – die Furcht vor dem Raub ihrer Tugend zugrunde lag. Eine Geschichte aus dem Talmud erzählt von dem Rabbi Haggai, dem im Alter von achtzig Jahren als Anerkennung seiner beim Begräbnis des Rabbi Huna gezeigten starken Gemütsbewegung eine vollständige Prothese mit neuen Zähnen geschenkt wurde. Zur Zeit der römischen Klassik beschreibt Horaz in seiner Achten Satire zwei alte Hexen, die so schnell laufen, daß die eine von ihnen, Canidia, dabei ihr künstliches Gebiß verliert; und Martial schrieb folgendes Epigramm: ,,Thäis hat schwarze, Laecania weiße Zähne; der Grund dafür? Thäis hat ihre eigenen, Laecania gekaufte.''

Im Jahre 1602 hatte man bemerkt, daß Königin Elisabeth I. sich die Wangen mit Wattebäuschen ausstopfte, um so darüber hinwegzutäuschen, daß ihre Zähne fehlten. In seinem 1588 erschienenen Buch *Mathematical Jewel* erzählt Blagrave von seinem Neffen, ,,der alle seine Zähne ziehen und sich danach eine Elfenbeinprothese einsetzen ließ.'' In *Verlorene Liebesmüh* gibt es eine Anspielung auf die künstlichen Zähne von Boyet: ,,Er lächelt wie ein Blümchen jeden an, damit man sieht den weißen Walroßzahn''. Im Tagebuch des Samuel Pepys aus dem siebzehnten Jahrhundert schreibt dieser über eine Frau, ,,sie hat sich von La Roche neue Zähne machen lassen, und die sind in der Tat recht ansehnlich''. Folgender Vers aus *The Ghost* von Charles Churchill spielt auf William Green, den Zahnbehandler Georgs III., an:

,,Teeth, white as ever teeth were seen
Delivered from the hand of Green''.

Im achtzehnten Jahrhundert schrieb der so vernünftige Pierre Fauchard (1678–1761): ,,Sind die Zähne schon allein zur Erhaltung der

Künstliche Zähne

Gesundheit wichtig, so sind sie für die Sprache, für die Aussprache und Artikulation der Worte und zur Zierde des Gesichts absolut notwendig." Man kann sich den Stolz und die Bewunderung, die mit dem Tragen künstlicher Zähne verbunden waren, vorstellen, bei Tisch zum Beispiel nahm man sie ganz ungeniert heraus. Da man zu den Wohlhabenden gehören mußte, um sie sich überhaupt leisten zu können, stellten sie wohl ein abenteuerliches Statussymbol dar. Verschämtheit in dieser Beziehung kam erst im neunzehnten Jahrhundert auf. Das oft photographierte Lächeln bei fest verschlossenem Mund zeugt von Hemmungen, die uns auch heute nicht unbekannt sind.

Die einfachste Form des Zahnersatzes, die man ausprobiert hatte, bestand in der Verpflanzung fremder, menschlicher Zähne. Im ausgehenden Mittelalter spricht Guy de Chauliac (1300–1368) von transplantierten Zähnen, die jahrelang hielten. Es gab immer genügend Arme und Bedürftige, denen man den benötigten Zahn abkaufen konnte, manchmal wurde der Zahn auch einem Menschen entnommen, der nicht in der Lage war, die Extraktion zu verweigern. Ambroise Paré (1510–1590) erzählt, wie einer Prinzessin ein schlechter Zahn entfernt und unmittelbar danach durch den einer Hofdame ersetzt wurde; dieser neue Zahn paßte gut und funktionierte zufriedenstellend. 1687 machte Charles Allen den Vorschlag, Zähne von Tieren als Ersatz zu nehmen. Pierre Fauchard beschreibt, wie diese Ersatzzähne vor ihrer Verpflanzung mit der Feile bearbeitet wurden. Aber erst durch das Zutun von John Hunter (1728–93) wurde dies zu einer allgemein akzeptierten und angesehenen Methode. Der beklagenswerte Zustand, in dem er viele der künstlichen Zähne vorfand, machten ihn zum begeisterten Verfechter dieser Praxis. „Die Operation als solche", so sagte er, „stellt keine Schwierigkeit dar, und dennoch ist sie die bedenklichste aller Operationen." War ein kariöser Zahn bereits so weit zerstört, daß man ihn nicht mehr exkavieren konnte, so empfahl er, diesen zu ziehen und anschließend auszukochen, um sein Leben zu zerstören. Daraufhin sollte er in seine Alveole zurückverpflanzt werden. Bei Transplantationen stieß Hunter bei der Suche nach einem Spender, dessen Zahnwurzel der benötigten Länge entsprach, auf einige Schwierigkeiten. Daher war es seiner

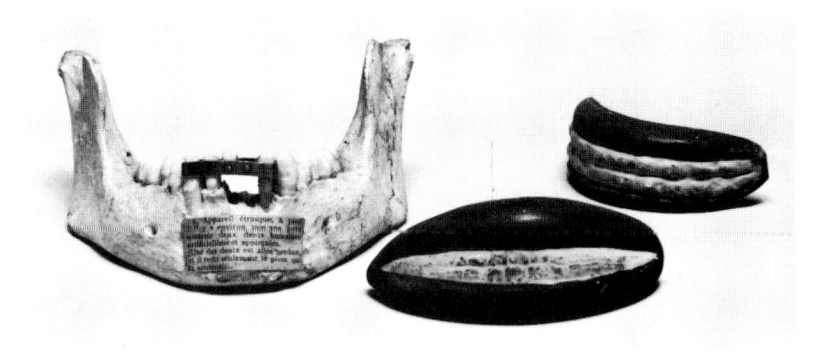

88 *Unten: Unterkiefer aus einem etruskischen Grab mit Goldbandprothese sowie zwei Votivgaben, um 700 vor Chr. (Musée Fauchard, Paris)*

4 Künstliche Zähne

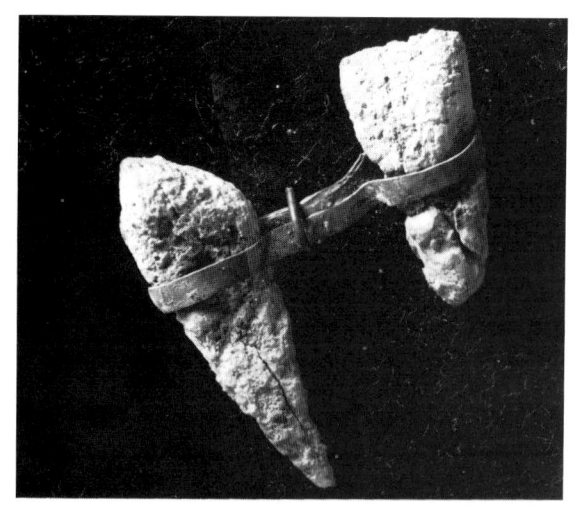

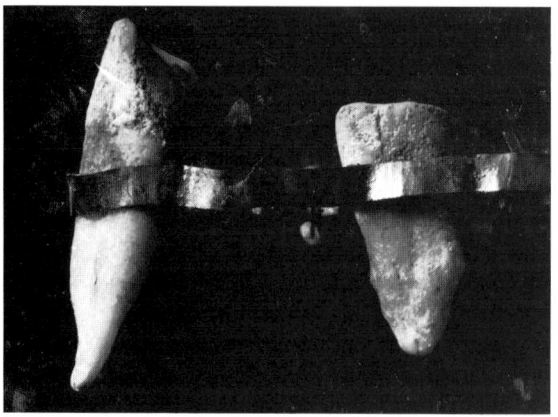

89 Etruskische Goldbandprothesen, um 700 vor Chr. (Archäologisches Museum Tarquinia)

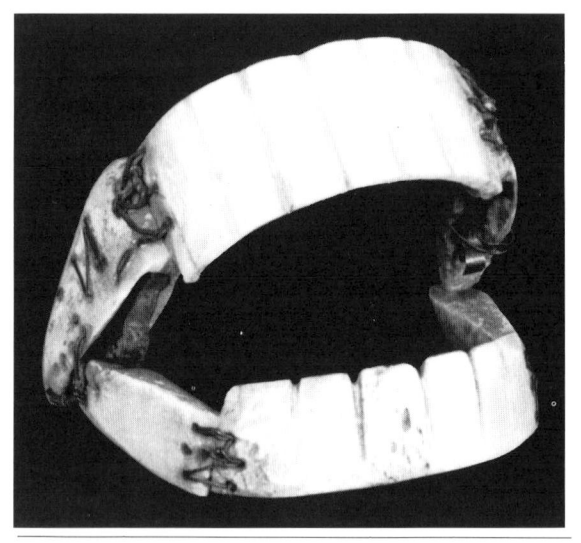

90 Totalprothese aus Rinderknochen geschnitzt, um 1500. (Sammlung Proskauer-Witt, Bundeszahnärztekammer Köln)

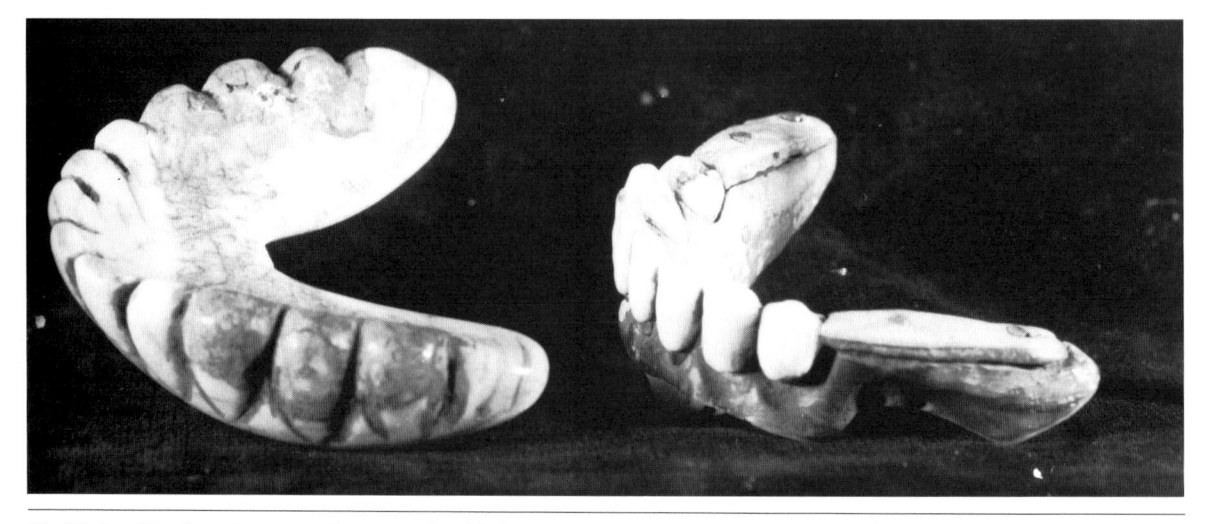

91 Links: Totalprothese aus einem Stück Elfenbein geschnitzt. Rechts: Totalprothese aus einem Stück Knochen mit eingesetzten menschlichen Schneidezähnen, um 1680 (Museum of London)

Meinung nach ratsam, gleich zwei oder drei Spender zur Verfügung zu haben, denn: war der eine nicht der richtige, so war es gewiß der andere. Und tatsächlich war es manchmal notwendig, mehrere Personen zur Hand zu haben, falls eine oder gar zwei von ihnen nämlich die Nerven verloren. Die etwas zu deftige Karikatur einer Zahntransplantation von Thomas Rowlandson verdeutlicht dies auf sehr anschauliche Weise. Es war ein kostspieliges Verfahren, da die ihres Zahnes beraubte Person als Entgelt ein hübsches Sümmchen erwartete und der Preis, den man dafür zu zahlen hatte, nicht nur finanzieller Art war. Gelegentlich entstammte ein derartiger Zahn einem infizierten Munde, und mindestens ein Todesfall wurde verzeichnet. Erst 1833 wurde darauf hingewiesen, daß die Träger fremder Zähne sich nicht zu wundern brauchten, wenn sie sich die Schwindsucht zuzögen.

Versuche, vollkommen künstliche Zähne herzustellen, reichen weit zurück. Die in einem phönizischen Grab bei Sidon (600–400 v. Ch.) gefundene, aus vier Zähnen bestehende Teilprothese, die mit einem Golddrahtgebinde an den benachbarten Zähnen befestigt war, ist die älteste bekannte Prothese überhaupt. Schon um 700 v. Chr. brachten die Etrusker – die wohl kühnsten Zahnärzte der Antike – Teilbrücken aus Gold zustande. Die Zähne stammten entweder von einem anderen Menschen oder waren aus Rinderknochen geschnitzt. Jeder Ersatzzahn war an seiner Basis mit Golddraht umwunden und so mit seinen Nachbarzähnen bzw. mit den benachbarten verbliebenen natürlichen Zähnen, welche ähnliche Vorrichtungen trugen, verlötet. Das war eine schon recht hochentwickelte Methode; mit diesen Zähnen konnte man kauen, und einige waren herausnehmbar. Bis zum neunzehnten Jahrhundert sollte etwas derart Meisterhaftes dann nicht mehr hergestellt werden. Martial erwähnt künstliche Zähne aus Knochen, Elfenbein und Holz. Von den Römern ist bekannt, daß sie schon Kronen anfertigten, mit der römischen Kultur jedoch versank zugleich ein großer Teil zahnärztlichen Könnens.

Albucasis (936–1013) empfahl, die Zähne miteinander durch Draht zu verbinden, wenn einige von ihnen locker waren, wozu feiner Golddraht benutzt werden sollte. Er sprach auch davon, künstliche, aus Rinderknochen gemachte Zähne mit Draht zu umwickeln, um auf diese Art die Lücken zu füllen. Auch Gerard von Cremona (1114–1187) und Guy de Chauliac (1300–1368) beschrieben dieses Verfahren. 1557 veröffentlichte Francisco Martinez (1518–1588) ein Buch über Zahnheilkunde (ungewöhnlich für diese Zeit – in spanischer und nicht lateinischer Sprache), in welchem er ein Kapitel den Prothesen widmet; später empfahl Mattheus Gottfried Purmann (1648–1711) in seinem Buch, vor der Anfertigung der Prothese ein Wachsmodell herzustellen. Der erste, der künstliche Zähne aus anorganischem Material vorschlug, war Jacques Guillemeau (1550–1613), er empfahl weiße Korallen und Perlen dazu zu nehmen. Diese Vorschläge führten zu keinem nennenswerten Erfolg, so daß mit Bestimmtheit gesagt werden kann, daß von diesen Zähnen nicht ein einziger wirklich zufriedenstellend war.

Aus dem späten sechzehnten Jahrhundert sind uns seltsame Berichte überliefert, die das Morgenritual am Hofe Heinrichs III. von

4 Künstliche Zähne

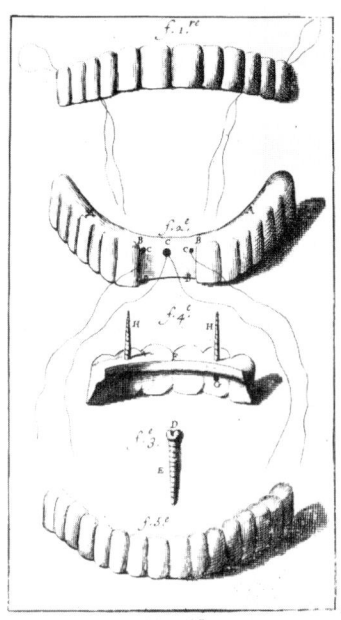

Plate 35

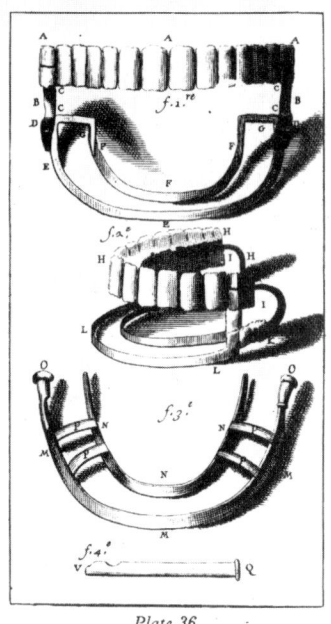

Plate 36

92 *Abbildungen aus Pierre Fauchards „Le Chirurgien Dentiste" (Ausgabe 1746). Die Tafeln 35 und 36 zeigen unterschiedliche Konstruktionen von Zahnersatz.*

Frankreich schildern, bei welchem die aus Bein gemachten künstlichen Zähne eingesetzt wurden. Da es für den Träger sehr schwer war, dies selbst zu tun, ließ er die Prothese oft über einen längeren Zeitraum im Munde, wo sie dazu neigte, Zahnstein anzusetzen. Aus dem Jahre 1654 gibt es Hinweise auf Zähne, die aus Elfenbein oder Walfischknochen hergestellt waren. Charles Allen behauptete, künstliche Zähne hergestellt zu haben, er beschreibt den von Tieren – Ziegen, Schafen, Pavianen und Hunden – stammenden Zahnersatz, er sagt allerdings nicht, daß er ihn selbst hergestellt hat. Von seiner Erfindungsgabe war er sehr überzeugt und verwarf sogleich alles Überlieferte. Im ausgehenden 17. Jahrhundert empfahl der holländische Chirurg Anton Nuck (1650–1692), die Stoßzähne von Nilpferden zu verwenden, da dieses Material farbbeständiger war. Dupont, „Opérateur du Roi", der eine Fülle extravaganter Behauptungen aufstellte, nimmt in seinem Buch *L'Opérateur Charitable* (1633) für die von ihm gemachten künstlichen Zähne in Anspruch, daß sie ohne Stottern getragen werden könnten – möglicherweise ein vernichtender Kommentar zu der Modetendenz des siebzehnten Jahrhunderts, in welchem das Tragen falscher Zähne als besonders „chic" galt.

Das beginnende achtzehnte Jahrhundert brachte kaum Verbesserungen in dieser Hinsicht. Lorenz Heister (1683–1758) berichtet von Zahnersatz, welcher nicht befestigt war und daher zum Essen und Schlafen herausgenommen werden konnte. Seiner Beschreibung zufolge war er aus Elfenbein oder den Stoßzähnen des Nilpferdes hergestellt und offenbar von sehr mangelhafter Paßgenauigkeit. Die Herzogin von Portland schrieb 1735 über Lord Hervey, der bekanntlich keine eigenen Zähne mehr hatte: „Lord Hervey hat die schönste Prothese, die man je gesehen hat, mit Zähnen aus ägyptischem Kieselstein." So die zeitgenössische Bezeichnung für Achat; wahrscheinlich waren diese Zähne in eine Basis aus Holz eingesetzt und in Italien hergestellt, wohin Lord Hervey gerade eine Reise unternommen hatte. Andere Alternativen waren Perlmuttzähne oder solche aus emailliertem Kupfer, die in eine Elfenbeinbasis eingesetzt waren. Vollprothesen für den Unterkiefer wurden beschwert, damit sie nicht verrutschten und man versuchte auch, Vollprothesen für den Oberkiefer herzustellen. Um 1733 machte Pézè Pilleau, der in den Jahren 1715–1755 u. a. als „Goldsmith at the Golden Cup in Shanders (Chandos) Street" wirkte, zusätzliche Werbung für sich „in der Kunst der Herstellung und des Anpassens künstlicher Zähne, die sich durch nichts von natürlichen unterscheiden." Er war der erste, der an Stelle des bis dahin üblichen Vermessens des Mundes mit Zirkeln einen hufeisenförmigen Abdruck des Kiefers machte, wozu er Bienenwachs benutzte. Zu einer Zeit, da viele ihre Zähne über den Postversand bestellten, war dies ein großer Fortschritt. Für einige Arten der künstlichen Zähne versprach die Werbung sogar, daß diese über Zahnstümpfe und -wurzeln paßten, deren schmerzhafte Extraktion allein schon viele Menschen abschreckte. Der während des ganzen achtzehnten Jahrhunderts so überaus verbreitete Gebrauch des Fächers hatte gewiß darin seinen Grund, daß viele dadurch ihr lückenhaftes Gebiß oder ihren Mundgeruch zu verbergen suchten.

Mit dem Erscheinen des bemerkenswerten Werkes *Le Chirurgien*

Künstliche Zähne

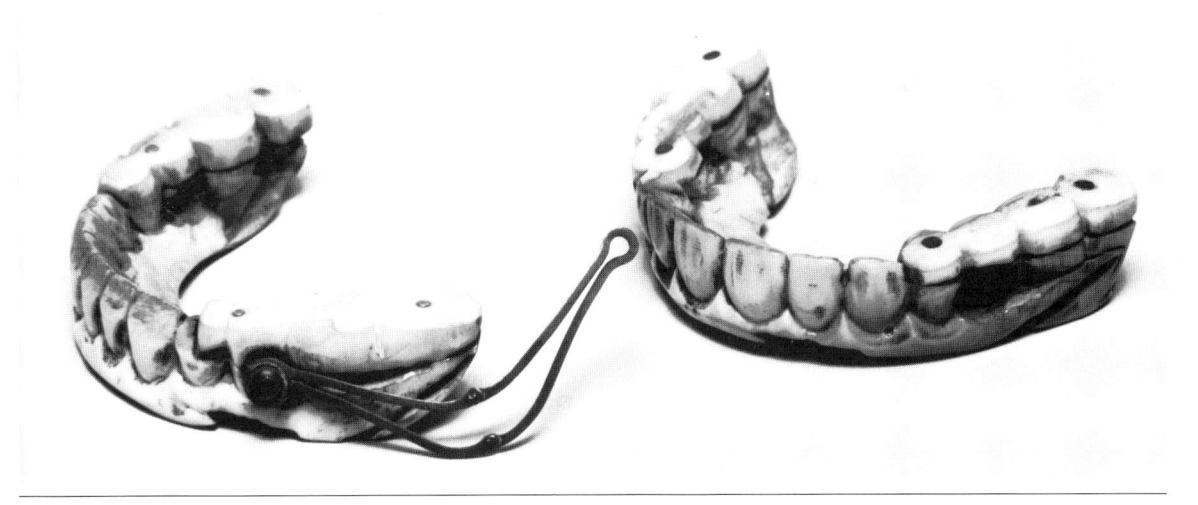

93 Zwei Totalprothesen aus Bein mit wiederhergestellten Kauflächen im Seitenzahnbereich. Linke Prothese mit gelenkiger Gebißfeder, um 1730 (Musée Fauchard, Paris)

94 Elfenbeinprothese. Die eingesetzten Kalbszähne sind mit Golddraht befestigt. Besitzer und Träger George Beckwith in England, um 1750. (New York Academy of Medicine)

95 Drei frühe Abdrucklöffel aus Buchsbaumholz, um 1780. (Musée Fauchard, Paris)

4 Künstliche Zähne

Dentiste von Pierre Fauchard im Jahre 1728 wird hier eine deutliche Verbesserung spürbar. Im Gegensatz zu anderen Zahnärzten behielt er seine Erfindungen nicht für sich, sondern veröffentlichte sie zum Nutzen des gesamten Berufsstandes. Obwohl es lange dauerte, bis seine Lehren England erreichten (s. Kap. 1), ist dies der Zeitpunkt, von dem an sich in der Zahnheilkunde schnelle Fortschritte abzeichnen. Seine alles überragende Leistung bestand in der Verbesserung der Paßgenauigkeit der künstlichen Zähne. ,,Wird ein künstlicher Zahn benötigt, so muß er in Länge, Umfang und Weite annähernd mit dem natürlichen Zahn, dessen Platz er einnehmen soll, übereinstimmen." Nilpferdzähne, ,,Seepferd" (wahrscheinlich Walroß), Stoßzähne, Elfenbein, Zähne und Knochen von Rindern hielt er für gleichermaßen geeignet, am besten jedoch wären immer noch menschliche Zähne oder die des ,,Seepferdes". Er experimentierte sogar damit, die Vorderseiten seiner Zähne zu emaillieren, um ihnen ein schöneres Aussehen zu geben, der Emailleur bekam ein Muster seiner natürlichen Zahnfarbe. Fauchard verfuhr nach der traditionellen Methode, eine Reihe von Zähnen mit Draht zu verbinden und mit Ligaturen aus Feindraht oder Seide am natürlichen Zahn zu befestigen. Ein später von ihm angewandtes Verfahren bestand darin, die Zähne im Mund durch ein Goldplättchen miteinander zu verbinden. Die äußeren Zähne wurden seitlich durchbohrt, so daß der Faden hindurchgezogen werden konnte. Hierbei bevorzugte er Dukatengold – allerdings nur dann, wenn die benachbarten Zähne hart genug waren. Sein Einfallsreichtum brachte noch viele andere Methoden hervor. Ein einzelner beschädigter Zahn zum Beispiel wurde bis auf die Wurzel abgefeilt und mit einer geschnitzten Krone bedeckt. Wenn er einen Ersatzzahn ausgesucht hatte, entfernte er die überstehenden Teile der Zahnwurzel mit Säge und Feile oder auch mit einem Schleifstein und füllte sowohl das Loch des Ersatzzahnes wie auch den Wurzelkanal der betreffenden Wurzel mit Blei. In diese Füllung bohrte er das Loch für den entweder aus Holz oder Gold gemachten Wurzelstift. Sehr erfolgreich und wirklich haltbar können nur wenige dieser Aufbauten gewesen sein, aber sie stellten eine Etappe in der Entwicklung der Prothetik dar.

Ein anderer Teil der praktischen Arbeit von Fauchard war die Konstruktion von Vollprothesen für den Unterkiefer, die aus einem Stück Knochen auf der Drehbank gedrechselt wurden. Er bleichte die Rinderknochen, indem er sie in ungelöschtem Kalk auskochte, trocknete und dem Tau aussetzte. Seiner Meinung nach waren sie besser als Elfenbein, da sie sich nicht so schnell verfärbten, wobei die weniger porösen Teile die geeignetsten waren. Diese einfachen Prothesen, deren einziger Zweck darin bestand, möglichst ruhig dem Unterkiefer aufzuliegen, mußten sehr sorgfältig angepaßt werden. Vorschnell behauptete Fauchard, daß es möglich sei, mit diesen Prothesen im Munde zu kauen. Sein schöpferischer Geist ersann schließlich doch ein besseres Verfahren und entwickelte zu diesem Zweck seine Methode für die Herstellung von Stiftkronen. Nachdem er die Kanäle der im Kiefer verbliebenen Wurzeln für die Stifte aufbereitet hatte, steckte er mit Schreibtinte gefüllte Federkiele in die Löcher. Die Prothese legte er darüber, so daß die Stellen markiert waren, an denen die Öffnungen durchgebohrt werden mußten. Die meisten aus Holz gemachten Stifte quollen durch Speicheleinwirkung auf, so daß der Zahn an Ort und Stelle gehalten wurde.

Noch radikaler war die Arbeit Fauchards für die Prothetik des Oberkiefers. Anfänglich durchbohrte er den Alveolenfortsatz und band den Zahnersatz am Oberkiefer fest. Oder er fertigte eine Vollprothese für den Oberkiefer an, die an ein Gestell montiert war, welches über dem Zahnfleisch des Unterkiefers saß. Eine seiner bekanntesten Erfindungen war die, bei welcher die Oberkiefer-Prothese durch Stahlfedern an der des Unterkiefers befestigt war. Diese Stahlfedern waren allerdings so stark, daß sich der Mund nur mit Mühe schließen ließ. Federn aus Fischbein, die man statt dessen hätte nehmen können, hielt er für wenig nützlich.

Beiderseits der Zähne, sowohl der natürlichen wie der künstlichen, wurden schmale Gold- oder Silberbänder angeordnet, an denen Gebißfedern befestigt waren, deren späte Versionen übrigens bis in unser Jahrhundert hinein verwendet wurden. Dabei ließ es sich jedoch nicht vermeiden, daß die Zähne aus den Tagen Fauchards zur Seite hin verrutschten, da der Gaumen nicht bedeckt war. Er gab zu, ,,daß eine Vollprothese nur der Zierde und der Aussprache" diente, zeigte aber mehr Zuversicht für seine Prothesen für den Unterkiefer: ,,Erst kürzlich habe ich eine ausgebessert, die ich vor 24 Jahren gemacht habe und die ständig mit Erfolg getragen wurde." Er bildete mehrere der zur Herstellung von künstlichen Zähne notwendigen Instrumente ab: einen Schraubstock, einen Fiedelbohrer, eine Feile und eine handfeste Bügelsäge. Dazu noch zwei Meißel mit breiten, achteckigen und kolbenförmig erweiterten Griffen, deren Enden jeweils einen Kopf haben, welcher, nach vorn gebogen, wie ein Schlangenkopf aussieht, außerdem drei Reibahlen zur Erweiterung der Wurzelkanäle, in die der Stift eingesetzt werden soll. Zwei dieser Reibahlen haben kreisrund gedrechselte Handgriffe und eine hat einen Eingriffring wie ein Schlüssel, um so einen festeren Halt zu gewährleisten.

Philipp Pfaff war der erste, der zur Modellherstellung Gips nahm. Die Grundlage bildete ein Abdruck mit Siegelwachs, welches in heißem Wasser plastisch gemacht wurde. William Rae beschrieb 1782 dasselbe Verfahren noch einmal. Pfaff, der sich seinen Zahnersatz von ,,einem Künstler" hatte machen lassen, riet dazu, anstelle der Behandlung mit dem Brenneisen den bloßliegenden Nerv lieber mit einer künstlichen Kappe zu bedecken. Im gleichen Zeitabschnitt stellte Etienne Bourdet Prothesen vor, deren Körper ganz aus Gold und mit fleischfarbenem Emaille überzogen war, die Zähne waren aus den Stoßzähnen des Flußpferdes geschnitzt und mit Stiften und Nieten befestigt. Gold, das zwar robust ist und nicht zu Korrosion neigt, ließ sich nur mit Mühe verarbeiten, und das Anpassen der einzelnen Zähne war so umständlich, daß es für den Träger sehr belastend gewesen sein muß. Es gab zahlreiche Experimente: 1778 erhielt ein Francis Gillanders ein Patent für ,,eine Methode zur Beschichtung künstlicher sowie auch schlechter natürlicher Zähne und auch des Zahnfleisches, die weder korrodiert, noch abfärbt, noch im Munde die Farbe verliert." Im selben Jahr widmete John Channing

4 Künstliche Zähne

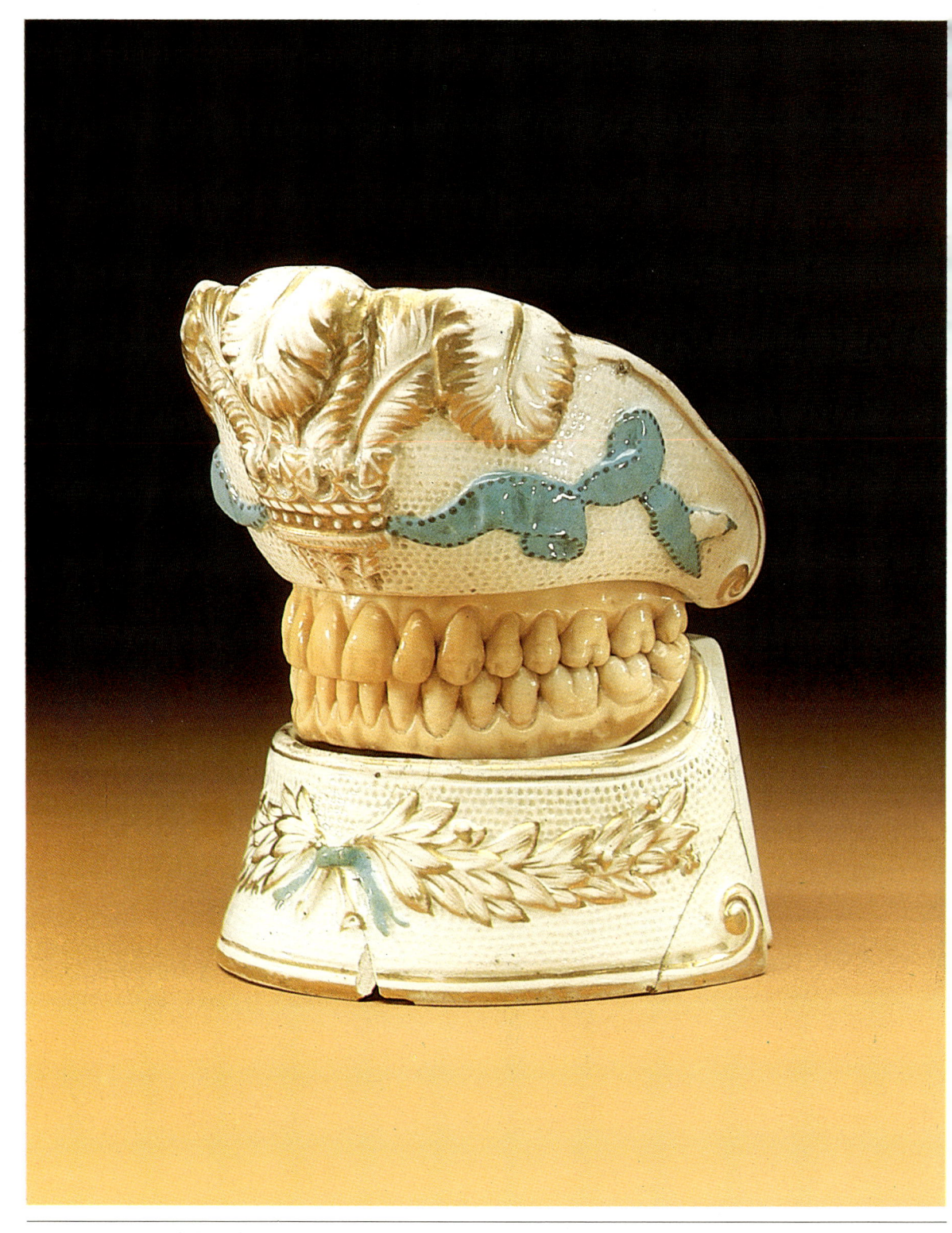

Farbtafel XIV *Gebißständer aus Porzellan, geschmückt mit den Federn des Prince of Wales, um 1810, möglicherweise von Ruspini, dem Zahnarzt des Prince of Wales. (Science Museum, Wellcome Collection, London)*

Künstliche Zähne

Farbtafel XV Links: Sieben Zahnreinigungsinstrumente für Ebenholzgriff. Das Kästchen ist mit Saffianleder gefüttert. In der Schublade befindet sich ein Spiegel, um 1800. Rechts: Sechs Zahnreinigungsinstrumente für Elfenbeingriff. Das Kästchen ist mit grünem Chagrinleder bezogen, um 1800. (I. Freeman & Son, Simon Kaye Ltd, London)

Farbtafel XVI Zahnreinigungsinstrumente mit Elfenbeingriffen in einem mit Samt ausgelegten Mahagonikästchen, um 1840, 11,5 cm. (Privatsammlung Peter Gordon, London)

4 Künstliche Zähne

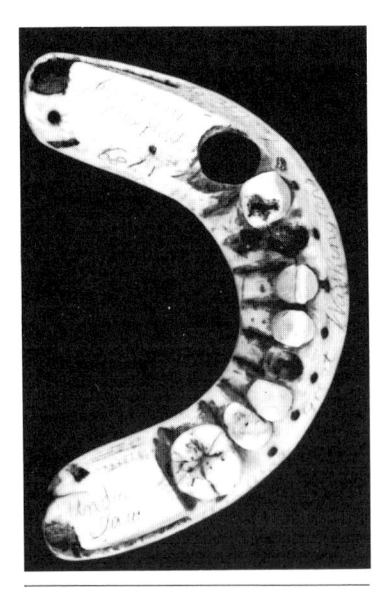

96 *George Washington's untere Prothese. Das Loch für den einen noch erhaltenen eigenen Zahn ist gut zu erkennen. Hergestellt von John Greenwood, um 1790. (New York Academa of Medicine)*

den Prothesen ein ganzes Buch: *Artificial Teeth made of Calves' Bones.*

Unterdessen suchte John Greenwood (1760–1819) in Amerika unermüdlich nach zufriedenstellenden Materialien – und das nicht zuletzt für den Mund George Washingtons. Washington hatte bereits Erfahrungen mit vielen Zahnärzten. Das Vertrauen, das er in Greenwood setzte, spricht für dessen Geschicklichkeit. Typisch für den enthusiastischen, von seiner Arbeit faszinierten Autodidakten, wies Greenwood der Zahnheilkunde in Amerika den richtigen Weg. Washington hatte ständig Probleme mit seinen Zähnen und versuchte es mit mehreren Prothesen. Sein von Porträt zu Porträt wechselndes Aussehen, mit Gewißheit aber sein verzerrter Mund auf der Dollarnote legen ein beredtes Zeugnis davon ab. Seine Prothesen waren aus Elfenbein, Blei, menschlichen Zähnen, Rinderknochen, den Stoßzähnen vom Flußpferd oder denen des Walrosses, eine davon wog drei Unzen. Als er im Jahre 1789 Präsident wurde, hatte er nur noch zwei seiner eigenen Zähne im Munde, von denen einer auf einer Prothese montiert war. Elfenbeinprothesen nahmen mit der Zeit einen üblen Geschmack und einen unangenehmen Geruch an, da half es auch nicht, daß Washington sie über Nacht in Portwein legte. Greenwood hatte viele originelle Ideen, so machte er zum Beispiel Zähne, die man nachts im Munde lassen konnte und die, wie er behauptete, so gut wie natürliche paßten. Er führte die Gebißfedern in Amerika ein, vermutlich hat er dort auch als erster Porzellan verwendet. Und dennoch mußte Washington sich seinen Mund ausstopfen, um wenigstens eine entfernte Ähnlichkeit mit sich selbst zu haben.

Im Jahre 1788 arbeiteten der französische Apotheker Alexis Duchâteau (1714–1792) und der Zahnarzt Nicholas Dubois de Chemant (1753–1824) aus Paris gemeinsam an der Herstellung der ersten in einem Stück gebrannten Prothese aus Porzellan. De Chemant veröffentlichte eine Flugschrift über die von ihm aus anorganischem Material gemachten Zähne und erklärte dieses Material als unverderblich und formbeständig. Später emigrierte er nach London, wo er für seine Methode 1791 ein Patent erhielt. Er beschreibt die Ingredienzen verschiedener Pasten, die Abdrucknahme, das Emaillieren, das abschließende Brennen und die Montage der Federn. Porzellanprothesen waren anfänglich nicht sehr beliebt, ihnen wurde nachgesagt, sich bei Gebrauch „wie gesprungene Glocken" anzuhören. Auf diesen Fortschritten aufbauend, stellte Giuseppangelo Fonzi (1768–1840), ein Zahnarzt aus Neapel, 1808 einzelne Konfektionszähne aus Porzellan her, in Großbritannien „Bohnenzähne" genannt, die in eine Goldbasis eingesetzt wurden. Jeder Zahn war mit einem Platinhäkchen versehen und dadurch besser an der Basisplatte zu befestigen (Farbtaf. XII). Es war sehr schwer, diese Konfektionszähne aus Porzellan so herzustellen, daß sie den an sie gestellten Anforderungen entsprachen, da sich der Scherben beim Brennen zusammenzog; außerdem konnten diese Zähne im Munde zerbrechen und beim Essen und Sprechen ein mahlendes Geräusch erzeugen. Und dennoch hielten einige sie für eine Verbesserung gegenüber denen aus Elfenbein, das durch die Speicheleinwirkung schnell in Zersetzung überging. Norman William Kingsley (1829–1913) erlernte den Beruf des Zahn-

Künstliche Zähne

arztes bei seinem Onkel, der sich zuvor ausbedungen hatte, ein von ihm entwickeltes, geheimes Verfahren zur Herstellung von Porzellanzähnen nicht in den Lehrstoff aufzunehmen. Offensichtlich jedoch hat Kingsley dieses Verfahren auch ohne fremde Hilfe gemeistert. Die Verwendung von Porzellan ging in den zwanziger Jahren des neunzehnten Jahrhunderts dann leicht zurück, aber noch um die Jahrhundertmitte sind vereinzelte Exemplare belegt.

Unterdessen lag die Herstellung von künstlichen Zähnen zum Teil in den Händen der Zahnärzte und zum Teil in denen der Handwerker; die meisten Zahnärzte nahmen nur noch die Abdrücke. Man fand, daß auch ein Zahntechniker durchaus annehmbare Prothesen herstellen könne, was für den Zahnarzt eine Zeitersparnis bedeutete.

Der in Philadelphia lebende, aber in Bordeaux gebürtige Jacques Gardette fertigte im Jahre 1800 eine obere Vollprothese ohne Federn an und entdeckte die Nutzbarmachung des luftverdünnten Raumes. 1835 wurden in Großbritannien erstmals Saugkissen vorgestellt, jedoch ohne großen Erfolg. Die Firma S. S. White aus Philadelphia kündigte im Jahre 1848 Gilberts Saugkammer-Prothese an. Als, etwa um 1850, die Spiralfeder in Großbritannien auftauchte, schöpften die Prothesenträger neue Hoffnung; mußten sie doch ständig fürchten, ihre Prothese könne verrutschen oder sich selbständig machen. Disraeli sagte in einer recht unfreundlichen Bemerkung über Lord Palmerstons künstliche Zähne, daß diese „ihm beim Sprechen aus dem Munde fielen, wenn er in seiner Rede nicht so häufig zögerte und innehielte".

Elfenbein gehörte im neunzehnten Jahrhundert immer noch zum gebräuchlichsten Material – noch um 1870 und darüber hinaus lieferte die Londoner Firma Ash ganze Blöcke von Elfenbein, woraus die Zähne geschnitzt wurden. In zunehmendem Maße nahm man menschliche Zähne (welch überaus fruchtbare Infektionsquelle), die in eine massive Basis eingesetzt wurden. Diese menschlichen Zähne wurden unter der Bezeichnung Waterloo-Zähne bekannt, denn sehr

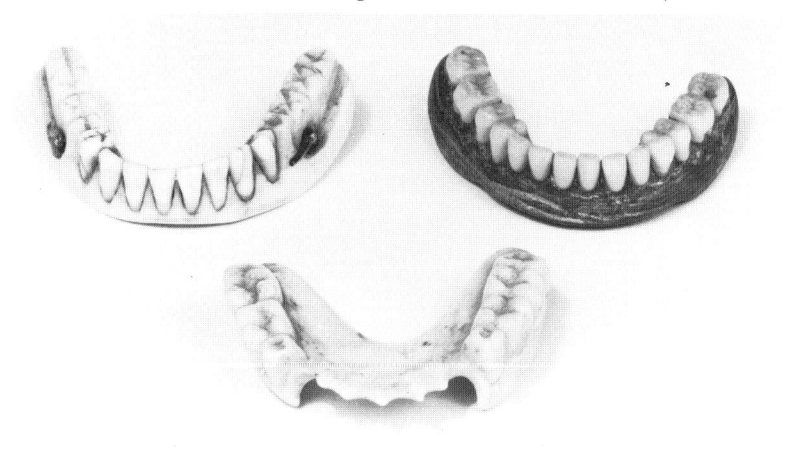

97 *Drei Prothesen. Oben links: Waterloo-Zähne in einen Elfenbeinkörper eingesetzt, um 1840. Oben rechts: Konfektionszähne aus Porzellan in massiver Zinnbasis, um 1890 (Sammlung U. Lohse). Unten: Teilprothese aus Elfenbein, um 1800. (I. Freman & Son, Simon Kaye Ltd, London)*

4 Künstliche Zähne

98 Oben: Totalprothese aus Elfenbein mit eingesetzten Waterloo-Zähnen, um 1820. Der zugehörige Aufbewahrungskasten hat einen komplizierten Verschlußmechanismus, um das Geheimnis seines Inhaltes zu bewahren. Kästchen möglicherweise später. An der Prothese sind die Goldstifte zu erkennen, mit denen die (verlorengegangenen) Schneidezähne befestigt waren. (Privatsammlung London) Unten: Mastikator von Weiss, um 1860, 17 cm. (I. Freeman & Son, Simon Kaye Ltd, London)

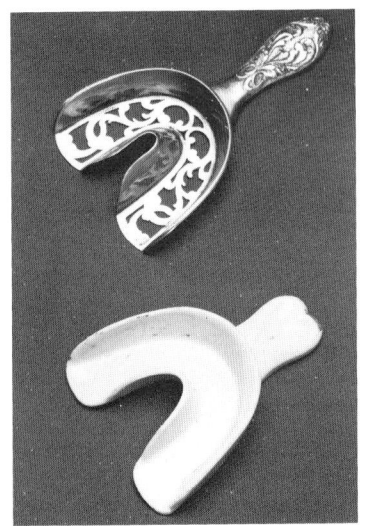

99 Abdrucklöffel, englisch, um 1865. Oben: ornamentiertes und zisleiertes Metall. Unten: weiße Keramik. (Science Museum, Wellcome Collection, London)

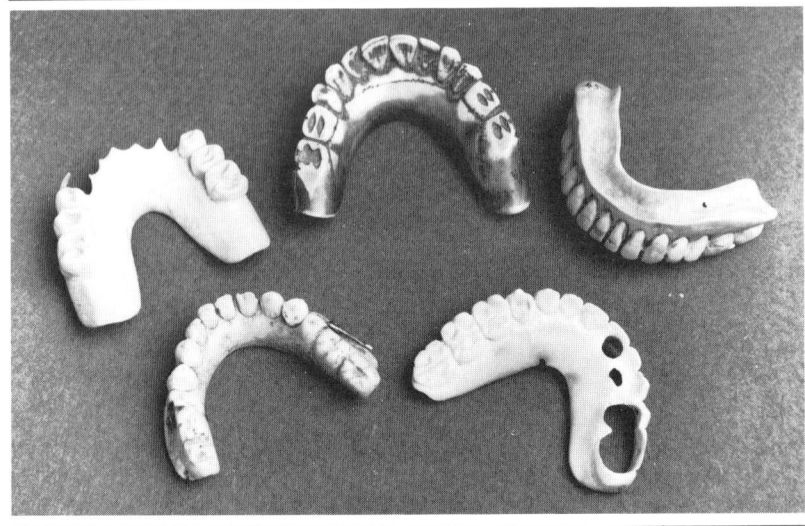

100 Fünf Prothesen, frühes 19. Jahrhundert, alle aus Walroßbein geschnitzt, einige mit Spuren ehemaliger Koschenillenfärbung des künstlichen Zahnfleisches. Im Uhrzeigersinn: dritte und fünfte mit eingesetzten menschlichen Schneidezähnen, die fünfte mit Resten der Gebißfedern. Bei der vierten sind die Löcher zur Anbringung der Hickoryholz-Stifte zu erkennen. (Royal Army Dental Corps Historical Museum, Aldershot)

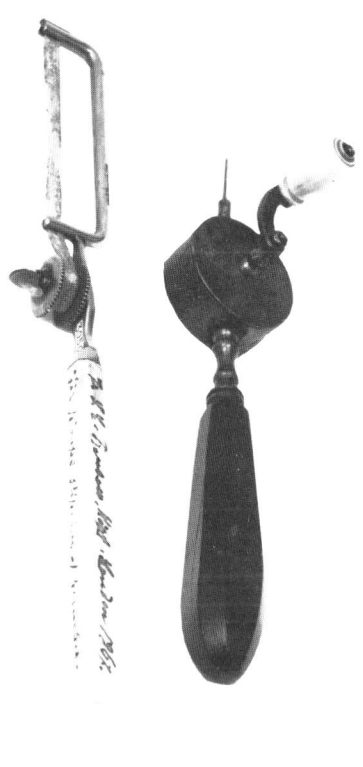

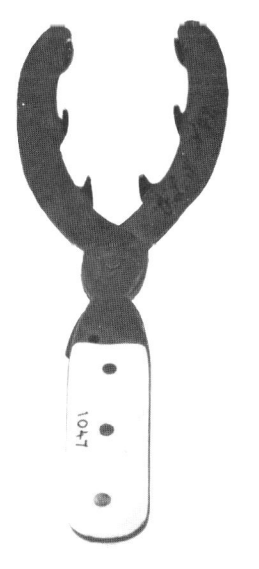

Künstliche Zähne

viele von ihnen waren den Leichen auf den Schlachtfeldern herausgezogen worden (Abb. 97 und 98). Für die aus Grabplünderungen stammenden Zähne wurden hohe Preise gezahlt, und die den im amerikanischen Unabhängigkeitskrieg Gefallenen entnommenen Zähne wurden tonnenweise nach England verschifft. Claudius Ash (1815–92), dem es widerstrebte, mit den Zähnen eines toten Menschen umzugehen, führte etwa um 1838 den Röhrenzahn ein, der in abgewandelter Form noch immer verwendet wird. Das Originalexemplar hatte in der Mitte eine kleine Röhre aus Edelmetall, die auf einen hervorstehenden Stift in der natürlichen Wurzel oder in einer künstlichen Basis montiert wurde. Dieser Zahntyp wurde, außer von Ash, auch noch von mehreren anderen Herstellern, wie zum Beispiel Corbitt, Cork und Lemale produziert.

Die Suche nach einem zufriedenstellenden Basismaterial für die Prothesen ging unermüdlich weiter. Bis dahin hatte sich Gold – sei es für die Basis, sei es für die Zähne und deren Befestigung – als befriedigend erwiesen, war jedoch für die meisten Patienten unerschwinglich. Man versuchte es mit Silber, befand es aber für ungeeignet. 1820 führten die Amerikaner gegossenes Zinn ein, danach Gußzinn, aber beides korrodierte. Dann erfand Charles Goodyear (1800–1860) den Kautschuk, hergestellt aus vulkanisiertem Rohgummi, welcher fast hundert Jahre lang der Favorit unter den Materialien blieb. Thomas Wiltberger Evans (1823–1897) war einer der ersten, die mit dieser Substanz experimentierten.

Diese gerade zur rechten Zeit gemachte Erfindung stellte einen Wendepunkt in der Zahnheilkunde dar, denn die Möglichkeiten der Anästhesie führten dazu, daß nun mehr Menschen bereit waren, sich einer Extraktion zu unterziehen, somit gab es auch mehr, die künstliche Zähne zu tragen wünschten. Da dieses Material 1851 in Amerika patentiert wurde, war seine Verwendung lizenzpflichtig. Später wurde der Patentinhaber, der Leiter der *Goodyear Dental Vulcanite Company*, von einem vor Empörung außer sich geratenen Zahnarzt, dessen Praxis zugrunde gegangen war, umgebracht.

Zu anderen verwendeten Materialien gehörten u. a. Guttapercha, das 1847 von Edwin Truman (1809–1905) eingeführt wurde, sowie seit 1850 auch Schildpatt. Dieses wurde von George Fellows Harrington (1812–1895) eingeführt. Nach dem Erhitzen preßte er es in die gewünschte Form, so sah es dem Zelluloid sehr ähnlich. John Allen (1810–1892) ließ sich 1851 Prothesen aus einem Kunstharz patentieren, welche er ,,continuous gum" nannte. Diese Prothesen waren jedoch sehr schwer, sehr teuer und nicht leicht zu reparieren, wenn sie einmal zerbrochen waren.[14] Um diese Zeit etwa probierte man auch Kollodium sowie eine ,,Rose-Pearl" genannte Verbindung aus, und im Jahre 1854 führte der experimentierfreudige Zahnarzt Mahlon Loomis (1826–1886) wieder Porzellan in Amerika ein. In London wurde 1870 erstmals Zelluloid für den Prothesenkörper verwendet und erfreute sich trotz der gelegentlich bei Rauchern auftretenden Unfälle großer Beliebtheit.

Zu Beginn des Jahrhunderts war Bienenwachs, in hufeisenförmige Abdrucklöffel gegossen, das bevorzugte Abdruckmaterial; 1848 versuchte man es mit Guttapercha. Im gleichen Jahr konnte die Firma S.

101 *Haltebügel für Leinenstreifen. Auf dem Griff notiert: ,,Gekauft in London, 1867". Handkurbel. Bohrmaschine mit Ebenholzgriff, um 1840. Abdrucklöffel aus Messing mit Elfenbeingriff, um 1840. (Sammlung Bichlie, Schwedische zahnärztliche Gesellschaft, Stockholm)*

4 Künstliche Zähne

S. White aus Philadelphia eine neue Art verfeinerten Bienenwachses ankündigen, „rein, raffiniert, frei von Tabakgeruch sowie anderen unangenehmen Gerüchen". Später benutzte man Paraffinwachs. Charles Stent stellte 1857 in London und 1874 in den Vereinigten Staaten eine spezielle Mischung als Abdruckmaterial vor (Abb. 95, 99 und 101).

Während des gesamten neunzehnten Jahrhunderts wurden die Methoden der Herstellung künstlicher Zähne ständig verbessert. Für Maschinen zu ihrer Konstruktion wurden Patente verliehen: 1839 an William Lukyn, 1845 an John Tomes (1815–1895) für seinen „Denti-ficator", eine Zahnschnitzmaschine, mit der sich exakte Kopien des Oberflächenreliefs anfertigen ließen. Henry Valentine Bartlett aus Sheffield erhielt 1846 ebenfalls ein Patent. In Amerika wurde im Jahre 1840 der „Dental Articulator" von James Cameron aus Philadelphia patentiert, mit dem sich die Funktionen von oberer und unterer Prothese besser aufeinander abstimmen ließen. George Fellows Harrington erfand 1849 einen komplizierten Mechanismus zur Ausmessung, Gestaltung und Formgebung der Prothesen. Alles in allem wurden die künstlichen Zähne – und nicht zuletzt auch die benötigten Hilfswerkzeuge – zum großen Geschäft. Die Kataloge der Instrumentenmacher zeigten nun auch Schmirgelscheiben, Schleifsteine sowie Schraubstöcke, in denen die Zähne während des Abschleifens befestigt waren.

Ohne Zähne kann durch einen Überbiß des Unterkiefers Taubheit entstehen. Das betraf besonders die Allerärmsten, die sich weder künstliche Zähne, noch eine vorbeugende Behandlung leisten konnten. Ohne Zähne ließ sich mangelhafte Nahrung auch nur mangelhaft kauen, wodurch chronische und oft schwerwiegende Verdauungsstörungen verursacht wurden, die wiederum den allgemeinen Gesundheitszustand schwächten. Ohne Zähne wurde man als älter angese-

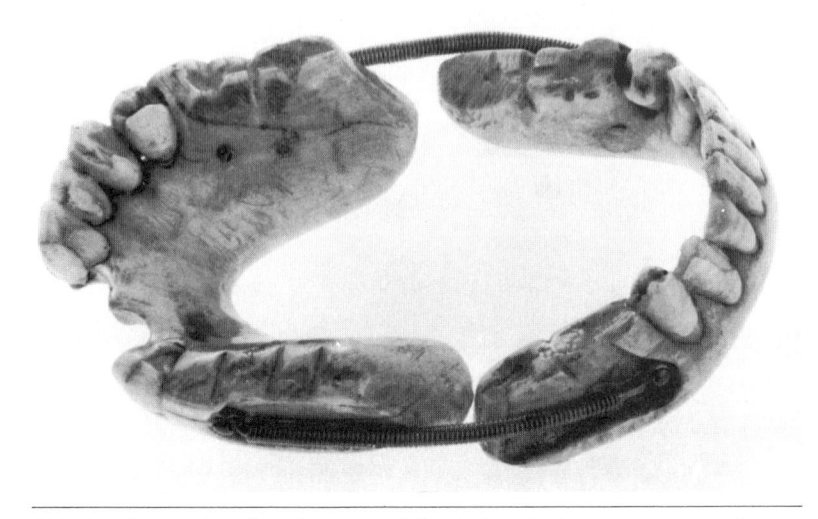

102 *Geschnitzte Totalprothesen aus Elfenbein mit eingesetzten menschlichen Zähnen und Gebißfedern, um 1870. (University of Alberta Dental Museum, Edmonton)*

hen als man war und als nutzlos empfunden. Obwohl das Tragen von künstlichen Zähnen im neunzehnten Jahrhundert zu einer allgemeinen Angelegenheit geworden war, lieferte es doch noch oft genug Anlaß zur Verlegenheit, die, trotz aller modernen Perfektion, so scheint es, auch in unseren Tagen noch bekannt ist. Denn auch heute noch werden in Verbindung mit dem Essen, dem Niesen oder der Schwierigkeit, deutlich zu sprechen, bestimmte Ängste ausgelöst. Ohne Zähne erregt man eher Ärgernis als ohne Bekleidung, und wie peinlich und beschämend ist es, einem geliebten Menschen einzugestehen, daß man falsche Zähne hat. Welcher Art auch immer die am eigenen Leibe erfahrenen Unsicherheiten sein mögen, allein der Gedanke an die von der Umwelt zu erwartende Reaktion auf künstliche Zähne reicht aus, um diese noch zu verstärken. Ein im neunzehnten Jahrhundert wahrscheinlich nicht berücksichtigter Faktor ist die Furcht, als Prothesenträger als jemand angesehen zu werden, der seine Zähne zuvor vernachlässigt hat – und daß das wiederum auf die Zugehörigkeit zu einer niedrigeren Gesellschaftsschicht hinweist.

5 Anästhesie-Ausrüstung

Die Chirurgen der Antike benutzten Alraune, Opium sowie andere Drogen, die auch während des Mittelalters und in der Folgezeit weiterhin als einschläfernde schmerzstillende Mittel eingesetzt wurden. Da, wo sie zur Schmerzbekämpfung nicht erfolgreich waren, haben sie vielleicht so beruhigend auf den Patienten gewirkt, daß man einen Eingriff an ihm vornehmen konnte. Schon die alten Assyrer benutzten Opium, und die Griechen erwähnen oft den ,,Schlafschwamm'', auch in der Mythologie, wie in der Geschichte von Demeter und Persephone. Galen (130–200) entwickelte die Opiumanwendung fort und gab sein Wissen als Berater von Mark Aurel an die Römer weiter. Pedanios Dioskurides (1. Jh.), Militärchirurg zur Zeit Neros, schrieb ein Kompendium über Drogen, in welchem er Opium als Sedativum und als Mittel zur Schmerzbekämpfung aufführt. Es wurde dann von den Arabern übernommen, Avicenna (980–1037) verfiel dem Opium und starb schließlich daran. In England erwachte das Interesse am Opium mit den Kreuzzügen. In der Chirurgie wurde seine Anwendung zwar empfohlen, aber selten befolgt, da die ausreichende Kenntnis darüber fehlte, wieviel man genau benötigte, um den Schmerz, nicht aber den Patienten zu töten. Über seine Verwendung in der Zahnheilkunde ist weiter nichts überliefert, außer, daß man es als Mittel gegen den fortschreitenden Zahnverfall einsetzte, weiterhin zur Abtötung von Zahnwürmern und gegen Mundgeruch. Alraune, das einen Dämmerschlaf herbeiführt, wurde im Mittelalter manchmal zur Schmerzbekämpfung benutzt, desgleichen Laudanum, eine Mischung aus Opium und Alkohol. Viel später, im Jahre 1758, experimentierte der Reverend Edward Stone mit Weidenrinde, mit der die Körpertemperatur herabgesetzt und der Schmerz teilweise gelindert werden konnte; das Resultat dieser Experimente war die Einführung des Aspirins im Jahre 1899. Etwa um 1805 entwickelte Wilhelm Sertürner (1783–1841) eine neue Droge, nach dem Gott der Träume Morphium genannt, die er mit Erfolg gegen den Zahnschmerz einsetzte. Während des Amerikanischen Unabhängigkeitskrieges wurde Morphium mit einer solchen Leichtfertigkeit verabreicht, daß viele Soldaten süchtig wurden, was man daraufhin als Soldatenkrankheit bezeichnete. Überhaupt stellte die Suchtgefährdung bei den alten Schmerzmitteln immer ein Problem dar. Am meisten an der Schmerzlinderung interessiert waren die Apotheker; sie verkauften zu diesem Zweck Präparate wie zum Beispiel ,,Krebsaugen'', gemahlene Saphire etc. Alkohol war ein weiteres, bereits seit langem gebräuchliches Mittel zur Schmerzbekämpfung.

Bei allen diesen Mitteln handelt es sich um natürliche Drogen, wohingegen Anästhetika synthetisch hergestellt werden. Dieser Terminus geht übrigens auf Oliver Wendell Holmes (1809–1894) zurück. Er sagte, die einzigen natürlichen Anästhetika seien der Schlaf, die Ohnmacht und der Tod – jedoch sei keines davon in der Zahnheilkunde zu verwenden. Bevor es möglich war, den Umgang mit diesen

Wirkstoffen zu lernen, mußte man erst einmal lernen, sie herzustellen. Einige von ihnen fanden Verwendung als Therapie, andere wiederum wurden als Stimulanzien benutzt und einige schließlich als Betäubungsmittel. David Howarth schreibt: „Es ist anzunehmen, daß die Menschen jener Zeit nicht weniger schmerzempfindlich waren, als sie es heute sind. Aber sie waren mit dem eigenen Schmerz und dem ihrer Mitmenschen vertraut. So fürchteten sie ihn weniger als die nachfolgenden Generationen, die in einer Zeit heranwuchsen, die bereits Betäubungsmittel kannte."

Äther

Die Erfindung des Äthers wird dem arabischen Chemiker Yeber, der im zwölften Jahrhundert lebte, zugeschrieben. Er diente jedoch nur Laboratoriumszwecken bis William Thomas Green Morton (1819–1868) seine Wirkungsweise erstmals am 30. September 1846 in Boston, Massachusetts, vorführte – und zwar, um einen Zahn zu ziehen. Man ließ den gereinigten Äther lediglich auf ein Taschentuch tropfen und vom Patienten inhalieren. Am nächsten Tag war im *Boston Daily Journal* zu lesen:

„Gestern Abend informierten uns einige Herren, die Zeugen eines Eingriffs waren, bei welchem ein vereiterter Zahn aus dem Munde einer Person gezogen wurde, die nicht das leiseste Zeichen von Schmerz von sich gab. Durch Inhalieren eines Präparates wurde sie in einen schlafähnlichen Zustand versetzt, gerade genug, um den Zahn zu extrahieren."

So darf zu Recht gesagt werden, daß die Praxis der Anästhesie mit diesem Ereignis begann. Verständlicherweise kamen die Patienten nun in Scharen zu Dr. Morton. Als der eigentliche Urheber der Narkose in der Chirurgie im Jahre 1842 gilt Dr. Crawford W. Long (1815–1878). Da er jedoch aus der abgelegenen Stadt Jefferson im Staate Georgia kam, verbreitete sich diese Nachricht erst nach dem Erfolg von Morton. In einem weiteren, damals von der Öffentlichkeit kaum wahrgenommenen Experiment nahm der Chemiestudent William Clark aus Rochester im Jahre 1842 unter Anwendung von Äther eine schmerzlose Zahnextraktion vor.

Wenige Wochen nach seinem ersten erfolgreichen Versuch führte Morton am *Massachusetts General Hospital* an einem Patienten mit einem Gefäßtumor des Kiefers die Wirkungsweise des Äthers öffentlich vor. Dazu benutzte er eine von ihm selbst entworfene und bereits etwas weiterentwickelte Vorrichtung. Die Geschichte Mortons ist interessant. Er hatte in Baltimore Zahnmedizin studiert, ohne jedoch einen akademischen Grad zu erlangen. Seine Arbeit mit künstlichen Zähnen brachte ihn mit Äther in Verbindung. Um diese Arbeit vollständig auszuführen, mußte er bei seinen Patienten alle im Kiefer verbliebenen Zahnstümpfe und -wurzeln entfernen, fand aber nur wenige, die bereit waren, diese Qualen auszustehen. So kam es, daß

5 Anästhesie-Ausrüstung

103 *Morton's Äther-Narkosegerät, 1846. (Massachusetts General Hospital, Boston, Mass.)*

er viele Methoden der Schmerzlinderung ausprobierte, um diese Extraktionen vollständig ausführen zu können. Der Erfolg blieb nicht aus, doch dann geschah etwas, das einige als Folge des Übermaßes an Lob, mit welchem er überschüttet wurde, werteten: Nachdem sein Narkosegerät patentiert worden war, steigerte er sich später – ohne sich der Verwerflichkeit seines Tuns überhaupt bewußt zu werden – in eine an Wahnsinn grenzende Wut darüber, daß Charles Thomas Jackson (1805–1880) von sich behauptete, als erster die Narkose in der Chirurgie angewandt zu haben. Morton nahm sich deswegen im New Yorker Central Park das Leben. Es wurde ihm immer vorgeworfen, aus seiner Entdeckung nur persönlichen Nutzen ziehen zu wollen, und es gibt gute Gründe für die Annahme, daß Morton bei der Herstellung des Äthers von Jackson beraten wurde. Morton bestritt jedoch, daß er ihm darüber hinaus für irgend etwas zu Dank verpflichtet sei. Die Inschrift auf seinem Grab in Boston lautet: „Erfinder und Entdecker der Narkose durch Inhalieren, durch ihn wurde der Schmerz bei chirurgischen Eingriffen abgewendet und vernichtet; vor ihm war die Chirurgie zu allen Zeiten Qual, seit ihm hat die Wissenschaft Kontrolle über den Schmerz." Zweifellos besteht eine seiner bedeutendsten Leistungen darin, daß er die breite Öffentlichkeit auf die Möglichkeiten der Narkose hinwies, die in Amerika von den Zahnärzten weitaus begeisterter angenommen wurde als von den Ärzten und Chirurgen. Aber es gab auch Menschen, die ihr mit Furcht begegneten: ein Geistlicher, der über Äther schrieb, nannte ihn „einen Köder in den Händen Satans". Überhaupt hielt man ihn eher für Diebe geeignet, als in ihm ein Mittel von humanitärem Nutzen und eine Quelle ewiger Freude zu sehen. In Mortons zahnärztliche Praxis wurde eingebrochen, und in einer Kleinstadt in der Nähe von Boston wurde sogar eine Puppe verbrannt, die seine Züge trug. Viele Zahnärzte fanden es leichter, ohne Narkose zu arbeiten; die lang wirkende Narkose bei offenem Mund war sehr schwierig, und wenn es galt, eine größere Anzahl von Extraktionen vorzunehmen, mußte der Zahnarzt mit solcher Eile vorgehen, daß er abgebrochene Wurzeln und verletztes Zahnfleisch hinterließ.

Morton unternahm mehrere Versuche, ein gut funktionierendes Äther-Inhaliergerät zu entwerfen, einige davon mit dem Instrumentenmacher Joseph Wightman. Von der simplen Taschentuchmethode ging er zu einem mit einem Röhrchen versehenen Glastrichter über, durch welches der von einem in Äther getauchten Schwamm ausgehende Dampf inhaliert werden konnte. Eine andere Version beschrieb er als „zusammengesetzt aus einem Glasbehälter mit einem Fassungsvermögen von einer viertel Gallone, mit einem Korken anstelle eines Glasstöpsels. Durch diesen Korken geht eine Pipette, durch die der evaporierende Äther entweicht." Das bei der öffentlichen Demonstration benutzte Narkosegerät entsprach dem Modell des Instrumentenmachers N. B. Chamberlain, nämlich „ein kleiner Glaskolben mit zwei Hälsen", in welchem sich der Dampf befand; durch zwei Schwämme wurde die Verdampfungsoberfläche vergrößert (Abb. 103).

Äther

104 *Äther-Narkosegerät nach Hooper mit seltenem Mundstück, um 1850. (Museum of the History of Science, Oxford)*

105 *Ziseliertes versilbertes Äther-Narkosegerät mit gelenkig angebrachter Nasenklemme, um 1860. Das Gerät wurde von einem Zahnarzt in Jersey City, N. J. benutzt. Gesamtlänge 10 cm. (Privatsammlung Rosalind Berman, Cheltenham, Pa.)*

5 Anästhesie-Ausrüstung

Durch eine Öffnung gelangt Luft in den Glaskolben, aus diesem wird sie, sobald er mit Dampf gefüllt ist, in die Lunge gesogen. So geht die eingeatmete Luft durch die Flasche hindurch, die ausgeatmete jedoch wird, durch ein Ventil im Mundstück abgeleitet, und da sie in die Kammer entweicht, kann sie den mit Äther versetzten Dampf nicht verdünnen.

Diese Methode wurde von den britischen Ärzten schnell für die von ihnen erfundenen abweichenden Modelle übernommen. In Amerika wurde der Äther, der sich dort übrigens einer immer größeren Beliebtheit erfreut hatte, noch nach der ursprünglichen Taschentuchmethode verabreicht, während man in Großbritannien das Inhaliergerät vorzog. Bei dem ersten in Großbritannien unter Narkose durchgeführten chirurgischen Eingriff – einer Beinamputation – benutzte man ein Inhaliergerät. Es handelte sich dabei um den ,,Nooth apparatus", der auf die Arbeit eines Londoner Zahnarztes, James Robinson (1816–1862) zurückgeht. Nooth hatte im Jahre 1846 eine Zahnextraktion mit Äthernarkose durchgeführt, sein Narkosegerät kann bei der *British Dental Association* besichtigt werden. Die Nachricht von diesem Experiment erreichte Robert Liston (1794–1847), der im Dezember desselben Jahres den berühmten ersten chirurgischen Eingriff durchführen sollte. ,,Es ist eine großartige Angelegenheit", schrieb Liston, ,,in der Lage zu sein, die Empfindlichkeit in solchem Maße ausschalten zu können . . . Es ist eine feine Sache für operierende Chirurgen." Abbildung 104 zeigt eine abgeänderte Version des von Liston benutzten Narkosegerätes, das nach einem Entwurf des Arztes Francis Boott (1792–1863) und des Zahnarztes James Robinson von der Firma Hooper in der Londoner Pall Mall angefertigt worden war. In seinem oberen Teil befindet sich ein mit Äther getränkter Schwamm, der auf einen Schwamm im unteren Teil herabtropft. Der Dampf gelangt dann durch den Schlauch in das Mundstück, an dessen Ende ein Aufbißstück angebracht ist. Es ist das einzige bekannte Exemplar dieses frühen in Großbritannien hergestellten Typs.

John Snow (1813–1858), der erste Anästhesiespezialist, entwarf 1847 ein Narkosegerät, das später von Ferguson, Coxeter und anderen nachgebaut wurde (s. Instrumentenmacher, Seite 167) – ,,bezüglich seiner Herstellung gibt es keine Einschränkung". Dieses Gerät hatte die Form eines flachen, rechteckigen Holzkastens, aus dem ein drei Fuß langer Schlauch ragte, dessen mit Ventilen versehenes Vorderteil aus dünnem, gewalztem Blei gemacht und mit Seide oder Handschuhleder überzogen war. Die Ventile waren aus Hartgummi. An der Seite des Kastens, an der sich auch der Schlauch zum Inhalieren befand, gab es ein gerades Einlaßrohr, das sich in der gewünschten Position festschrauben ließ. In dem Kasten befand sich eine Trommel mit fünf spiralförmig angeordneten Trennwänden, darunter, zwischen Behälter und Grundplatte, war ein kleiner Zwischenraum. Snow gab die Einzelheiten der Abmessungen äußerst präzise an, er schrieb dazu, ,,sie sind keine Sache von Bedeutungslosigkeit." Die durch das Einlaßrohr eintretende Luft zirkulierte viermal um die Ätheroberfläche und wurde so durch den Dampf gesättigt. Der Zy-

106 *Tropfflasche für Äther, Mayer, um 1865. (Museum of the History of Science, Oxford)*

Äther

107 *Tragbares Äther-Narkosegerät von John Clover, um 1880 (Der Beutel ist nicht gezeigt), 26 cm. (Museum of the British Dental Association, London)*

linder stand in einem viereckigen Wasserbad (der eigentliche Behälter der ganzen Vorrichtung), ,,welches die für die Umwandlung von 1–2 Unzen Äther in Dampf erforderliche Wärme liefert, ohne die Temperatur dabei erheblich zu reduzieren."

Morton, inzwischen mit seinen verschiedenen Methoden unzufrieden geworden, kam wieder auf den einfachen Schwamm zurück. Dieser war konkav geformt und wurde über Mund und Nase des Patienten gehalten. 1847 berichtete er dies der Zeitschrift *The Lancet.* In einer trockenen Fußnote fügte der Herausgeber seinem Brief hinzu, daß diese Methode ,,hierzulande bereits seit einiger Zeit von Dr. Smith aus Cheltenham empfohlen und auch praktiziert wurde".

Bis 1850 hatte man mehrere Formen von Äther-Inhaliergeräten entworfen, einschließlich des ,,Hedley Inhaler" genannten Gerätes, einem einfachen, flaschenförmigen Behälter für die Ätherschwämme, jedoch aus Holz oder Elfenbein, da einer der Nachteile der gläsernen Äther-Inhaliergeräte darin bestand, daß man sie nicht warmhalten konnte. Ein Inhaliergerät aus Metall mit einer Heißwasserkammer stellte eine Verbesserung dar, eines dieser Art, ein Zylinder mit perforiertem Mundstück, wurde etwa um 1847 von Atlee hergestellt. Der ,,Letheon Inhaler", eine weitere, nach dem Modell Mortons konstruierte Version, bestand aus einem flachen Glasbehälter mit einem bis in das Mundstück hineinreichenden Schlauch. Im Jahre 1856 entwarf Friedrich Turnovsky (1818–1877) aus Budapest ein Äther-Inhaliergerät, das aus einer Rinderblase hergestellt worden war.

Im Vergleich zu anderen Operationen benötigte man für zahnärztliche Eingriffe eine Narkose von verhältnismäßig kurzer Dauer – ein Umstand, der ein nicht zu unterschätzendes Problem darstellte. So ergab es sich, daß die leichtere Anwendung von Chloroform ab etwa 1850 zur bevorzugten Narkose-Methode wurde. Äther kam bis 1870 aus der Mode. Zu dieser Zeit begann das *British Medical Journal* wegen seiner größeren Sicherheit wieder die Verwendung von Äther zu empfehlen und die allgemeine Benutzung von Chloroform nach und nach zu verdrängen.

Nun wurde die Methode mit Schwamm oder Handtuch wieder häufig angewandt, 1877 jedoch konstruierte John Clover (1825–1882) seinen ,,Portable Regulating Ether Inhaler", der weltberühmt und von vielen kopiert werden sollte, wodurch die Verbreitung des Äthers wieder zunahm. Es war das erste Narkosegerät, bei welchem die Menge des inhalierten Äthers reguliert werden konnte. Es bestand aus einer Ätherkammer in Form einer Halbkugel, die an eine zylindrische Verlängerung angeschlossen war, deren Durchmesser dem des Wasserbehälters entsprach. Dadurch wurde die Kammer isoliert, die vor Gebrauch ohnehin manchmal in heißes Wasser getaucht wurde, um eine frühzeitige Verdampfung zu verhindern. Innerhalb der Kammer befand sich ein mit kleinen Löchern versehenes Rohr, um dessen Achse sich die Kammer drehte. An dem einen Ende des Rohrs war die Maske und am anderen, wo das Rohr herausragte, der Beutel angebracht. Es gab keinerlei Luftzufuhr; zeigten Puls und Atmung des Patienten jedoch einen Sauerstoffmangel an, so ließ man ihn einmal tief Luft holen. Durch Hinzufügung eines

Sperrhahns wurde dieses Modell später von Frederick William Hewitt (1857–1916) und anderen abgewandelt, es blieb jedoch noch viele Jahre hindurch als Grundmodell bestehen (Abb. 107).

Noch verbreiterter war das ebenfalls 1877 in Dublin von Lambert Hepenstal Ormsby (1850–1923) eingeführte Äther-Inhaliergerät. Ein Beutel, der sich in einem Drahtkorb befand und einen Schwamm enthielt, war mit einem mit Ventil versehenen Mundstück verbunden. Die offenen Äthermasken, die etwa um diese Zeit eingeführt wurden, werden im folgenden besprochen.

Chloroform

Chloroform wurde im Jahre 1831 in Frankreich von Eugène Soubeiron (1797–1858) entdeckt und, unabhängig davon, von Samuel Guthrie (1780–1848) in New York. Die sich danach ergebenden Kontroversen entsprangen nicht so sehr den damit verbundenen Persönlichkeiten, sondern vielmehr den Eigenschaften des Chloroforms an sich. Es kam vor, daß Patienten während der Narkose mit Chloroform starben, was endlose Untersuchungen nach sich zog. Francis Sibson (1814–1876) vom *Nottingham General Hospital* schrieb in den späten vierziger Jahren des 19. Jahrhunderts: „Bei zahnärztlichen Eingriffen (mit der Ausnahme von Extremfällen) wie auch bei kleineren Operationen ist die Anwendung von Chloroform nicht zu rechtfertigen." Die Beharrlichkeit, mit der John Snow immer wieder darauf hinwies, wie sicher es sei, kleine – und daher bemessene – Mengen zu verabreichen, führte dazu, daß in England und in Frankreich neue Narkosegeräte entwickelt wurden. Er schrieb:

„Bei medizinischen Fachzeitschriften und bei medizinischen Gesellschaften herrscht der Brauch, gelegentlich Einwände gegen die Anwendung von Chloroform beim Zähneziehen zu erheben, als sei dieser Eingriff an sich nicht schwerwiegend genug, um das erforderlich zu machen. Ich habe 867 Fälle notiert, in denen ich zur Zahnextraktion Chloroform gegeben habe... Die Anzahl der in einer Operation gezogenen Zähne reicht von 1–19, als allgemeine Regel ist es jedoch besser, mehr als einen Eingriff vorzunehmen, wenn die Zahl der zu ziehenden Zähne höher als 10 ist. Während all dieser Zahnoperationen saßen die Patienten in einem Lehnstuhl."

Es wurden beträchtliche Diskussionen darüber geführt, ob es aus Gründen der Sicherheit überhaupt zu vertreten sei, den Patienten die Chloroformnarkose im Sitzen zu geben. Snow sah hier – außer in den Fällen, wo eine schwere Krankheit vorlag – keine Schwierigkeiten.

Chloroform wurde in Großbritannien erstmals 1847 angewendet, vorwiegend in der Geburtshilfe – das erste Kind, das unter Anwendung von Chloroform zur Welt kam, wurde auf den Namen Anaesthesia getauft. James Young Simpson (1811–1870) hatte auf diesem Gebiet Pionierarbeit geleistet und es eines Tages an sich selbst und an einem Freund ausprobiert. Am nächsten Tag führte er es in der

Geburtshilfe ein, was aus religiösen Motiven sehr angegriffen wurde. Er hatte bereits mit Äther gearbeitet, erkannte jedoch schnell die Vorzüge des Chloroforms, bei dessen Anwendung er sich lediglich einer Flasche und eines Handtuchs bediente. Als er später in den Adelsstand erhoben wurde, wählte er als Wappenmotto ,,Victo Dolore". Aber auch schon vorher, im Jahre 1847, hatte Jacob Bell im *Middlesex Hospital* in London dieses Gas benutzt.

Der offene Schwamm und das Taschentuch wurden allmählich von mechanischen Inhaliergeräten verdrängt, mit denen das Verhältnis von Betäubungsmitteln zu Luft kontrollierbar wurde. Coxeter stellte 1850 das von Edward William Murphy entworfene Inhaliergerät her. Es kostete 6 Shilling, 6 Pence, oder, versilbert, 12 Shilling, 6 Pence. Dieses Gerät fand wahrscheinlich hauptsächlich in der Geburtshilfe Anwendung, da es klein und bequem zu handhaben war. Der Hauptzylinder enthielt den Schwamm und konnte, wenn der Apparat nicht in Gebrauch war, vermittels zweier Ringe verschlossen werden. Der Rand der Gesichtsmaske war mit einem Stoffüberzug geschützt. Dieses Gerät eignete sich besonders gut zur Einleitung der Narkose. Zur gleichen Zeit etwa gab es auch ein einfacheres und allgemein gebräuchlicheres Inhaliergerät, das sowohl für Äther als auch für Chloroform benutzt werden konnte. Es bestand aus einer ovalen Metalldose mit einem Schwamm und einem perforierten Mundstück für den Patienten. Eine Platte hinter der Perforation verhinderte, daß die Flüssigkeit in den Mund des Patienten floß.

In Abänderung des Modells von Snow konstruierte Arthur Ernest Sampson (1838–1907), etwa um 1865, ein Inhaliergerät für einen reduzierten Chloroforminhalt. Es hatte einen perforierten Deckel für die Luftzufuhr und eine Kammer, die mit Rollen von Löschpapier und Flachs gefüllt war, ein seitlich angebrachter Schlauch führte zur Gesichtsmaske. Anstelle dieses Schlauches konnte aber auch ein kleinerer, der direkt zum Nasenloch führte, eingesetzt werden. John Clover erfand 1862 ein Narkosegerät, bei welchem das Chloroform mit Hilfe eines Blasebalgs in die Verdampfungskammer gepreßt wurde. Ob dieses Gerät jedoch in der Zahnheilkunde benutzt wurde, ist zweifelhaft. Eine andere Idee, von der nicht anzunehmen ist, daß sie Eingang in die Zahnheilkunde fand, war die von Wilhelm Friedrich Hahn (1796–1874), der die durch die Luftröhre verabreichte Narkose einführte. Hierzu benutzte er einen Tracheotomie-Tubus und einen Tampon für das Chloroform. Bei größeren Operationen am Mund war diese Methode offensichtlich sehr hilfreich, ging aber wohl doch über die Erfordernisse der Zahnheilkunde hinaus.

1867 erschien das Inhaliergerät von Ferdinand Adalbert Juncker (1828–ca. 1901). Es bestand aus einer skalierten Flasche, die auf der einen Seite mit einer Gesichtsmaske aus Hartgummi und auf der anderen mit einem aus zwei kleinen Gummiballons bestehenden Blasebalg verbunden war. Es war sehr einfach zu handhaben: Die Flasche hing vom Rockaufschlag des Anästhesisten herunter, der in der einen Hand die Maske hielt und mit der anderen den Blasebalg betätigte. Ohne Ventile konnte dieses jedoch sehr gefährlich werden; die Hersteller Krohne und Seseman änderten das Grundmodell daher ab und schlugen den Gebrauch einer ,,Skinner-Maske" vor.

Thomas Skinner (gest. 1906) aus Liverpool führte seine Drahtgestell-Maske 1862 ein. Sie konnte sowohl für Äther wie auch für Chloroform benutzt werden und wurde bis weit in das zwanzigste Jahrhundert hinein – dann unter der häufigeren Bezeichnung „Schimmelbusch-Maske" – verwendet. Diese Maske bestand aus einem zusammenklappbaren Rahmen sowie einem Bügel, der dazu diente, die Baumwollbespannung vom Gesicht fernzuhalten. Mit nur einem Handgriff ließ sich die ganze Vorrichtung so flach zusammenlegen, daß sie – natürlich im unvermeidlichen Zylinderhut – zu transportieren war. Bei diesem sehr einfach zu bedienenden Modell wurde eine Tropfflasche benutzt. Bei allen diesen Masken, wie auch bei einigen anderen Arten von Inhaliergeräten war eine Nasenklemme erforderlich: ein doppeltes Metallstück mit nach außen abstehenden Enden, die über die Nasenflügel paßten. Die Abbildungen 108 und 109 zeigen die schon weiter entwickelten und verstellbaren Versionen. Das Modell der „Skinner-Maske" wurde im Jahre 1862 von John Murray (1844–1873) wie auch von vielen anderen abgewandelt. Bei der „Murray-Maske" schloß das Gestell Mund und Nase mit ein, so daß eine Nasenklemme überflüssig wurde. Die Version des Schweizer Chirurgen Gustav Julliard (1836–1911) hatte einen Außenbezug aus undurchlässigem Material, innen befand sich eine Flanellrosette, auf die der Äther gegossen wurde.

Der glockenförmige Schwamm und das Taschentuch wurden weiterhin benutzt. Joseph Lister (1827–1912) sagte im Jahre 1861: „es ist nun genug Chloroform darauf gegossen worden . . , wobei die genau bemessene Menge eine Sache ohne jegliche Bedeutung gewesen ist!" Simpson ersann die einfache Methode des kegelförmig zusammengelegten Handtuchs, in dessen Spitze sich der Schwamm befand. Bei der Verabreichung von Chloroform war es – speziell in der Zahnheilkunde – notwendig, Mundsperrer zu benutzen, diese werden in Kapitel 6 behandelt.

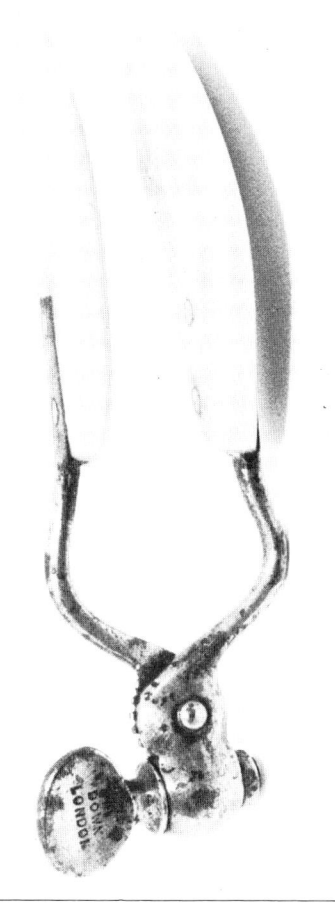

108 *Nasenklemme, Down, um 1880, 12 cm. (Museum of the History of Science, Oxford)*

Stickoxydul

Das Studium der Gase und der „neuen Lüfte" (new airs) wurde im neunzehnten Jahrhundert zu einer sehr modischen Angelegenheit. Die Entdeckungen wurden von Joseph Priestley (1733–1804) beschrieben, der über Sauerstoff folgende schriftliche Äußerung machte: „Wer weiß, vielleicht wird diese reine Luft mit der Zeit noch zu einem sehr modischen Luxusartikel." Thomas Beddoes (1760–1808), ein origineller und freimütiger Arzt und Apotheker, gründete im Jahre 1799 in Clifton die *Pneumatic Medical Institution*, wo man Studien über die Verwendung des Gases in der Medizin betreiben konnte. Humphrey Davy (1778–1829) wurde zusammen mit James Watt (1736–1819), dem ausgezeichneten Ingenieur, der die Apparaturen herstellte, zum Leiter dieser Institution bestellt. Von Priestleys Beschreibungen des Stickoxyduls angezogen, hatte Davy dessen Anwendung in Tierversuchen getestet. In Clifton führte er eine vollständige Untersuchung über die Eigenschaften des Stickoxyduls durch und veröffentlichte seine Entdeckungen in seinem 1800 erschienenen Buch *Researches*. Sein Freund, der Dichter Robert Southey, schrieb an ihn: ,,Die Athmosphäre des höchsten aller bestehenden Himmel muß aus diesem Gas zusammengesetzt sein." Trotz der vielen an sich selbst und anderen Personen unternommenen Versuche wandte sich Davy anderen Gebieten zu, und die Institution löste sich einige Jahre später auf.

Während der nächsten vierzig Jahre waren Parties, auf denen Stickoxydul oder ,,Lachgas" – so die Bezeichnung, unter der es allgemein bekannt wurde – geschnüffelt wurde, in der Studentenszene üblich. Die berauschten Teilnehmer ließen sich zu übermütigen Streichen hinreißen; Lachgas zu schnüffeln galt als ,,besser als das Trinken von Alkohol", bis einer von ihnen einmal zur großen Bestürzung aller Anwesenden in eine todesähnliche Ohnmacht fiel. Nachdem er sich dann wieder vollständig erholt hatte, boten sich die ernsthaft zu nutzenden Möglichkeiten sozusagen von selbst an. Man hatte die einschläfernde Wirkung des Gases erkannt, aber eben dieser Faktor war es, der seiner allgemeinen Verbreitung Grenzen setzte. ,,Es ist notwendig, mit großer Vorsicht vorzugehen ... ein Gentleman wurde in einen Zustand großer Lethargie versetzt." Michael Faraday (1791–1867) entdeckte im Jahre 1823, daß sich dieses Gas unter großer Druckeinwirkung verflüssigen ließ. Es sollte lange dauern, bis die medizinische Fachwelt darauf aufmerksam wurde, und erst 1824 wies Davy – mittlerweile Präsident der *Royal Society* – darauf hin, daß es ,,vielleicht von Nutzen für chirurgische Eingriffe am menschlichen Subjekt" sei. Henry Hill Hickman (1800–1830) führte im gleichen Jahr schmerzlose Operationen an Tieren durch, die jedoch von der Öffentlichkeit unbeachtet blieben. Als dieses Thema vor die Akademie der Medizin in Paris gebracht wurde, erkannte nur der vorausschauende Dominique Larrey (1766–1842) seine Möglichkeiten, wurde jedoch überstimmt, als er sich für die Anwendung des Gases einsetzte.

Dr. Horace Wells (1815–1848), ein Zahnarzt aus Hartford, Connecticut, besuchte 1844 eine Lachgas-Party, und war davon so beeindruckt, daß er danach verlangte, als ihm ein Weisheitszahn gezogen wurde. ,,Es ist die größte Erfindung, die jemals gemacht wurde", sagte er, ,,ich habe davon nicht einmal so viel wie einen Nadelstich verspürt." Daraufhin führte er eine Studie über Stickoxydul durch und entwarf einen Apparat, mit dem es hergestellt und verabreicht werden konnte. Mit Morton und Charles Jackson begab er sich 1845 zum *Massachusetts General Hospital* und bat darum, es dort öffentlich vorführen zu dürfen. Es kam – wohl aus Nervosität – zu einer fehlerhaften Anwendung, jedenfalls schrie der Patient die ganze Zeit hindurch, und die Zahnärzte waren dem Gespött der Anwesenden ausgesetzt. Außerdem verzögerte dieser Vorfall die Anwendung des Stickoxyduls – außer bei Varietétricks und -kunststückchen – um viele Jahre. Zurück in Hartford, benutzte Wells das Gas jedoch bei vielen seiner Patienten und wandte sich später Experimenten mit Chloroform zu. Unter der Einwirkung einer Überdosis Chloroform schüttete er Säure über eine Gruppe von Prostituierten; er wurde ins Gefängnis geworfen und beging dort Selbstmord.

Nach Faraday hatte M. Natterer aus Wien 1845 Stickoxydul verflüssigt, indem er es mit einer kleinen Eisenpumpe in einem schmiedeeisernen Rohr komprimierte. Aber erst ab etwa 1860 wurde es als Handelsware vertrieben. So in Großbritannien von der Firma Coxeter, die 1869 einen Kasten mit Eisenzylinder, Mundstück und Beutel herstellte.

Im Jahre 1867 setzte sich Gardner Quincy Cotton (1814–1898) beim *New York Dental Institute* mit Erfolg für die Verwendung des Gases in der Zahnheilkunde ein. Anläßlich der Weltausstellung in Paris im selben Jahr hatte Cotton dort eine Demonstration seiner Wirkungsweise gegeben. Das hatte die Aufmerksamkeit des Amerikaners Thomas Wiltberger Evans (1823–1897), einer sehr schillernden Persönlichkeit, angezogen, der das Gas unverzüglich für seine Fälle in Frankreich benutzte. Da ihm dies jedoch nicht die Beachtung einbrachte, die er seiner Meinung nach verdiente, ging er nach England und demonstrierte im Langham Hotel vor einer Gruppe von Londoner Zahnärzten die Wirkung des Lachgases. ,,Diese eine Flasche flüssigen Gases", die Evans von Paris mitgebracht hatte, inspirierte Charles James Fox zu der folgenden schriftlichen Aussage: ,,Ich hatte das Vergnügen, damit am Dental Hospital zu operieren, wobei Mr. Clover das Gas verabreichte." Mit gleichbleibender Hartnäckigkeit versuchte Clover, den Hersteller Coxeter dazu zu bringen, einfache Gasflaschen herzustellen, was letztendlich auch geschah. ,,Ich habe das Gas mit gleichbleibendem Erfolg bei mehreren Patienten des Dental Hospital in London angewendet", konnte er von sich sagen. Später nahm, neben Coxeter, auch die Firma Barth die Produktion dieses Gases in großem Umfang auf; der Preis für das Auffüllen leerer Gasflaschen betrug drei Pence pro Galone. 1873 hatte Stickoxydul den amerikanischen Markt erobert.

Gegen Ende des Jahres 1868 hatte sich die Anwendung von Stickoxydul in der Zahnheilkunde, in einem größeren Maße als dies bei Chloroform der Fall gewesen war, bei den Londoner Zahnärzten fest etabliert, und aus den Provinzen wurde berichtet, daß es in nahezu 2000 Fällen mit Erfolg angewendet worden war. Auch in den übrigen Ländern Europas nahm seine Verbreitung und Beliebtheit immer mehr zu. Cotton, der in den bedeutenderen Städten der Vereinigten Staaten zahnärztliche Vereinigungen ins Leben gerufen hatte, meldete 40 000 mit Lachgasnarkose durchgeführte Eingriffe, bei denen es keinen Todesfall gegeben hatte.

Wie auch andere Londoner Zahnärzte nahm Alfred Coleman (1828–1902) ab 1868 die Anwendung von Stickoxydul mit Begeisterung auf. Coleman entwarf mehrere Narkosegeräte. John Clover gab seinen Namen für ein von ihm entwickeltes Gerät zur Verabreichung der Narkose in drei Stufen. Dieser Apparat hatte indes zwei Nachteile; erstens fehlte die Möglichkeit, Luft mit Lachgas zu mischen und zweitens gab es keinen Abzug für das ausgeatmete Kohlendioxid. Bald erkannte Clover, daß die Wirkungsweise seines Chloroformbeutels sich auch zur Verabreichung von Stickoxydul eignete und konstruierte ihn dementsprechend um. Dieses von Coxeter angefertigte Narkosegerät hatte zusätzlich einen Sperrhahn, der verhinderte, daß Luft eintrat, sowie einen weiteren langen Beutel, der dem Anästhesisten von der Schulter herabhing. Als nächstes kamen dann die Reservezylinder und danach wiederum eine Vorrichtung, die es ermöglichte, daß das Gas auf direktem Wege inhaliert werden konnte. Während dieser Zeit experimentierte Clover mit so manchem komplizierten und beschwerlichen Gerät herum.

Als Stickoxydul erstmals in der Zahnheilkunde angewandt wurde, fand man es für kurze Eingriffe wie die Extraktion eines einzelnen Zahnes zwar aktzeptabel, seine Wirkungsweise war jedoch nicht von Dauer und daher ungeeignet für lange, komplizierte Eingriffe. 1876 stellte Clover sein kombiniertes Stickoxydul-Äther-Narkosegerät vor, das als ein weiterer Schritt zu größerer Sicherheit in der Narkoseanwendung gewertet wurde, da es sowohl die Dauer der Narkose verlängerte als auch angenehmer und verträglicher für den Patienten war. Es bestand aus einem Gaszylinder, einer geraden Ätherkanne und einem sogenannten Cattlin-Beutel (benannt nach W. A. N. Cattlin, einem Zahnarzt aus Brighton). Ein Gummischlauch führte durch den 15 Zoll langen Beutel und stellte so die Verbindung zur Atemmaske her, so daß eine Mischung aus beiden Gasen inhaliert werden konnte.

Während der sechziger Jahre des 19. Jahrhunderts hatte man erkannt, daß sich die Verabreichung von Stickoxydul durch Vermischung mit Sauerstoff verbessern ließ, diese Idee fand jedoch nur wenig Anhänger. Als dann aber Zylinder mit komprimiertem Sauerstoff gebrauchsfertig erhältlich waren – hauptsächlich von den Firmen S. S. White in den Vereinigten Staaten und Coxeter in Großbritannien – zeichnete sich ein weiterer Fortschritt ab. Der Grundidee des 1844 von Cotton und Wells benutzten Beutels folgend, stellte S. S. White aus Philadelphia etwa um 1865 den sogenannten ,,White'schen Lachgasbeutel'' her. Ein einfacher Beutel aus geölter Seide (in seiner ursprünglichen Form wahrscheinlich aus einer Tierblase gemacht) war mit einem zum Mundstück führenden Holzrohr verbunden. Mit der einen Hand hielt der Anästhesist das Mundstück in den Mund des Patienten hinein und hielt mit der anderen dessen Nasenlöcher zu. Später wurde ein Absperrhahn hinzugefügt und eine Nasenklemme dazu geliefert. Um eine zufriedenstellende Narkose herbeizuführen, waren diese Beutel sehr klein, möglicherweise schlug die erste Demonstration Wells auch deshalb fehl, weil der von ihm benutzte Beutel nicht klein genug war.

Es wurden Versuche gemacht, auch andere Gase miteinander zu vermischen, und als man sich der möglichen Gefahren des Chloroforms bewußt wurde und sie auch akzeptierte, versuchte man es im Jahre 1859 in Wien mit einer Mischung, die aus einem Teil Chloroform und sechs bis acht Teilen Äther bestand. Auch anderenorts wurden verschiedene Mischungsverhältnisse und Kombinationen ausprobiert. Schwierigkeiten ergaben sich; wie John Snow gesagt hatte, ,,Äther verflüchtigt sich sechsmal schneller als Chloroform'', und verdampfte daher auch schneller. 1864 stellte eine Gesellschaft in England, aus der später die *Royal Society of Medicine* werden sollte, Untersuchungen über einen Chloroform-Ausschuß an, der schließlich die Anwendung von Gasgemischen befürwortete. Robert Leslie Ellis (1817–1859) produzierte sein Alkohol-Äther-Chloroform-Narkosegerät und veröffentlichte einen Aufsatz, in dem er die Vorzüge der Gasmischungen in den höchsten Tönen lobt. Sein Narkosegerät wurde vorwiegend in der Chirurgie und in der Geburtshilfe eingesetzt. Es bestand aus einem aufrecht stehenden Zylinder, in dem sich drei Kammern befanden, aus denen zur Weiterleitung der Dämpfe jeweils ein Docht herausragte; ein mit Luftloch versehener Atemschlauch stellte die Verbindung zum Mundstück her.

Lokalanästhesie

Schon der Honourable Robert Boyle (1627–1691) und auch Christopher Wren (1632–1723) hatten versucht, durch Spritzen eine Betäubung herbeizuführen. Da ihnen dazu eine Injektionsspritze noch nicht zur Verfügung stand, benutzten sie einen mit einem Röhrchen verbundenen Federkiel. Die dabei erreichten Resultate wurden dann für nahezu 150 Jahre vollkommen außer acht gelassen. Die erste Untersuchung über Nervenblockaden wurde 1836 von G.-V. Lafargue[15] am Krankenhaus St. Emilion in Paris durchgeführt, als er seinen Mandibularnerv mit einer zuvor in Morphium getauchten Lanzette punktierte. Die Injektionsspritze wurde 1844 in Edinburgh erfunden und in den darauffolgenden Jahren ständig verbessert. Gegen 1853 hatte Charles Gabriel Pravaz (1791–1853) eine Spritze für subkutane Injektionen angefertigt, die mit einer Schraube zur genauen Bemessung der Injektionsmenge versehen war. Im gleichen Jahr vervollkommnete Alexander Wood (1817–1884) aus Edinburgh seine von Ferguson hergestellte Injektionsspritze. Mit Morphium wandte er sie erfolgreich zur Schmerzbekämpfung an, was jedoch von den Zahnärzten für ihre Zwecke als wenig geeignet angesehen wurde. Die erste örtliche Betäubung wurde während des Amerikanischen Unabhängigkeitskrieges im Jahre 1864 von einem Militärchirurgen an einem Patienten vorgenommen, bei dessen körperlicher Verfassung die Anwendung von Chloroform den sicheren Tod bedeutet hätte.

Kokain, ein Extrakt des in Peru geheiligten Coca-Strauches, wurde 1860 von einem reisenden österreichischen Botaniker entdeckt. Albert Niemann (1834–1862) führte die Anwendung des Kokains vor, weiterentwickelt wurde sie dann von Josef Brettaner aus Heidelberg und dem Augenarzt Karl Koller (1857–1944), die in Wien zusammenarbeiteten. Sigmund Freud schlug als erster vor, es als Schmerzmittel anzuwenden, und gegen 1884 erzielte man mit Kokain eine wirkungsvolle örtliche Betäubung, vor allem des Auges.

Unter den Zahnärzten war William Stewart Halsted (1852–1922) aus New York wohl der erste, der in Selbstversuchen Kokain injiziert hatte, des weiteren ist Pierre-Cyprien Oré (1828–1889), ein Physiologieprofessor aus Bordeaux, der 1872 die ersten intravenösen Injektionen mit Chlorhydrat vorgenommen hatte, als Wegbereiter für die Lokalanästhesie anzusehen. In der Zahnheilkunde wurde Chloroform manchmal als Mittel für örtliche Betäubungen benutzt, indem man mit Chloroform getränkte Watte zu beiden Seiten des betroffenen Zahnes anlegte. Tatsächlich wurde die betäubende Wirkung je-

5 Anästhesie-Ausrüstung

109 Von links nach rechts: Zahnärztlicher Meißel, um 1770, 10 cm; hölzerne Nasenklemme mit Betätigung durch Elfenbeinschraube, um 1865; Separiersäge, der Elfenbeingriff mit Rautenmuster, um 1840. (I. Freeman & Son, Simon Kaye Ltd, London)

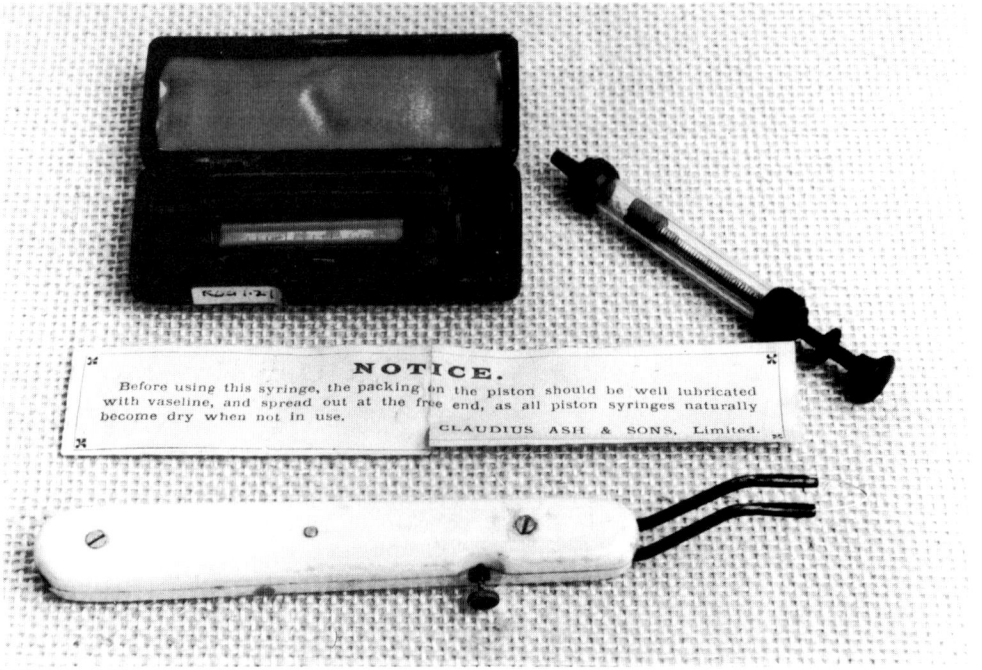

110 Injektionsspritze mit Hartgummimontierungen, Kolben aus gesponnenem quellfähigen Material, Ash, 1887, 5 cm; Elektrokauter von George Waite, Ausgestellt auf der 1. Weltausstellung von 1851 in London, 12 cm. (Museum of the British Dental Association, London)

Lokalanästhesie

Farbtafel XVII Farbig lithographierte „pot-lids", Deckel von Dosen aus Keramik oder Porzellan für Zahnpflegemittel. (Privatsammlung Dr. Ben Z. Swanson, London)

5 Anästhesie-Ausrüstung

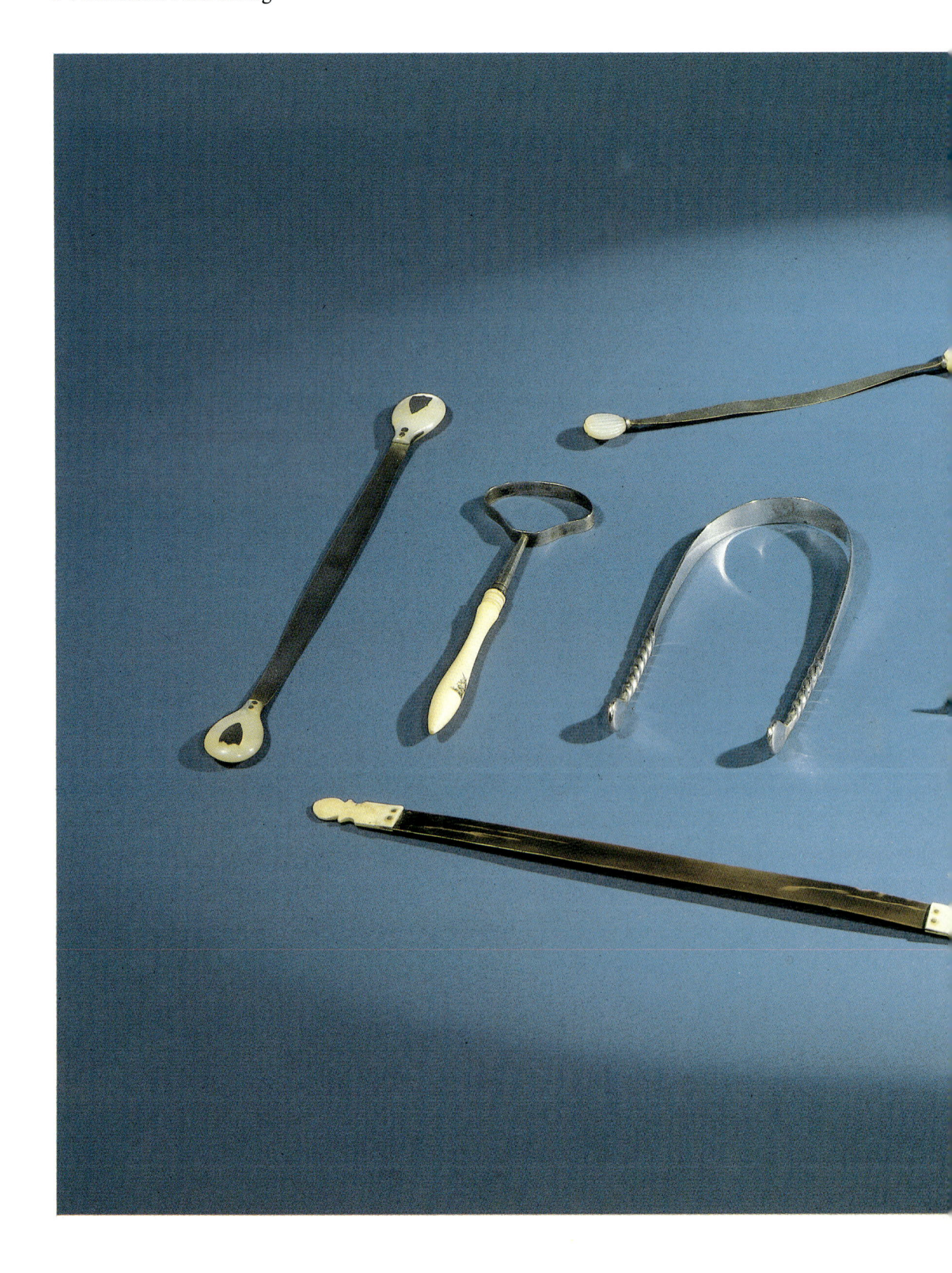

Lokalanästhesie

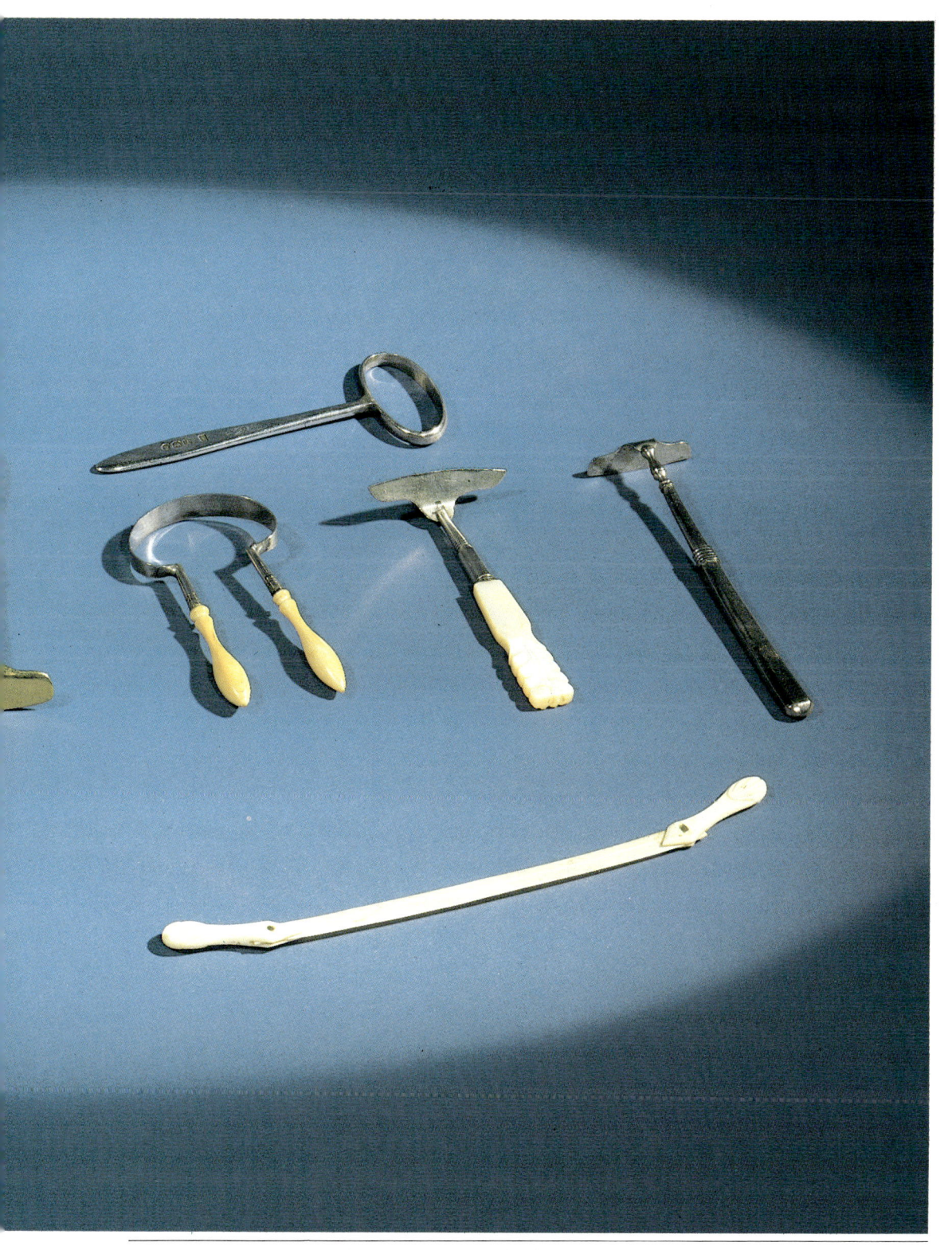

Farbtafel XVIII *Zungenschaber aus Silber, Elfenbein und Schildpatt. 18. und 19. Jahrhundert. (Privatsammlung, London)*

5 Anästhesie-Ausrüstung

Farbtafel XX *Zahnseparator von Paul Gresset, wie bei Maury 1841 abgebildet, 11,5 cm. (Musée Dentaire, Lyon)*

Farbtafel XIX *Hölzerner Mundsperrer, frühes 18. Jahrhundert. (Museum der Medizin der UdSSR, Kiew)*

Farbtafel XXI *Reisebesteck aus Saffianleder, bestehend aus Zahnbürste, Zungenschaber und Zahnpulverdose, alle aus Silber. Birmingham, 1799. Schachtel von Joseph Taylor, 13 cm. (Privatsammlung Peter Gordon, London)*

doch durch das während des Vorgangs inhalierte Chloroform hervorgerufen. In der Mitte des neunzehnten Jahrhunderts probierte man mehrere Methoden aus, um die Stelle des vorzunehmenden zahnärztlichen Eingriffs zu vereisen und sprühte Vereisungsmittel und organische Flüssigkeiten darauf, wie zum Beispiel ein Gemisch aus Luft und Chloräthyl. Mit der Erfindung der Injektionsspritze aus Hartzinn, an deren Seite sich ein zusätzlicher Zylinder befand, erreichte man, daß die Injektionsflüssigkeit erst kurz vor dem Austreten gemischt wurde; zur erfolgreichen Anwendung von Chloräthyl zur örtlichen Betäubung kam es jedoch erst im Jahre 1891.

Weitere Anästhesieversuche

Franz Anton Mesmer (1734–1815) experimentierte mit Magnetismus zur Schmerzbekämpfung. Er hatte beachtliche Erfolge und wurde vom französischen Königshaus unterstützt. Danach denunzierte man ihn als Kurpfuscher, die Pionierarbeit jedoch, die er – ohne sich dessen bewußt gewesen zu sein – für den Hypnotismus geleistet hatte, wurde später für Medizin und Zahnheilkunde fortentwickelt.

Der Deutsche L. B. Lentin setzte 1756 als erster die Elektrizität zur Schmerzlinderung bei Zahnschmerzen ein, nachdem vorher schon von anderer Seite Experimente mit einem Magneten gemacht worden waren. Auf der 1. Weltausstellung von 1851 stellte George Waite ein zur Schmerzlinderung vorgesehenes elektrisches Brenneisen aus (Abb. 110), ähnliche Versionen waren in den Katalogen von 1858 und 1873 des Herstellers Ash abgebildet. Joseph Sharpe aus Liverpool wandte die Elektrizität bei seinen zwischen 1850 und 1875 durchgeführten Eingriffen an. Dabei waren die von ihm benutzte Zahnzange und der Patient an eine „magneto-elektrische" Maschine angeschlossen, durch die im Augenblick der Extraktion ein galvanischer Strom floß. Diese Methode galt damals zwar als sehr fortschrittlich, erwies sich aber als unbrauchbar, wie dies auch bei einer ähnlichen, 1858 gemachten Erfindung des Amerikaners Jerome B. Francis aus Philadelphia der Fall gewesen war.

Zu einer Zeit, da die Belange der Gesundheit in Amerika und in Europa immer mehr zu einer Angelegenheit des öffentlichen Interesses und der staatlichen Fürsorge wurden, erkannte man auch die Anästhesie als festen Bestandteil der angesehenen chirurgischen Praktiken an. Diese Anerkennung, so scheint es, mußte zwangsläufig kommen; in der Zahnheilkunde vor allem schien sie ein Vorzeichen für ein besseres Verhältnis zwischen Zahnarzt und Patient zu sein. Und dennoch gab es offensichtlich noch immer Patienten, die der Narkose ablehnend gegenüberstanden. Selbst noch im Jahre 1913 konnte der Schriftsteller E. F. Benson über eine etwas sonderliche Dame schreiben: „Aber jede Frau mit einem Fünkchen von Selbstachtung suchte, wenn sie der Überzeugung war, daß es besser sei, den Zahn ziehen zu lassen, zur vereinbarten Stunde ihren Zahnarzt auf, lehnte die Anwendung von Gas ab ... öffnete den Mund und umklammerte ganz fest die Lehnen des Behandlungsstuhls."

6 Mundspiegel, Zahnreinigungsinstrumente und andere Instrumente

Mundspiegel

Es ist schon interessant, daß man erst gegen Ende des achtzehnten Jahrhunderts nach einer Lösung des Problems suchte, wie man sich ein vollständiges Bild vom Munde des Patienten verschaffen könne und dabei auf den Spiegel kam. In seinem Buch *Fashions in Eyeglasses* vertritt Richard Corson die Auffassung, daß es sich bei den hübschen kleinen Spiegeln, die zu diesem Zweck hergestellt wurden, um nichts anderes handelte als um die in der vornehmen Welt benutzte Stielbrille, mit deren Hilfe man auch das verfolgen konnte, was hinter einem geschah, ohne sich dazu auf höchst unfeine Art umdrehen zu müssen. Das mag für einige Exemplare mit starrem Stiel zutreffend sein, jedoch diejenigen mit frei beweglichem oder drehbarem Griff sind mit Sicherheit den Mundspiegeln zuzuordnen. Da sich in den großen Kästen mit zahnärztlichen Instrumenten viele mit starren Griff versehene Exemplare befinden, darf zu Recht in Frage gestellt werden, ob sie überhaupt jemals einem anderen Zweck gedient haben. Reizvoll durch ihre elegante Form und ihr attraktives Aussehen, gefallen sie dem Sammler auf den ersten Blick; zieht man jedoch in Betracht, wie wenige von ihnen in den wissenschaftlichen Abhandlungen oder in den Katalogen erwähnt, geschweige denn abgebildet sind, so muß man annehmen, daß sie nicht für unentbehrlich gehalten wurden. Zur Standardausrüstung des Zahnziehers gehörten sie offensichtlich nicht. Möglicherweise wurden sie aber unbedingt von dem Zahnarzt der wohlhabenden Kreise benötigt, dessen elegante Werkzeuge seinen reichen Patienten den Eindruck von Vertrauenswürdigkeit vermitteln sollten. So ein anonymer Verfasser des siebzehnten Jahrhunderts, der schrieb, daß Instrumente gewöhnlich aus Eisen gemacht seien, aber, wenn es sich um Angehörige der königlichen Familie handele, dann aus Gold, „und gäbe es ein noch kostbareres Metall als dieses, so würde es benutzt, weil sie ja so großzügige Honorare geben". Eines ist gewiß: Dem zahlungskräftigen Patienten, ob er nun der königlichen Familie angehörte oder nicht, war das Aussehen eines Instrumentes ebenso wichtig wie seine Funktion.

Zwischen 1780 und 1860 wurden Mundspiegel mit ovalen Gläsern in der Abmessung von ungefähr 3 cm zu 2,5 cm hergestellt. Ihre Fassungen waren aus Gold, aus Silber oder silber-vergoldet und manchmal ziseliert, graviert oder gedrechselt. Andere wiederum waren aus Schildpatt, Elfenbein oder Perlmutt. Die kostbarsten und schönsten unter ihnen waren aus Kombinationen verschiedener Materialien kunstvoll angefertigt. Bei den früheren Exemplaren diente oft ein

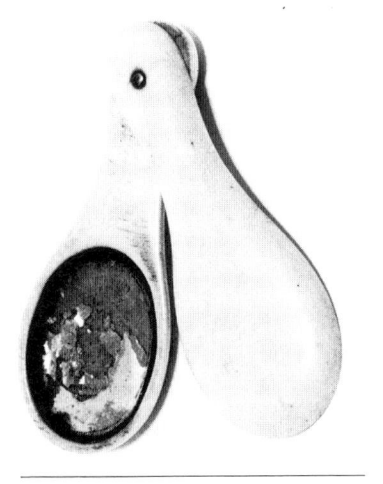

111 *Zusammenklappbarer Spiegel aus Elfenbein, um 1830, 8 cm. (Museum of the History of Science, Oxford)*

Mundspiegel

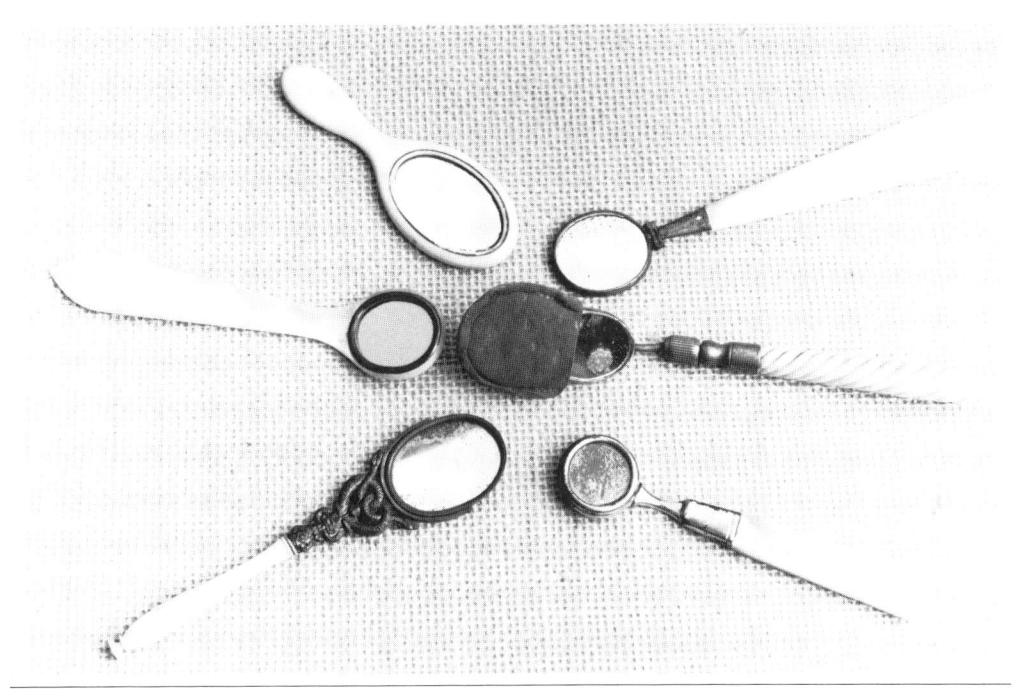

112 *Sechs Mundspiegel, Griffe aus Silber, Elfenbein und Perlmutt, erste Hälfte 19. Jahrhundert, jeder etwa 10 cm. (Museum of the British Dental Association, London)*

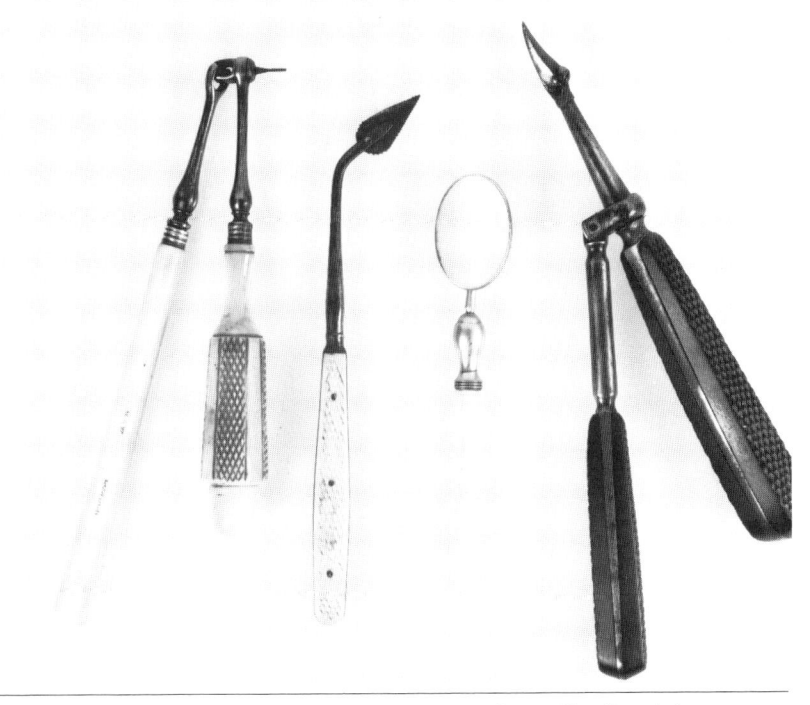

113 *Von links nach rechts: Handbohrer, Entwurf von Claudius Ash, um 1850, 6 cm; Separiersäge um 1840; Spiegel mit Oberfläche aus poliertem Stahl, um 1830; zweiteiliger Hebel, um 1845. (I. Freeman & Son, Simon Kaye Ltd, London)*

6 Sonstige Instrumente

114 Mundspiegel, 19. Jahrhundert. (Rijksuniversiteit, Utrecht)

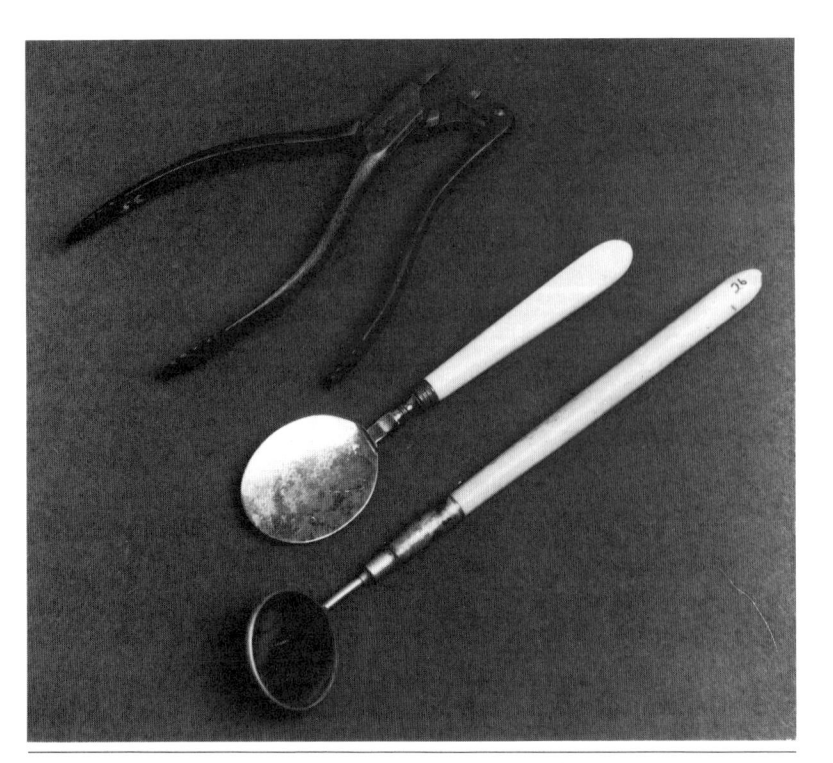

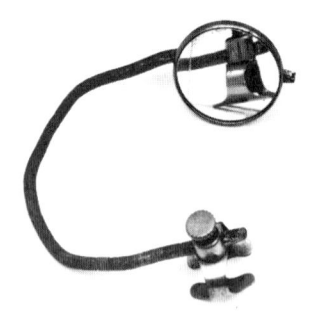

115 Mundspekulum mit Spiegel von Dr. V. Wunschheim, um 1850, (Museum der Schwedischen zahnärztlichen Gesellschaft, Stockholm)

116 Drahtzange für kieferorthopädische Zwecke, Ash, um 1850. Eine von sechs Zangen, die der King's Troop Royal Horse Artillery geliefert wurden. Spiegel mit Oberfläche aus poliertem Stahl nach James Snell, um 1835. Mundspiegel mit langem Griff, um 1850. (Royal Army Dental Corps Historical Museum, Aldershot)

Scharniergelenk als Verbindung zwischen Griff und Fassung, oder die Fassung wurde zu beiden Seiten von Bügeln gehalten, die sozusagen eine Verlängerung des Griffes waren; diese Mundspiegel ließen sich – wie die großen Drehspiegel – ganz herumdrehen. Etwa aus der Zeit um 1830 stammen die Exemplare, deren Fassung durch ein Kugelgelenk mit dem Griff verbunden ist. Ein 1804 in Salzburg veröffentlichter, anonym verfaßter Bericht beschreibt einen doppelten Mundspiegel, eine Erfindung von Bartholomew Ruspini (1728–1813), dem Zahnarzt des Prinzen von Wales: „Das sogenannte Instrument besteht aus zwei kleinen elliptischen Spiegeln. Den einen hält man zwischen die Zähne und den anderen davor. Dieser Artikel ist vollkommen neu." James Snell (? 1795–1850), der detailliert über die derzeit üblichen Praktiken berichtete, erfand 1832 einen Spiegel aus poliertem Stahl, den er für besser hielt als jene ovalen, auf einen Rahmen montierten Spiegelgläser, die damals allgemein gebräuchlich waren.

Gegen Mitte des neunzehnten Jahrhunderts waren die Mundspiegel von einer schlichten Ausführung. Der Griff wurde länger und praktischer, meistens war er aus Elfenbein und entweder zylindrisch oder mehreckig geformt; der Stahlrahmen wurde mit der Zeit recht schmucklos. In den ausgehenden achtziger Jahren des neunzehnten Jahrhunderts erschienen Spiegel, deren Griffe winkelig am Rahmen angebracht waren, die Gläser waren nun meistens kreisrund.

117 *Mundspiegel mit Elfenbeingriff, um 1830, 10 cm. (University of Alberta Dental Museum)*

Zahnreinigungsinstrumente

Der Aufbau des Zahnes setzt sich aus drei verschiedenen Hartgeweben zusammen: Zahnschmelz, Dentin und Zahnzement, aufgeführt in der Reihenfolge ihrer abnehmenden Härte. Die Härte des Zahnes gab den frühen Zahnärzten das Vertrauen, dem Zahnstein mit einer Auswahl recht scharfer Instrumente und mit einigem Kraftaufwand zu Leibe zu rücken. Jacques Guillemeau (1550–1613) ermahnte den Zahnbehandler, bei der Anwendung des Schabers darauf zu achten, daß die Zähne nicht gelockert und das Zahnfleisch nicht verletzt würden. Er beschrieb den Zahnstein „der, wenn er sich ansetzt, noch nicht so fest oder verhärtet ist, so daß wir denselben dann leicht entfernen können." 1678 untersuchte Antoni van Leeuwenhoek (1632–1732) die Beschaffenheit des Zahnsteins und trug seine Entdeckungen der *Royal Society* vor. Als Behandlung für Zahnbetterkrankungen empfahl John Hunter (1728–1793), die Zähne abzuschaben, das Zahnfleisch zu skarifizieren und adstringierende Mittel anzuwenden.

6 Sonstige Instrumente

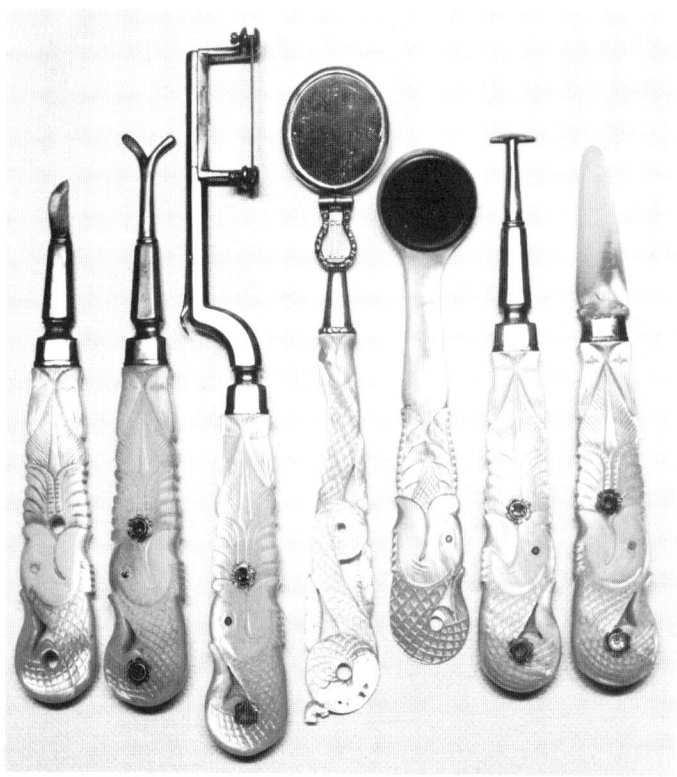

118 *Von links nach rechts: Gaumenmesser; Stopfer und Polierstahl, Halter für auswechselbare Feilen; zwei Mundspiegel; Zahnreinigungsinstrument; Wangenabhalter. Kunstvoll beschnitzte Perlmuttgriffe mit Besatz aus Halbedelsteinen. Amerikanisch, um 1840–50, das längste 15 cm. (Privatsammlung Dr. Gary Lemen, Sacramento, Cal.)*

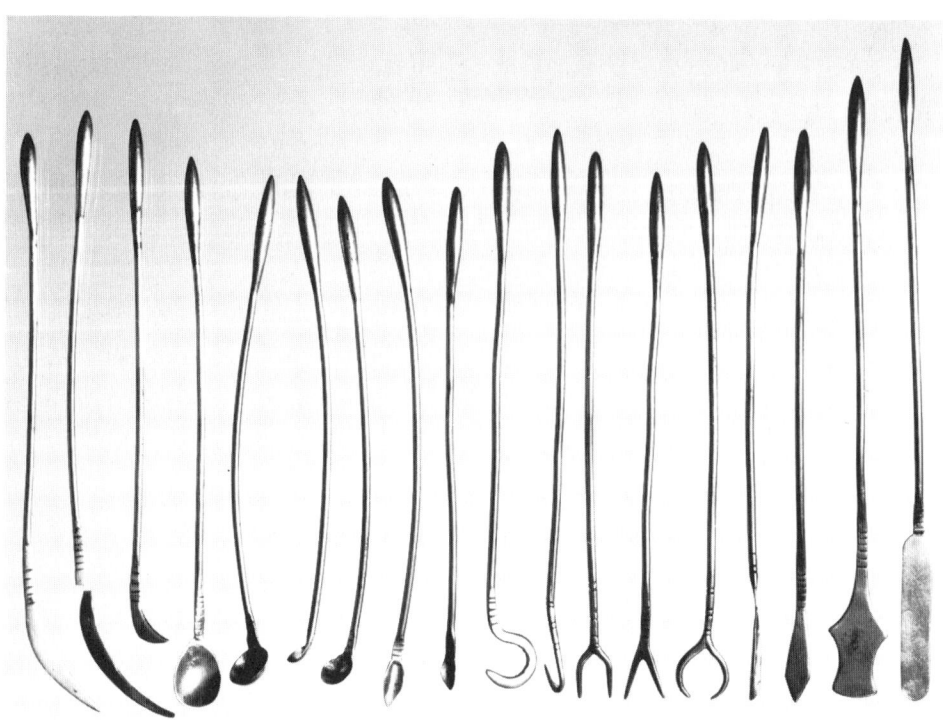

119 *Satz silberner römischer zahnärztlicher Instrumente, darunter Zahnreiniger (Zentralmuseum Mainz)*

Zahnreinigungsinstrumente

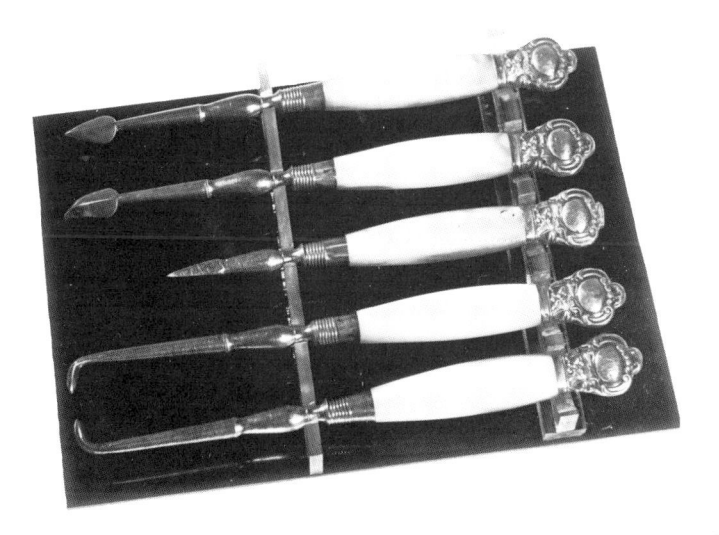

120 Fünf Zahnreinigungsinstrumente; Griffe aus Perlmutt mit vergoldeten Montierungen, um 1820, 14 cm. (Odontological Museum of the Royal College of Surgeons, London)

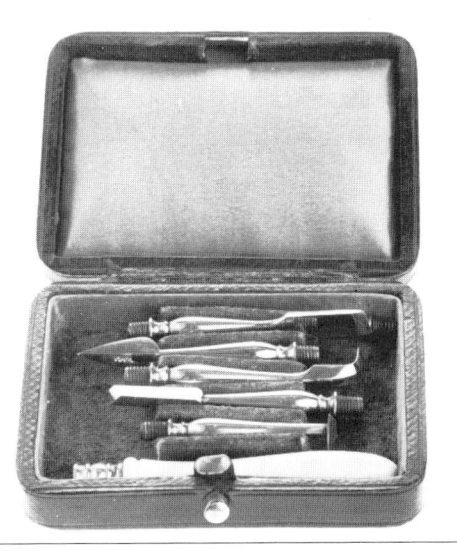

121 Fünf Zahnreinigungsinstrumente mit einem Elfenbeingriff in Lederkästchen, um 1810. (University of Alberta Dental Museum, Edmonton)

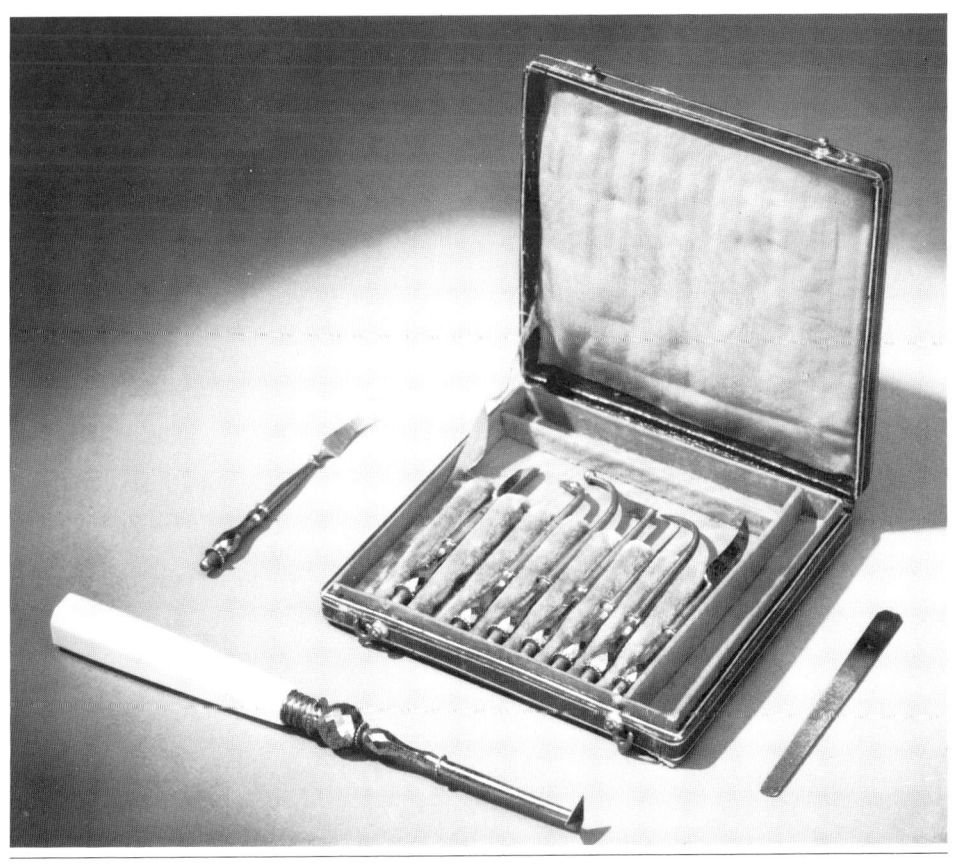

122 Neun Zahnreinigungsinstrumente sowie eine Feile. Instrumentenschäfte aus facettiertem Stahl, um 1820. Zusammengesetzt 10 cm. (I. Freeman & Son, Simon Kaye, Ltd, London)

6 Sonstige Instrumente

In der Antike und im Mittelalter kannte und benutzte man Zahnreinigungsinstrumente, dann aber wurden sie bis zum achtzehnten Jahrhundert kaum noch verwendet. Einige der auf Abb. 119 gezeigten römischen Instrumente dienten zweifellos sowohl zum Abschaben der Oberfläche als auch zur Reinigung der Interdentalräume. Avicenna (980–1037) entwarf eine Serie von vierzehn Zahnreinigungsinstrumenten, bei deren Anwendung der Kopf des Patienten auf seinen Knien ruhte. Im darauffolgenden Jahrhundert bildete Gerard von Cremona (1114–1187) acht verschiedene Zahnreinigungsinstrumente ab. Unter den verschiedenen zahnärztlichen Instrumenten, die Walter Ryff (1500–1562) in seinem 1545 erschienenen Werk *Chirurgia Magna* abbildete, befindet sich auch eine Serie von vierzehn doppelendigen Zahnreinigungsinstrumenten mit fein gedrehten Ornamentverzierungen im Mittelstück.

Viel hat John Woodall (1556–1643) im Jahre 1617 nicht über die von ihm ,,Stichel" genannten Zahnreinigungsinstrumente gesagt: ,,Und was Stichel betrifft, sie werden dazu benutzt, den Zahnstein zu entfernen, eine harte Substanz, die sich an den Zähnen festzusetzen pflegt, wodurch sie locker werden und stinken und schwarz werden im Munde, oder als Hilfsmittel, wenn man einen Knochen von irgendeinem anderen Teil des Körpers abschaben oder reinigen muß, je nach Bedarf." Ein gewiß vielseitig verwendbares Instrument!

Als man im achtzehnten Jahrhundert wieder darauf zurückkam, den Zahnstein zu entfernen, war Pierre Fauchard (1678–1761) sehr darauf bedacht, dafür die richtigen Instrumente zur Verfügung zu haben. Sie müssen, so sagte er, aus gutem Stahl hergestellt sein, damit sie scharf sind und gut schaben. Gold und Silber sind nicht scharf genug und deshalb ungeeignet. Daher ist anzunehmen, daß Pierre Dionis (1643–1718), wenn er von Zahnreinigungsinstrumenten spricht, die aus Gold oder Silber und für Könige und Königinnen hergestellt sind, in Wirklichkeit nur die Griffe derselben beschrieben hat. Laut Fauchard waren fünf verschiedene Arten von Zahnreinigungsinstrumenten notwendig: ein Meißel, ein Papageienschnabel (mit gebogener Spitze), ein Stichel mit drei Facetten, wie sie der Graveur benutzt, ein kleines Messer mit konvexer Klinge sowie ein Z-förmiger Haken. Sie könnten auf Silber, Elfenbein oder ein beliebiges anderes Material montiert werden, solange dieses den Ansprüchen an Sauberkeit und Zweckmäßigkeit genügte. Die Griffe sollten jedoch rund und nicht zu schwer sein, da das Gewicht die Flinkheit beeinträchtigen könnte. Zur Verschönerung des Instruments sollten seine Enden mit kleinen passend geformten Knäufen versehen sein. Sie mußten ständig scharf gehalten werden. Dazu wurden sie, bedeckt von einem dünnen Ölfilm, auf dem ,,Levant- oder Lorraine-Stein" geschliffen. Fauchards Zahnreinigungsinstrumente sind in Kapitel 3 (Abb. 80) abgebildet. Lorenz Heister (1683–1758), der sehr viel Wert auf Mundhygiene legte, und Philipp Pfaff (1713–1766) bildeten beide mehrere Zahnreinigungsinstrumente ab.

Diese Art von Zahnreinigungsinstrumenten war für den professionellen Gebrauch bestimmt. Während des gesamten achtzehnten und zu Beginn des neunzehnten Jahrhunderts pflegten die Leute, denen an einem guten Zustand ihrer Zähne gelegen war, ihr eigenes, persönliches Etui mit Zahnreinigungsinstrumenten zu besitzen. Dabei handelte es sich um kleine Taschenetuis, hergestellt aus Chagrinleder, Elfenbein, Schildpatt und etwas später aus rotem Saffianleder oder anderen Lederarten. Sie enthielten eine Reihe austauschbarer Aufsätze, die an einem gemeinsamen Griff festzuschrauben waren; im Deckel des Etuis befand sich meistens ein Spiegel, der mit einem Stück Samt bedeckt war. Allen gemeinsam war die Eleganz ihrer Aufmachung. Oft waren diese Kästchen mit eingelegten Silber- oder Messingschildern für das Wappen oder das Monogramm seines Besitzers versehen, die Fütterung aus Sämischleder oder Seidensamt war oft mit goldener Borte besetzt. Der Griff, in den verschiedene Instrumente hineinpaßten, konnte unterschiedlich beschaffen sein: aus fein gedrechseltem Stahl, grünem oder weißem Elfenbein, spiralförmig gedrechselt oder graviert, oder aus geschnitztem oder graviertem Perlmutt, aus Halbedelstein, aus Silber oder silber-vergoldet. Die Anzahl der in die Griffe einzusetzenden Instrumente konnte fünf und – nach Möglichkeit – sogar bis zu zwölf betragen. Bei den nachstehend aufgeführten Instrumenten scheint es sich um die am häufigsten vorkommenden Arten zu handeln: ein Dreieckkopf, ein Rechtwinkelkopf, eine gerade und eine gebogene Karpfenzunge, eine lange, flache Feile, ein scharfes Beil, eine Schaufelform mit breitem, gebogenen Rand und ein gleichschenkliges Dreieck.

Etwa ab 1830 werden diese so schön gestalteten Garnituren nur noch sehr selten hergestellt, es begegnen uns dann die eher alltäglichen, für die Zahnärzte bestimmten Ausführungen. Die Instrumente waren jeweils fest an einen Griff montiert, der gewöhnlich achteckig und aus Elfenbein, gelegentlich aber auch aus Ebenholz oder aus einem anderen Material angefertigt war. Sie wurden in Sätzen von jeweils fünf bis zu zehn Instrumenten in einem Kasten aufbewahrt oder waren Bestandteile eines großen Instrumentenkoffers, den der Zahnarzt zu seinen Hausbesuchen bei einflußreichen Patienten mitnahm (Abb. 158).

Feilen

Albucasis (936–1013) war der Ansicht, daß ein durch unregelmäßig stehende Zähne entstelltes Gesicht, besonders wenn es sich um Frauen handelte, ein ausreichender Grund sei, die Zähne durch Bearbeitung mit der Feile auf ein Ebenmaß zu bringen. Dies sollte vorzugsweise auf mehrere Tage verteilt werden, da sonst die Zähne während dieser Prozedur herausfallen könnten. Das war eine der Arten, die Feile zu gebrauchen, die eines der Lieblingsinstrumente der früheren Zahnbehandler gewesen sein muß. Celsus (25 v. Chr.–50 n. Chr.) hingegen benutzte eine Feile, um der Karies Einhalt zu gebieten, hauptsächlich aber, um spitze und scharfe Ecken und Kanten abzufeilen, durch die die Zunge verletzt werden könnte. 1597 beschreibt Jacques Guillemeau das Abfeilen und Beschneiden vorstehender Zähne (s. u.); und etwas später sagt John Woodall: ,,Die kleinen Feilen werden dazu gebraucht, kleine, Zunge und Lippen verletzende Unebenheiten vom Zahn zu feilen." Johannes Scultetus aus Ulm (1595–1645) erwähnt ein abgewickeltes Raspatorium, und René-Jacques Garengeot erwähnt die Feilen ebenfalls. Ein Jahrhundert später sollte die Feile wiederum benutzt werden, und zwar von Pierre Fauchard, um einen zu lang geratenen Zahn auf die gleiche Länge wie die anderen Zähne zu bringen; allerdings hielt er es für wichtiger, sie da einzusetzen, wo es darum ging, einen kariösen Zahn an den Seiten so abzufeilen, daß er von den gesunden Zähnen getrennt war. Er empfahl acht Feilen in annähernd drei verschiedenen Ausführungen: mit geradem Schaft, mit gebogenem Schaft sowie mit einem Schaft, der eine doppelte rechtwinklige Biegung aufweist. Wie weiter oben schon besprochen, gehörte oft auch noch eine kleine, als Reinigungsinstrument vorgesehene Feile dazu.

Selten waren Feilen von beiden Seiten zu benutzen, ihre Enden konnten viereckig oder spitz sein, ihre Oberflächen waren natürlich in einem sehr feinen Rautenmuster gerifelt. Einige, vermutlich die als Raspatorien bezeichneten, hatten nur eine kleine feilende Oberfläche, ein zentimetergroßes Oval am Ende des Schaftes. Während des neunzehnten Jahrhunderts nahm die Anzahl der für notwendig erachteten Arten ab, und in einem großen Instrumentenkasten befanden sich meistens nur noch ein bis zwei Feilen des oben beschriebenen Typus. Eine andere, etwa 1840 eingeführte Ausfertigung blieb bis zum Ende des Jahrhunderts in Gebrauch. Diese hatte, nach Art einer kleinen Bügelsäge, ein einzuschraubendes Blatt, welches in einigen Fällen mit gezahnter Kante versehen war, wodurch eine bessere Separierleistung erzielt wurde (Abb. 125).

Sonden

Es versteht sich von selbst, daß die Sonde zu den feinsten und zartesten aller zahnärztlichen Instrumente gehört. Von den Autoren, die ab dem siebzehnten Jahrhundert über Zahnheilkunde schrieben, wird sie zwar auch erwähnt, aber fast nie hat man sie für wert befunden, sie auch abzubilden. Eine Sonde ist eben eine Sonde und damit genug! Garengeot besaß ein doppelendiges Exemplar, vermutlich war dies die erste Sonde überhaupt. Fauchard erwähnt „eine kleine Sonde zur Entdeckung von Karies", und auch er benutzte ein doppelendiges Exemplar, dessen Enden jeweils in die entgegengesetzte Richtung gebogen waren. Sonden gehören zum Inhalt der großen zahnärztlichen Instrumentenkästen, von den Stopfern und Füllinstrumenten unterscheiden sie sich durch ihre verfeinerte Ausführung. 1820 forderte C. F. Maury (1786–1840) eine Sonde, die der Art entspricht, die auch gegenwärtig noch benutzt wird.

Sonden

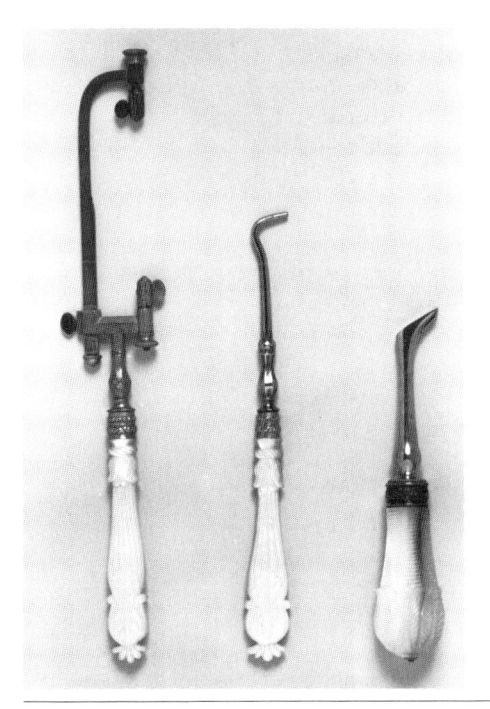

123 Von links nach rechts: Separiersäge, Blanc, um 1860; Stopfer, um 1860; Geißfuß, um 1780. Alle mit Perlmuttgriffen und silbervergoldeten Montierungen. (Musée Fauchard, Paris.)

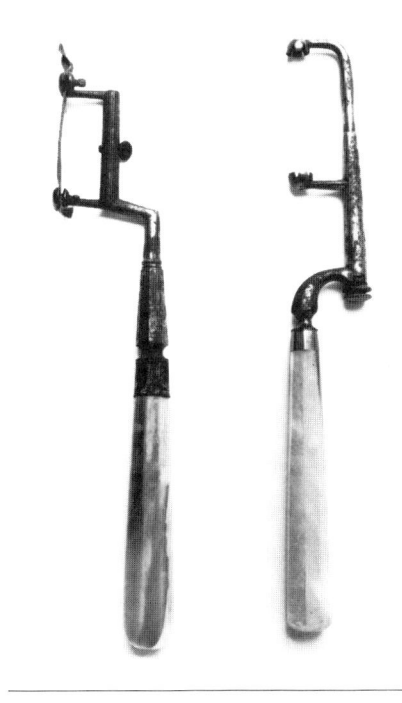

124 Separierfeilen mit Perlmuttgriffen um 1850, 17 und 18,5 cm. (Macaulay Museum of Dental History, Medical University of South Carolina)

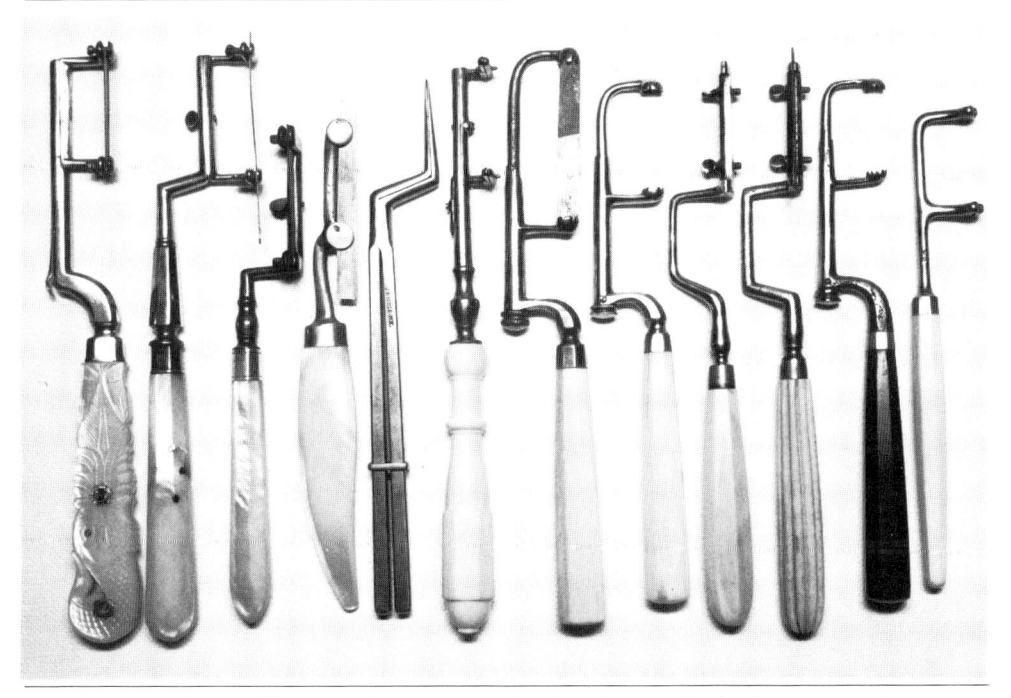

125 Separierfeilen, Griffe aus Perlmutt, Elfenbein, Ebenholz und Metall. Amerikanisch, um 1840–60. (Privatsammlung Dr. Gary Lemen, Sacramento, Cal.)

Skalpelle und Skarifikatoren

Es war nicht zu erwarten, daß die Zahnheilkunde von der allgegenwärtigen Praktik des Aderlasses verschont bleiben würde, wurde dieser doch in der Tat als Mittel gegen Zahnweh, zur Heilung nach Extraktionen, bei Zahnfleischerkrankungen und gegen übermäßigen Blutandrang gewandt. Dazu – wie auch zum Öffnen von Abszessen – benötigte man Skalpelle, die man darüber hinaus auch als Extraktionshilfe benutzte, indem man einen Schnitt vom Zahnfleischrand bis hinunter zur Zahnwurzel ausführte. Hildegard von Bingen, die seit 1147 Äbtissin eines Klosters war, empfahl, einen Zahnfleischabszeß mit einem Dorn aufzustechen, wenn kein Skalpell zur Hand war, und John Woodall sagt:

„Lanzetten können nicht nur zum Zähneziehen benutzt werden, sondern auch dazu, das Zahnfleisch aufzustechen und einzuschneiden, um es bluten zu lassen, oder oft auch, um überflüssiges Fleisch vom Zahnfleisch zu schneiden, wenn es zu sehr wuchert, wie in den Fällen von Skorbut, von dessen Heilmethode (so Gott will) an anderer Stelle gesprochen werden soll."

1687 schlägt Charles Allen als Mittel gegen Zahnweh vor, das Zahnfleisch oder, nach Möglichkeit, den Oberarm zu schröpfen. Bei zahnenden Kindern empfiehlt er, das Zahnfleisch bis hinunter zum vorstoßenden Zahn mit zwei kreuzförmigen Schnitten zu öffnen. Joseph Hurlock, der 1742 seine wissenschaftliche Abhandlung *Practical Treatise upon Dentitian: or The Breeding of Teeth in Children* veröffentlichte, empfahl bei den meisten Beschwerden das Aufstechen des Zahnfleisches.

Garengeot spricht von einem „gebogenen Zahnfleischskalpell", das vermutlich bei Extraktionen benutzt wurde. Fauchard bildet zwar ein Skalpell ab, äußert sich jedoch ausgesprochen abfällig über all jene, die vorgeben, durch Skarifizieren hinter den Ohren das Zahnweh beseitigen zu können. Sein Skalpell besteht aus der üblichen Klinge mit sehr feiner Spitze und ist beweglich in einer Schildpattscheide untergebracht (Abb. 126). Interessant ist es insofern, als er empfiehlt, es bis zur Spitze mit feinem Leinen zu umwickeln, um so den übrigen Teil des Mundes zu schützen und um das austretende Blut aufzunehmen. Das geschwollene Zahnfleisch soll so oft und so tief wie nötig eingeschnitten werden. Je nachdem welcher Teil des Zahnfleisches geschröpft werden soll, ist entweder eine gerade oder eine gebogene Schere die geeignetere, als Ätzmittel soll dann Höllenstein in einem Silberhalter verwendet werden. Knochenwucherungen sollten mit einem kleinen Meißel und einem Schlegel entfernt (Abb. 109 und 127) oder mit einem Sägeblatt abgesägt werden, das „wie ein Messer in einen Griff eingesetzt ist". Weiche Tumoren könnten mit einem gebogenen Bistourie, einem Skalpell, dessen Klinge nur an einem Teil mit Schneidekante versehen war, entfernt werden. Ein Abszeß sollte mit einem geraden Skalpell oder mit dem Gaumenmesser, auch dies wieder bis zur Spitze mit Leinen umwickelt, aufge-

Skalpelle und Skarifikatoren

126 *Im Uhrzeigersinn: Gebogenes Bistourie mit Schildpattscheide, um 1800, 10 cm; Gaumenmesser mit Griff aus gepreßtem Schildpatt, um 1860, 15,5 cm; nahtlos gearbeiteter Ätzmittelspender aus Silber, 1873, 11 cm; früher Schröpfschnäpper mit einer Klinge, in ziseliertem Messinggehäuse, um 1740, 5 cm; Skalpell in Schildpattscheide, um 1810, 5,5 cm. (I. Freeman & Son, Simon Kaye Ltd, London)*

127 *Zwei zahnärztliche Meißel, um 1780, 9 und 11 cm. (Museum of the History of Science, Oxford)*

6 Sonstige Instrumente

schnitten werden. Danach war die Wunde mit einer mit langem gebogenen Rohr versehenen Injektionsspritze auszuspülen.

Fauchards Gaumenmesser hatte eine halbmondförmige, zur Spitze hin dünner werdende Klinge; beide Kanten der Spitze waren scharf. Er benutzte es zur Entfernung des Zahnfleisches von der Zahnwurzel. Gegen Ende des achtzehnten Jahrhunderts und während des gesamten neunzehnten Jahrhunderts setzte sich die Benutzung eines Gaumenmessers allgemein durch, dessen Ende beilförmig war, was den Vorteil hatte, daß man damit nicht tiefer einschnitt als beabsichtigt. In manchen Fällen war es mit dem von Fauchard erwähnten gebogenen Bistourie kombiniert, das, wie ein kleines Taschenmesser, in einer Scheide untergebracht war (Abb. 126).

Ein zahnärztlicher Skarifikator, sowohl zum Schröpfen als auch zur Extraktion zu benutzen, war meistens vom Typ einer mit Sprungfeder betätigten Klinge, das auch als ,,Schnäpper'' oder ,,Schröpfschnäpper'' bezeichnet wurde. Dieses in einem Messinggehäuse untergebrachte Instrument wurde betätigt, indem man mit dem Finger auf einen Auslöser drückte, so daß eine dreieckige Klinge hervorschnellte (Abb. 126). Eine andere ausgeübte Praxis, die den Einsatz des Schröpfschnäppers überflüssig machte, wird von Charles Allen erwähnt: Er spricht von der ,,Notwendigkeit eines Instrumentes aus Gold oder Silber, ungefähr einen Fuß lang, so groß wie eine Tabakspfeife und wie eine Injektionsspritze'' aussehend. Dieses sollte an der Stelle des Zahnfleisches angebracht werden, an welcher ein Weisheitszahn wuchs. Seine Wirkungsweise entsprach der einer umgekehrt wirkenden Spritze, wodurch das Zahnfleisch an der Oberfläche teilweise hochgezogen wurde; bis zum Erscheinen des Zahnes mußte diese Maßnahme täglich wiederholt werden.

Obturatoren

Als Europa etwa um 1495 herum von einer schrecklichen Syphiliswelle heimgesucht wurde, gab es viele Fälle von Gaumenperforationen. Ambroise Paré (1510–1590) war der erste, der dann Blattgold oder -silber benutzte, um solche Defekte zu verschließen. Diese Plättchen wurden mit einem kleinen Schwamm festgehalten, der durch die Nase hindurch auf die Perforationen des Gaumens gedrückt wurde. ,,Mit der Hilfe unserer Kunst können sie ihr Sprachvermögen wiedererlangen.'' Franz Renner (gest. 1577) beschrieb im Jahre 1557 einen aus zusammengeklebten Stücken dünnen Leders angefertigten Gaumenobturator, sagte jedoch, daß dieser ebenso gut aus Gold, Silber oder Elfenbein hergestellt werden könne. Später wurden verbesserte Versionen von Zahnärzten angefertigt, insbesondere von Fauchard, der fünf verschiedene Arten beschrieb. 1860 wurde der Goldobturator von Norman W. Kingsley (1829–1913) vervollkommnet; bei Gaumenspalten benutzte er dazu synthetisch hergestelltes Pergament (Velin) oder Weichgummi. Da es jedoch unwahrscheinlich ist, daß Obturatoren je wieder benutzt werden, muß hier nicht weiter auf sie eingegangen werden (Abb. 128).[16]

128 *Elfenbeinobturator, um 1750, ähnlich jenem bei Pierre Fauchard 1728 abgebildeten. (Privatsammlung Dr. Gary Lemen, Sacramento, Cal.)*

Obturatoren

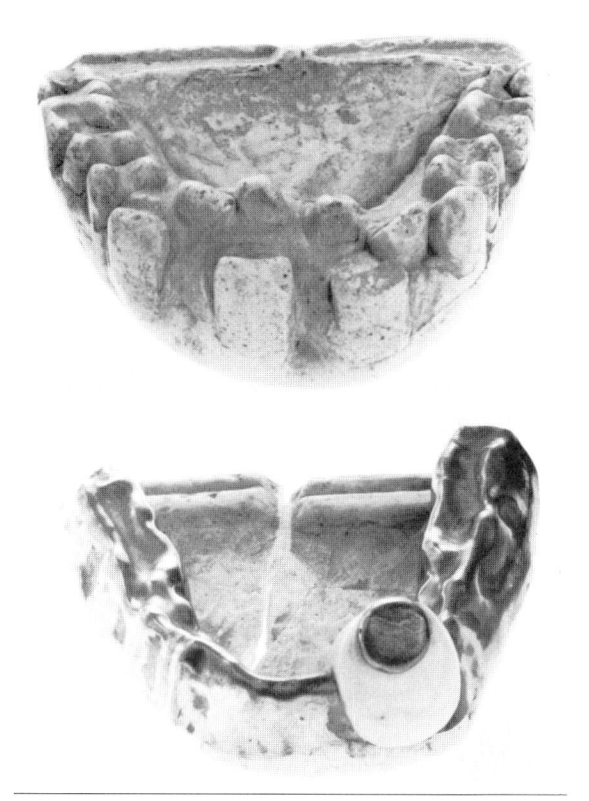

129 Frühe Regulierungsbehelfe, eingeritztes Datum mit August 1872 angegeben. (University of Alberta Dental Museum, Edmonton)

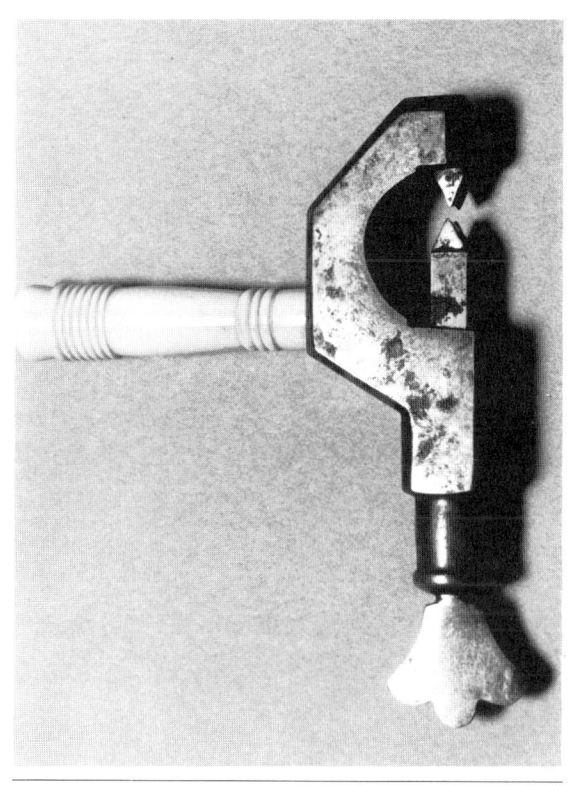

130 Zahnseparator mit Elfenbeingriff, um 1810 (Howard Dittrick Museum of Historical Medicine, Cleveland, Ohio)

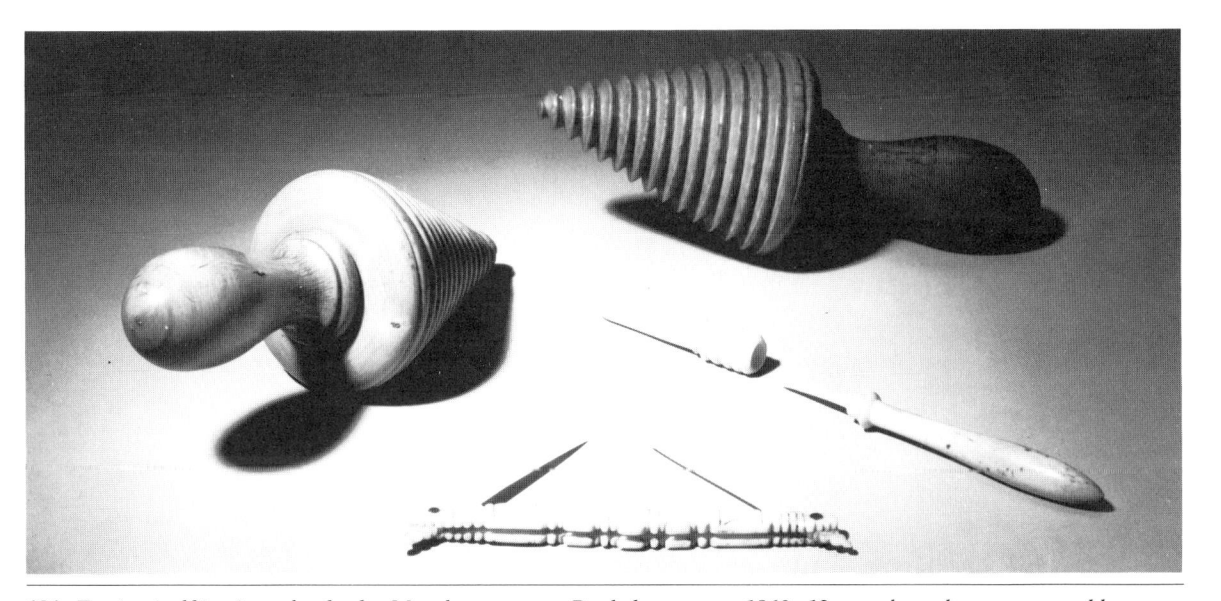

131 Zwei spiralförmig gedrechselte Mundsperrer aus Buchsbaum, um 1860, 12 cm; doppelter zusammenklappbarer Zahnstocher aus Elfenbein, um 1860, 9 cm, Elfenbeinzahnstocher um 1840, 10 cm. (I. Freeman & Son, Simon Kaye Ltd, London)

Kieferorthopädie: Zahnseparatoren und andere Schneidevorrichtungen

Die zur Kieferorthopädie gemachten Studien wie auch die Behandlung von Unregelmäßigkeiten der Zähne und des Kiefers sind zum großen Teil ein von den Amerikanern geleisteter Beitrag zur Zahnheilkunde. Norman W. Kingsley (s. o.) gilt als der Vater der Kieferorthopädie, obwohl das erste diesem Fach gewidmete Buch im Jahre 1858 von Charles Gaine aus Bath (England) geschrieben wurde: *On Certain Irregularities of the Teeth with Cases Illustrative of a Novel Method of Successful Treatment*. Zuvor schon hatten kleinere Entdeckungen und der Versuch, Behandlungsmethoden herauszufinden, zur Idee der Kieferorthopädie geführt. Als Bartholomaeus Eustachius (? 1520–1574) im Jahre 1563, einen Gedanken von Giovanni d'Arcoli aufgreifend, feststellte, daß die Zähne der zweiten Dentition ihr eigenes Zahnsäckchen haben, also nicht derselben Wurzel wie die Milchzähne entspringen, trug er damit zu der Erkenntnis bei, daß Wachstumsmängel der Milchzähne nicht zwangsläufig auch bei den zweiten Zähnen fortbestehen müssen. Schon an anderer Stelle ist hier beschrieben worden, wie Fauchard – ebenso wie andere Zahnärzte – versucht hatte, die Zähne durch das Bearbeiten mit einer Feile auf eine Länge zu bringen. Guillemeau beschreibt, wie er nach dieser Prozedur einige lockere Zähne – und locker werden sie danach ganz gewiß gewesen sein – mit „feinem Golddraht auf feinem Orientalischen Gold" an den Nachbarzähnen befestigte. Als Abhilfe bei zu engstehenden und zu unregelmäßig gewachsenen Zähnen empfahl Etienne Bourdet (1722–1789) im Jahre 1757 Extraktionen vorzunehmen, und zwar auf beiden Seiten des Kiefers, um so eine gewisse Symmetrie zu erzielen. John Hunter erforschte als erster, in welcher Weise der ständig auf einem Zahn lastende Druck seine Wachstumsrichtung zu beeinflussen vermag.

Bereits im Mittelalter hatte man auf radikale Art und Weise versucht, die Schönheit des Mundes durch das derzeit übliche Beschneiden der unregelmäßig gewachsenen oder hervorstehenden Zähne wiederherzustellen. Dies wurde mit sog. Kneifern oder Kneifzangen oder mit einem in Frankreich als „secateur" bezeichneten Instrument durchgeführt. Fauchard besaß zwei Arten davon, bei der einen war die Schneidezange seitlich, bei der anderen frontal angebracht. Beide hatten kräftige Handgriffe, zwischen denen sich eine Feder befand. Er probierte auch andere – recht primitive – Behandlungsmethoden mit schmalen Streifen aus Blei- oder Golddraht aus, gelegentlich regulierte er Zahnstellungen gar mit Hilfe einer Zange oder eines Pelikans. Farbtafel XX zeigt die Zahnseparatoren von Paul Gresset, die in der 1841 erschienenen Ausgabe von *L'Art du Dentiste* von C. F. Maury abgebildet waren. Es stellte sich jedoch heraus, daß die grobe Konstruktionsweise und der Schraubmechanismus dem von ihnen angegriffenen Zahn nur eine geringe Überlebenschance ließen; sie sind „d'une très grande puissance", sagte Gresset. Dieses spezielle Instrument diente dazu, den ganzen Zahn um den Zahnhals herum auszuschneiden, war aber nicht für kieferorthopädische Zwecke vorgesehen. Obwohl dieser Zahnseparator laut Gresset „bien imparfait, d'un emploi souvent difficile" (ziemlich unvollkommen und oft schwierig zu handhaben) war, wurden ähnliche Modelle für Regulierungszwecke nach seinem Entwurf angefertigt.

Mundsperrer

Die Ursache dafür, daß eine solche Vielzahl von Mundöffnern und Mundsperrern erfunden wurde, ist nicht allein in dem ängstlichen Widerstreben des Patienten zu suchen. In der zahnärztlichen Praxis jedenfalls war die Angst ihrer Anwendung eher förderlich; der zur Kieferklemme führende Wundstarrkrampf, Hysterie, Geisteskrankheiten und Katalepsie machten sie notwendig. Fabricius Hildanus (1560–1634) bildete hölzerne, wie kleine „chinesische Kissen" aussehende Keile ab, die als Mundsperrer dienten, und Johannes Scultetus (1595–1645) benutzte einen Mundsperrer mit Schraubengewinde. Lorenz Heister (1683–1758), der ein Jahrhundert später als Armeechirurg arbeitete, wußte von häufig auftretenden Fällen von Wundstarrkrampf zu berichten und zeigte verschiedene Arten von Mundöffnern und Mundsperren, die auf der Grundlage des Schraubmechanismus funktionierten. Fauchard bildete drei Instrumente ab (Abb. 132): einen Hebel, einen Aufbißkeil und einen Mundsperrer. Der Hebel ist aus einem kräftigen Stück Metall gearbeitet, doppelendig, beide Seiten sind gebogen und facettiert. Der Mundsperrer sieht aus wie ein Handschuhspanner. Zwei Arme sind mit einem Schloß so verbunden, daß diese im Verhältnis 1:2 geteilt werden. Die Außenflächen der Instrumentenenden sind gerieffelt, und durch Zusammendrücken der Griffe wird die gegenüberliegende Seite geöffnet. Um das Instrument in den Mund hineinzwängen zu können, hielt Fauchard gelegentlich eine vorherige Zahnextraktion für erforderlich, die er dann dergestalt durchführte, daß er einen Schlegel an den zu entfernenden Zahn nahe dem Zahnfleisch hielt und nun mit einem Stück Blei den Zahn herausschlug. Den Aufbißkeil beschreibt er als gewellten Knebel aus Buchsbaum oder Eberschenholz. Der fortschrittlich denkende Fauchard fügt hinzu, daß er „immer, wenn er benutzt wird, mit feinem, sauberen Leinen bedeckt werden kann." Vernünftigerweise läßt er ihn mit einem eingefädelten Zwirnband versehen, um zu verhindern, daß er sich im Schlund verliert.

Die mit einem Schraubmechanismus betätigten Mundöffner haben sich im Laufe der Zeit nur wenig gewandelt. Eine simple, aber geniale Variante ist das Paar aus Buchsbaumholz in Abbildung 131. Es hat ein kegelförmiges Gewinde und arbeitet nach Einführen in eine Zahnlücke als Mundöffner und -sperrer.

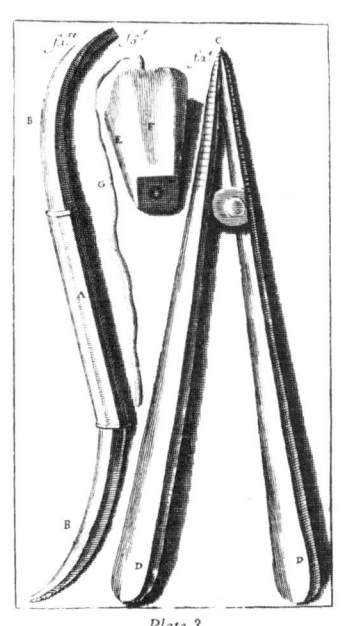

Plate 3

132 *Abbildung aus Pierre Fauchards „Le Chirurgien Dentiste", (Ausgabe 1728). Tafel drei zeigt drei zum Öffnen des Mundes bestimmte Instrumente.*

Mastikatoren

Diejenigen, die gar keine Zähne mehr hatten oder jene, die eine Prothese trugen, mit der man nicht essen konnte, waren darauf angewie-

6 Sonstige Instrumente

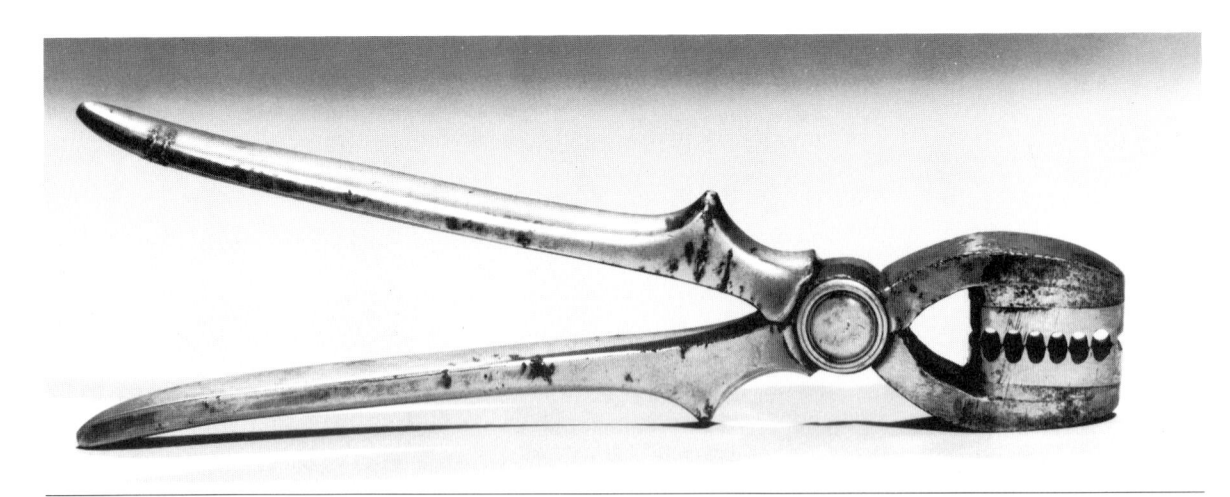

133 *Mastikator von Weiss, um 1800, 16 cm. (Privatsammlung Raymond Babtkis (New York)*

sen, sich eines Mastikators zu bedienen. Die Kaukraft wurde erstmals von Giovanni Alfonso Borelli (1608–1679) gemessen und im Jahre 1685 in seinem Werk *De Motu Animalium* beschrieben. Mastikatoren hatten das Aussehen von Zahnzangen; ihre Backen waren geformt wie zwei oder drei Paare von Molaren. Da der Hersteller Weiss noch im letzten Viertel des neunzehnten Jahrhunderts für sie wirbt, bestand zu dieser Zeit vermutlich auch noch eine Nachfrage nach ihnen (Abb. 98 und 133). Der Katalogtext lautet wie folgt:

„Dieses Instrument funktioniert auf der Grundlage der Zahntätigkeit. Fleisch und andere zu zerkauende Speisen werden durch Zuhilfenahme des Mastikators leicht und schnell verdaut. Die eßfertig zubereiteten Speisen werden zuerst in kleine Stücke geschnitten, die dann mit dem Mastikator zu einem leicht zu schluckenden Brei zermalmt werden... Um zu verhindern, daß das Essen kalt wird, sind die Kauflächen von Zeit zu Zeit in heißes Wasser zu tauchen."

Behandlungsstühle

Vor der Zeit Fauchards war es üblich, daß der Kopf des Patienten zwischen den Knien des Operierenden ruhte, und obwohl es unwahrscheinlich ist, daß Mitglieder der königlichen Familie oder Personen von Stand diese Position für sich akzeptierten, werden wir feststellen, daß die Geschichte des zahnärztlichen Behandlungsstuhls noch ziemlich jung ist. Fauchard empfahl, daß der „... Patient in einem Lehnstuhl sitzen sollte, der solide und standfest ist, passend und bequem, oder daß er durch ein weiches, der Statur des Patienten, vor allem aber der des Zahnarztes angepaßtes Kissen zu unterstützen sei." Diese Position wurde wie folgt beschrieben: „In einem Wort - in einer Haltung, die für den Patienten so wenig beschwerlich wie möglich und gleichzeitig die Praktischste für den Zahnarzt ist." Den Patienten zur Extraktion auf dem Fußboden Platz nehmen zu lassen, ist „unwürdig und unbequem". Trotz dieser so oft zitierten Empfehlung Fauchards muß hier vermerkt werden, daß die so zahlreich reproduzierten Darstellungen von Extraktionen aus der Zeit davor den Patienten im Behandlungsstuhl zeigen.

Zwischen der Beschreibung eines geeigneten Behandlungsstuhles und seiner speziellen Konstruktion liegt ein weiter Weg. Es gibt äußerst wenige aus der Zeit vor dem neunzehnten Jahrhundert stammende Exemplare. Eines davon befindet sich im Museum der *British Dental Association*. Es ist von merkwürdiger Einfachheit und soll sich im Besitz einer Barbierfamilie befunden haben, die im sechzehnten Jahrhundert nebenberuflich Zahnextraktionen durchführte. Lehnen und Kopfstütze sind – aus Baumstämmen – grob gearbeitet, dem Modell nach könnte es ebenso gut dem neunzehnten Jahrhundert zugeordnet werden. Ein sehr viel eleganterer französischer Behandlungsstuhl aus der Zeit um 1810 ist auf Abb. 134 zu sehen.

James Snell (? 1795–1850) entwarf 1832 den ersten zahnärztlichen Behandlungsstuhl, der späterhin sehr oft kopiert wurde. Es handelte

134 *Früher zahnärztlicher Behandlungsstuhl, französisch, um 1810. An der linken Armlehne ist die Speibeckenhalterung zu erkennen. (Privatsammlung Dr. Claude Rousseau, Paris)*

6 Sonstige Instrumente

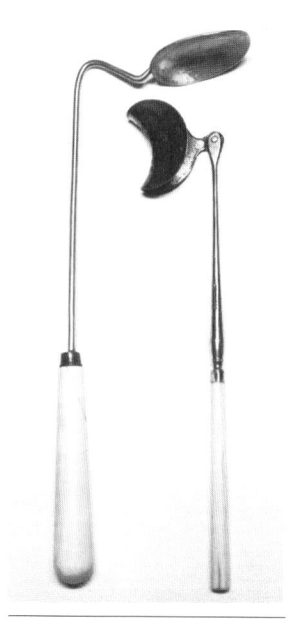

136 Zungenabhalter, amerikanisch, um 1860, und Wangenabhalter, Chevalier, um 1860. Der Patient mußte in jeder Hand eines der beiden Instrumente halten. (Privatsammlung Dr. Gary Lemen, Sacramento, Cal.)

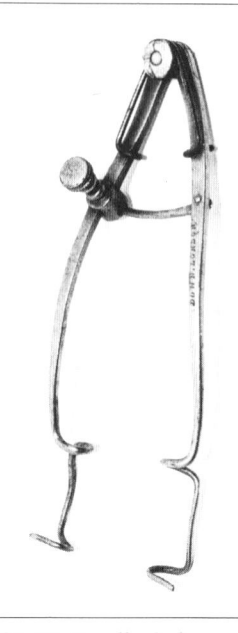

137 Watterollenhalter, Down, um 1880. (Museum of the History of Science, Oxford)

135 Zahnärztlicher Behandlungsstuhl aus einem christlichen Armenhospiz, um 1880. (Museum of the British Dental Association, London)

sich um einen gepolsterten Armstuhl mit einer vermittels Raste zu verstellenden Rückenlehne, zu dem außerdem noch eine Kopfstütze, eine Fußstütze, Lampe und Spiegel sowie ein an der rechten Armlehne angebrachtes Tischchen gehörten. Die Amerikaner waren findiger. M. W. Hanchett stellte 1848 einen zahnärztlichen Behandlungsstuhl mit Kopfstütze her, dessen Sitz und Rückenlehne höhenverstellbar waren. Die Herstellerfirma Jones, White & Co. aus Philadelphia konnte im Jahr 1849 für ,,Operationsstühle verschiedener Ausführungen" werben; zwei Jahre zuvor hatte sie dem reisenden Zahnarzt Kopfstützen angeboten, die an jedem gewöhnlichen Stuhl angebracht werden konnten. Behandlungsstühle aus schwarzem Nußbaum-, aus Rosen- und Mahagoniholz hatte sie 1859 in ihrem Angebot. Nach beträchtlichem, gezielten und mit großer Ausdauer unternommenen Bemühen, und nach vielen anderen Entwürfen, kündigte sie 1871 ihren ,,Behandlungsstuhl ganz aus Metall" an. Dieser ruhte auf einem vierfachen Piedestal, auf das der Stuhl aufgeschraubt wurde. Durch Drehen konnte er in die jeweils gewünschte Höhe gebracht werden. Die Stützen für Kopf, Rücken und Füße waren verstellbar; die Füße des Patienten berührten zwar den Boden nicht mehr, waren aber noch nicht hochgelagert.

In den sechziger Jahren des neunzehnten Jahrhunderts war der ,,Owen-Stuhl" in London sehr verbreitet. Seitlich der Rückenlehne war eine Kurbel angebracht, mit deren Hilfe ein verborgener Seilzugmechanismus eine Höhenverstellung der Sitzfläche erlaubte. Im letzten Viertel des neunzehnten Jahrhunderts wurden für die christlichen Armen-Zahnkliniken in England, in denen die Zahnärzte ihre Dienste ohne Honorar zur Verfügung stellten, spezielle Behandlungsstühle angefertigt (Abb. 135). Sehr handfest, fast unverwüstlich und mit harten hölzernen Sitzen und Rückenlehnen, waren sie immerhin verstellbar und hatten gepolsterte Kopfstützen. James Beall Morrison (1829–1917) führte 1872 den ersten Behandlungsstuhl mit aufeinander abgestimmter Verstellmöglichkeit von Sitz und Kopfstütze ein; eine solide Angelegenheit mit dekorativem Gestell aus Gußeisen und einem mit hohem Rand versehenen Sitz. Dieser Sitz bot damals die größte Höhenverstellbarkeit (27 Zoll). Ein hydraulischer Behandlungsstuhl wurde 1851 patentiert, kam aber erst 1877 auf den Markt. 1878 bot S. S. White seinen Kunden einen Stuhl an, der durch Betätigung eines Pedals höhenverstellt werden konnte, desgleichen einen kippbaren Stuhl, der es erlaubte, den Patienten flach zu lagern. Eine merkwürdige, an einen Liegestuhl erinnernde Konstruktion, tragbar, da sie für die immer noch reisenden Zahnärzte vorgesehen war, kam 1882 heraus. Dann folgte eine Fülle neuer Entwürfe, unter denen sich schließlich auch jenes Modell befand, das vielen der heute teilweise noch gebräuchlichen zahnärztlichen Behandlungsstühle schon recht nahekam.[17] Auf einem Piedestal ruhende Speibeckenständer, oft reich mit Ornamenten verziert, wurden in den 50er und 60er Jahren des neunzehnten Jahrhunderts benutzt; sie enthielten Speibecken aus Metall oder Glas. Das mit Wasserspülung ausgestattete Speibecken mit drehbarem Instrumententischchen erschien etwa um 1875 und zeugte für den wachsenden Wohlstand und die Festigung des zahnärztlichen Berufsstandes.

7 Mundhygiene

Weiße und ebenmäßige Zähne waren – besonders bei Frauen – immer Gegenstand der Bewunderung. So ist man keineswegs erstaunt, eine so große Anzahl von frühen Hinweisen auf die Zahnpflege zu finden, von denen sich viele auf faulende Zähne und übelriechenden Atem beziehen. Das ist vermutlich darauf zurückzuführen, daß man sich, da die gängigen Zahnpflegemethoden für diese beiden Übel keine Abhilfe brachten, um so mehr um eine andere Möglichkeit bemühte. Die frühen Behandlungsmethoden – wie zum Beispiel die mit der Sonne in Verbindung stehende Schlangenhaut und die Regenwürmer – waren wohl mehr auf die Bekämpfung und Linderung von Schmerzen und Entzündungen gerichtet als darauf, dem fortschreitenden Zahnverfall Einhalt zu gebieten. Hippokrates empfahl Weißwein, Anissamen und Myrrhe als Mittel gegen Mundgeruch sowie Alaun und Gallapfel gegen Zahnfleischbluten. Plinius, der Schriftsteller aus dem ersten Jahrhundert n. Chr., empfahl den damals so überaus und überall gebräuchlichen Laubfrosch, verbrannte Rinderhufe, Kröten und Würmer. Diokles von Karystos, ein Zeitgenosse von Plinius, sagte: ,,Jeden Morgen sollst du Zahnfleisch und Zähne mit deinen bloßen Fingern und mit fein zerriebener Poleiminze reiben, an der Innen- wie an der Außenseite, und die verbliebenen Partikel von Essensresten entfernen." Im Mittelalter wurden einigen dieser Empfehlungen dann noch Elemente des Aberglaubens hinzugefügt: Rieb man beim Anblick der ersten Schwalbe seine Zähne jeweils mit den beiden Mittelfingern, so schützte man dadurch seine Zähne bis zum Eintreffen der ersten Schwalbe im darauffolgenden Jahr. In der Ukraine mußte man sich so hinstellen, daß man den Mond anblickte, dabei Erde unter der rechten Ferse hervorholen und damit die Zähne einreiben. In Mitteleuropa kaute man Rosmarinblätter. Albucasis (936–1013), der arabische Chirurg aus Córdoba, war hier realistischer und riet zu Mundspülungen mit Salzwasser. Guy de Chauliac (1300–1368), der viele Regeln zur Pflege und Erhaltung der Zähne niederschrieb, schlug Alkohol vor, eine Arznei, die sich ohne Zweifel größerer Beliebtheit erfreute.

Die mit Weihwasser vorgenommene Mundspülung galt im späten Mittelalter als die fraglos beste. Eine immer zur Verfügung stehende, wenn auch nicht gerade die feinste Art der Mundspülung, war die, zu der man den eigenen Urin benutzte; ein sogar noch von Pierre Fauchard (1678–1761) empfohlenes Heilmittel. ,,Anfänglich hat man einige Schwierigkeiten, sich daran zu gewöhnen", sagte er. Im Fernen Osten soll dies heute noch gebräuchlich sein.

Giovanni d'Arcoli (1412–1484) war sehr gesundheitsbewußt und riet den Menschen, Verdauungsstörungen und übermäßige Bewegung nach den Mahlzeiten zu vermeiden sowie auf Süßes und alles, was einen Brechreiz hervorrufen könnte, zu verzichten. Die Zähne, so sagte er, seien nicht zum Zermalmen harter Substanzen und zum Knirschen da, auch seien allzu extreme Temperaturunterschiede im

Munde zu vermeiden. „Ein Diamant", sagte Cervantes in *Don Quichotte* (1605), „ist nicht so kostbar wie ein Zahn."

Thomas Tryon (1634–1703), ein früher Diätspezialist, veröffentlichte im Jahr 1682 *A Treatise of Meats*. Dieses war das erste in englischer Sprache verfaßte Werk, in welchem den Zähnen ein ganzer Absatz gewidmet ist; es erschien drei Jahre vor dem Werk von Charles Allen. Tryon sagte, daß Zahnschmerzen unmittelbar auf die Ernährungsweise und die mangelnde Pflege zurückzuführen seien und daß die Berührung der ungesunden Zähne mit heißen oder kalten Getränken als die unmittelbare Ursache des Schmerzes anzusehen sei. Er verwarf die so zahlreichen Vorschriften und Empfehlungen für Mundspülungen als wenig hilfreich und behauptete, daß die Ärzte selbst sehr wohl wüßten, daß dies so sei. „Aber wenn die Leute zu ihnen kommen, dann müssen sie ihnen schon etwas für ihr Geld geben." Seiner Meinung nach waren frische Luft und frisches Wasser viel besser geeignet. Das aus dem siebzehnten Jahrhundert stammende Rezept, demzufolge man durch Reinigungen mit Tabak weiße Zähne bekommen sollte, dürfte wohl kaum seine Zustimmung gefunden haben.

Nicht minder energisch ist der Brief, den Lord Chesterfield 1754 an seinen Sohn schrieb:

„Ich hoffe, daß Du große Sorgfalt auf die Pflege Deiner Zähne verwendest, und daß Du sie, abgesehen von den gründlichen, nach jeder Mahlzeit vorzunehmenden Mundspülungen, jeden Morgen mit einem Schwamm und lauwarmem Wasser mit einigen Tropfen Wundwasser (arquebusade water) darin reinigst. Mit Bestimmtheit aber bestehe ich darauf, daß Du niemals jene Stocher noch irgendeine andere harte Substanz benutzt, die immer das Zahnfleisch abreiben und den Schmelz der Zähne zerstören."

Christian Franz Paullini (1643–1712) schrieb ein Buch über die Zahnpflege, das fünf Auflagen erreichte und sogar 1847 noch einmal neu aufgelegt wurde. Der französische Zahnarzt Robert Bunon (1702–1748) veröffentlichte mehrere Werke, in denen er versuchte, auch die Welt der Ärzte für Angelegenheiten der Zahngesundheit zu interessieren. Er stellte die Theorie auf, daß die Zahnpflege schon im Kindesalter von Bedeutung sei, und daß eine richtige Ernährung zur Erhaltung guter Zähne beitrage. Fauchard hatte seine vernünftige Einstellung zu Fragen der Zahnhygiene stets weitervermittelt. Er hob hervor, wie wichtig es sei, die Speisen gründlich zu kauen und warnte vor dem Zucker. „Es ist festzustellen, daß jene, die dem Genuß dieser verführerischen Gifte (kandierte Früchte und Bonbons) frönen, von Zahnkrankheiten befallen werden und daß sie ihre Zähne auch schneller verlieren als andere." „Knacke keine Nüsse mit den Zähnen und beiß' keine Fäden ab", mahnte er, und „denke daran, daß das Rauchen und der Kontakt der Zähne mit der Pfeife schlecht für sie ist."

Das achtzehnte Jahrhundert brachte eine Fülle neuartiger Mundwässer und Wunder versprechender Zahnpflegemittel. Ein schon wesentlich wissenschaftlicher zusammengestelltes Rezept, das Wasser-

7 Mundhygiene

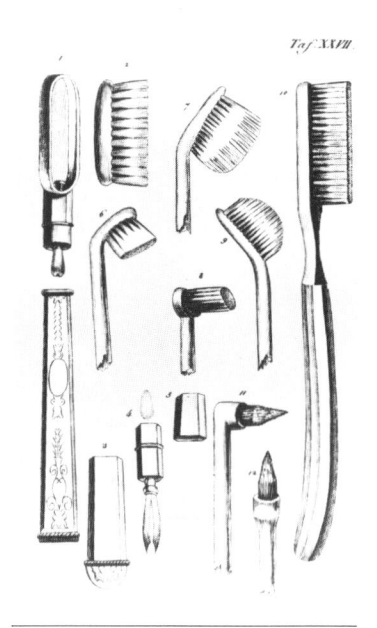

138 Abbildung aus Maurys „Manuel de Dentiste" (1820). Die Tafel zeigt eine Auswahl verschiedener Zahnbürsten darunter eine drehbare, möglicherweise einen Federhalter und wahrscheinlich einen Schwammhalter.

stoffsuperoxyd und Kalkwasser enthielt, kam 1808 heraus. Die Münder in aller Welt mußten sich jedoch noch gedulden, bis gegen Ende des neunzehnten Jahrhunderts alle bis dahin gültigen Sauberkeitsbegriffe durch das Wissen um die Antisepsis revidiert wurden.

Zahnbürsten

Als erste Anspielung auf eine Zahnbürste mag jene Textstelle in der *Ars Amatoria* gewertet werden, in welcher der römische Dichter Ovid einem Mädchen den Rat gibt, „sich in Gegenwart ihres Liebsten nicht die Zähne zu bürsten" – das ist noch weit entfernt von der in einem englischen Werbetext formulierten Frage „Würden Sie gern seine Zahnbürste benutzen?" Was nun die Neuzeit angeht, so wird vermutet, daß Zahnbürsten etwa um 1590 durch Antonio Perez von Spanien nach Frankreich gebracht wurden. Bei diesen Zahnbürsten handelte es sich zweifellos um sehr grobe Büschel von Pferdehaaren oder Tierborsten, die nach Art der Malpinsel auf röhrenförmigen Stielen befestigt waren. Fauchard, der zum Reinigen der Zähne einem in lauwarme Kleie getauchten Schwamm und Wasser den Vorzug gab, hielt nichts von ihnen. Bunon schloß sich 1743 seiner Meinung an, Sir Ralph Verney (1613–1696) gab zu, daß ihm Zahnbürsten gänzlich unbekannt waren; er hatte „niemals eine solche gesehen, noch gewußt, welchem Zwecke sie wohl diene." Dennoch wurde die Zahnbürste, wie wir sie heute kennen, im achtzehnten Jahrhundert zu einem schon gebräuchlicheren Utensil. Edward Finch bestellte im Jahr 1748 sechs Stück bei dem königlichen Silberschmied George Wickes, der Romancier Tobias Smollett sprach von „Kammerfrauen ... die deine Zahnbürsten säubern". Sehr hübsch anzusehen waren diese Zahnbürsten, die Stiele aus Silber oder vergoldet, in seltenen Fällen sogar aus Gold, ihre Ausführungen wechselten je nach der Bedeutung ihrer Besitzer. Manche von ihnen waren mit einer gewöhnlich aus Holz oder Elfenbein gefertigten Vorrichtung versehen, die ein Auswechseln der Borsteneinlage ermöglichte. Eine in Silber gefaßte Zahnbürste aus dem *Royal College of Surgeons* in London hat ein kreisrundes Bürstenbüschel, das aus gespaltenem Reedgras besteht. In der zweiten Hälfte des achtzehnten Jahrhunderts erschienen Anzeigen in den amerikanischen Zeitungen, in denen für Zahnbürsten geworben wurde. Dabei handelte es sich oft um die doppelendige Ausführung (Abb. 141), die zum Reinigen sowohl der inneren als auch der äußeren Oberfläche der Zähne gedacht war.

Unter den Zahnärzten herrschte große Uneinigkeit darüber, welche Methode des Bürstens nun die richtige sei, wie lang und dicht das Bürstenbüschel sein solle und welcher relative Härtegrad der Bürstenhaare der geeignetere sei. Thomas Beardmore (1740–1784) empfahl eine dem Farbpinsel ähnliche, einen „gesunden Stimulus" erzeugende Zahnbürste. Als John Baker (1732–1796) 1767 für seine „Albion Essence" und „Anti-Scorbutic Dentifrice" warb, lieferte er gleich sehr nützliche Anweisungen zur Zahnpflege mit: Die Bürste sollte sehr senkrecht gehalten werden, und wo dies nicht ausreichend

Zahnbürsten

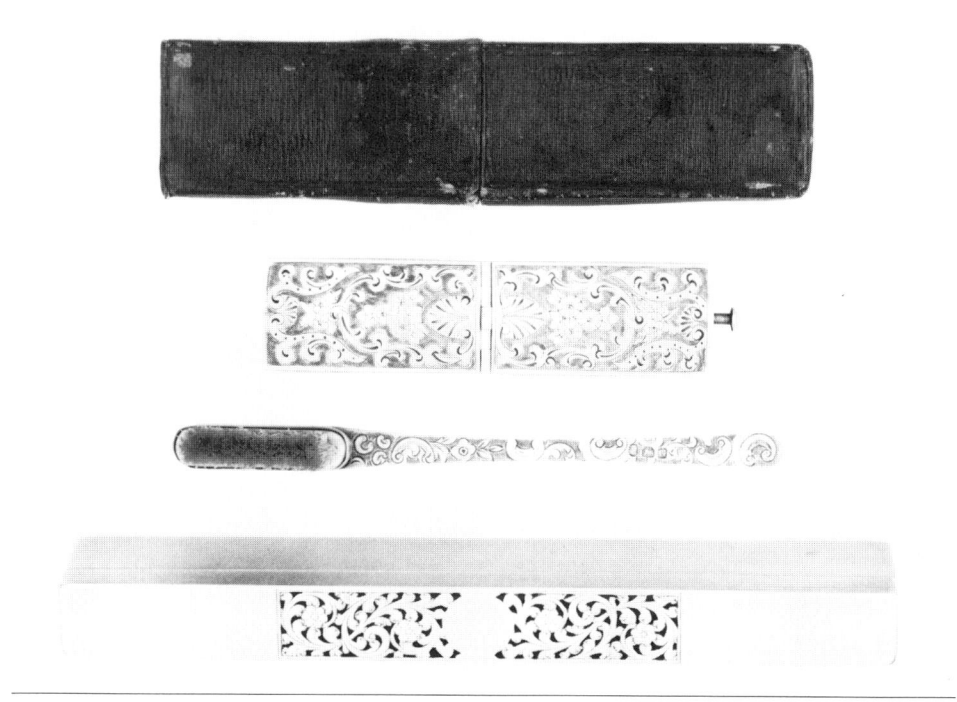

139 *Silberne Zahnbürste und silberne Zahnpulverdose mit Saffianleder-Kästchen, Lockwood and Douglas, 1802, Silberne Zahnbürstendose, 1834, T. W., 17 cm. (I. Freeman & Son, Simon Kaye Ltd, London)*

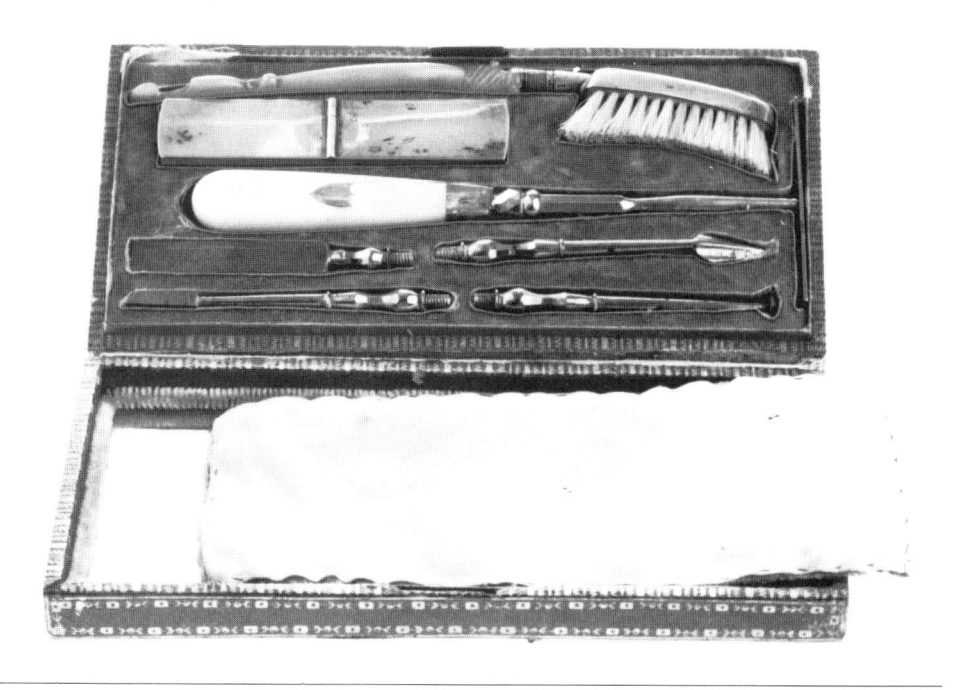

140 *Französisches Toilettenetui mit Mundhygieneinstrumenten aus Elfenbein und Silber, darunter eine Zahnbürste, eine Zahnpulverdose, ein Zungenschaber und Zahnreiniger, um 1819. (University of Alberta Dental Museum, Edmonton)*

7 Mundhygiene

war, da sollte man noch einen aus einer Kielfeder gemachten Zahnstocher zur Hilfe nehmen; Kinder sollten schon früh zum täglichen Zähneputzen angehalten und darin unterwiesen werden.

Etwa ab 1800 hatte sich die aus Tierborsten hergestellte Zahnbürste als das vorwiegend benutzte Zahnpflegeutensil durchgesetzt, ihre Ausführung fiel nun meistens bescheidener aus als die ihrer Vorgängerin aus dem achtzehnten Jahrhundert, so war lediglich der Bürstenkopf in Silber gefaßt, der Stiel konnte aus kunstvoll gedrechseltem Elfenbein oder aus Perlmutt sein. Eine Zahnbürste gehörte im allgemeinen zu einem gut ausgestatteten Reise-Toilettenetui, das mit Familienwappen und Monogramm versehen und von solider und ansehnlicher Verarbeitung war. Aus dieser Zeit sind noch viele der kleinen roten Etuis aus Saffianleder mit silberner Zahnbürste, Zahnpulverdose und Zungenschaber erhalten (Farbtaf. XXI).

Jean-Baptiste Gariot vertrat 1843 die Ansicht, daß die Wahl der Zahnbürste von dem Geschlecht ihres Benutzers abhänge. „Die darin so eigenen weiblichen Wesen, die großen Wert auf die Pflege ihrer Zähne legen und deren Zähne sich leichter reinigen lassen, sollten eine weiche Bürste benutzen. Männer, die ihre Zähne nur selten putzen, benötigen eine harte." Daraus mag geschlossen werden, daß das Zähneputzen allgemein immer noch als etwas dekadent angesehen wurde, und erklärt, warum die Mehrzahl der aus dieser Zeit erhaltenen Zahnbürsten so klein und zerbrechlich war. Die ganz aus Elfenbein angefertigte, der heutigen Ausführung ähnliche Zahnbürste wurde in der zweiten Hälfte des neunzehnten Jahrhunderts hergestellt, einige dieser Exemplare hatten geschnitzte Stiele, die mit Gravierungen und Einlegearbeiten verziert waren. Abb. 139 zeigt eine Zahnbürstendose, deren Deckel zur Trockenhaltung der Borsten mit einer Perforierung versehen ist.

Zahnseide wurde ab 1866 von S. S. White in Philadelphia verkauft.

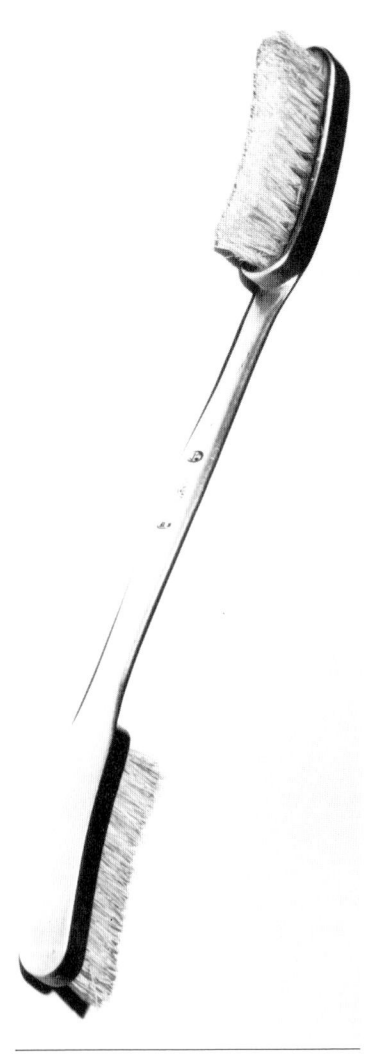

141 Österreichische doppelendige Zahnbürste, um 1820, 14 cm. (E. P. Malloroy & Son, Ltd, Bath)

Zahnpflegemittel und ihre Aufbewahrungsbehälter

Die Zahnpflegemittel haben eine lange und oft unerquickliche Geschichte hinter sich, in deren Verlauf ein übelschmeckendes und schädliches Rezept das andere ablöste. Der Papyrus Ebers (etwa 1500 v. Chr.) beschreibt eine Zahnpasta, die aus gemahlenen Kieseln, Honig, Grünspan, Weihrauch und pulverisierten Früchten besteht. Aus der griechischen Antike sind Rezepte überliefert, zu deren Bestandteilen verbrannte Muschelschalen, Korallen, Talkum, Salz und Honig gehören; Hippokrates empfahl eine aus drei Mäusen, einem Hasenkopf und Weißstein zusammengesetzte Paste. Die Römer bevorzugten gemahlene Schalen von Austern und Eiern, Rinderhufe und -hörner, Myrrhe und einen Aromastoff als Zusatz. Aberglaube im Verein mit Zauberei brachte Mixturen aus Ziegenhufen, dem Kopf der allgegenwärtigen Maus, Eidechsenleber etc. hervor. Im Mittelalter gehörten dann folgende Ingredienzn dazu: hartes, von einer Maus angeknabbertes Brot, Sepia, Steinsalz, Bimsstein, Salpeter, Alaun, gebranntes Hirschhorn und Veilchenwurzel. Avicenna

(980–1037), der viel zum Thema Zahnpflege niedergeschrieben hatte, empfahl zur Entfernung von Zahnstein eine aus Meerschaum, Salz, gebrannten Schneckenhäusern und Austernschalen, Ammoniaksalz, gebranntem Gips und Grünspan mit Holz gemischte Zahnpasta. Er sagte jedoch, daß die sehr harten Pulver schädlich für die Zähne seien und vermieden werden sollten. Giovanni d'Arcoli riet dazu, die Zähne morgens und abends mit einer Art Säckchen aus locker gewebtem Stoff, in welchem sich Honig und verbrannte Muschelschalen befanden, abzureiben. Trotz der fast übereinstimmend anerkannten Schädlichkeit des Zuckers, blieb Honig, selbst bis ins neunzehnte Jahrhundert hinein, das bevorzugte Bindemittel. ,,Süße Sachen sind schlecht für die Zähne", sagte Jonathan Swift in *Polite Conversations*.

Charles Allen gab 1687 das folgende Rezept für ein Zahnreinigungsmittel heraus, von dem er behauptete, daß es so gut sei, daß man es nur einmal wöchentlich anzuwenden brauche. Es enthielt ein aus Perlen hergestelltes ,,Magisterium", Korallenpulver, Drachenblut und als Bindemittel Rosenwasser, das aus der roten Rose gewonnen wurde. Fauchard stellte mehrere komplizierte Rezepte für Zahnpasten zusammen und verkaufte eine Menge davon an seine Patienten. Mit Entschiedenheit wandte er sich gegen die Benutzung von Zahnpulvern, die Sepia, pulverisierten Alabaster, Ziegelmehl, Bimsstein oder Vitriol enthielten. Im Jahr 1744 machte Thomas Greenough sich die Mühe, seine ,,Dental Tincture" patentieren zu lassen, eine Tinktur, die nicht nur der Reinigung und Erhaltung der Zähne diente, sondern auch Zahnschmerzen beseitigen sollte; das ist ein bezeichnendes Beispiel für die derzeit so verbreiteten Nachahmungen und den daraus resultierenden Argwohn. Auf der Patenturkunde sind nicht weniger als 26 Bestandteile aufgeführt, darunter mehrere Kräuter und Gewürze, Lorbeergeist, Alaun, Essig und Bilsenkrautsamen: ,,Man vermische alles miteinander und gewinnt so, den Regeln des Verfahrens folgend, eine Tinktur." Viele der Todesfälle, die sich damals als Folge von Zahnreinigungen ereigneten, sind auf die bis zu dieser Zeit und auch noch darüber hinaus häufig benutzten säurehaltigen Zahnreinigungsmittel zurückzuführen.

Seit der zweiten Hälfte des achtzehnten Jahrhunderts etwa wendete sich Thomas Beardmore gegen die derzeit zum Verkauf angebotenen Zahnpulver, an deren Qualität er nichts Gutes ließ. Er führte ein interessantes Experiment durch, in welchem er einen einzelnen Zahn in einem Schraubstock befestigte und diesen mit einem bestimmten Zahnpulver bürstete. Er konnte nachweisen, daß der Zahnschmelz an der bearbeiteten Stelle in weniger als einer Stunde abgetragen war. Als er das Experiment daraufhin mit anderen Zahnpulvern wiederholte, fand er, daß deren ,,Wirkungsweisen sich nur geringfügig voneinander unterschieden".

Ein Mr. Paine, der im Jahre 1815 in Rickmansworth in England eine Apotheke eröffnete, pflegte seine Rezepte eigens nach den Erfordernissen des jeweiligen Patienten zusammenzustellen. So ließ er zum Beispiel der unter einer Erkrankung des Zahnbetts leidenden Mrs. Biggs ein adstringierendes Pulver zukommen, das Myrrhe, Chinarinde und Koralle enthielt. Miss Barker hingegen erhielt zur Erfri-

142 *Drei lithographierte Deckel für Zahnpulverdosen aus Keramik (sog. ,,pot-lids"), ⌀ 8 cm. (J. Saville Zamet, London)*

schung ihres Atems eine Latwerge, die Nelkenöl und Bergamottessenz enthielt. Etwa um diese Zeit wurde damit begonnen, allgemein auch Schlämmkreide und Seife bei der Herstellung von Zahnreinigungsmitteln zu verwenden.

Das Kauen von Mastix stellte von der Antike bis ins zwanzigste Jahrhundert hinein eine verbreitete Art der Zahnreinigung dar. Die 1875 von Chios nach England verschifften Harzladungen wurden auf 30 000 kg geschätzt; in pulverisierter Form gehörte Mastix ebenfalls zu den üblichen Bestandteilen der Zahnreinigungsmittel.

Eine hemmungslos betriebene Werbung für Zahnreinigungsmittel versprach im neunzehnten Jahrhundert die Erfüllung aller möglichen und unmöglichen Hoffnungen, wie zum Beispiel ,,Hudson's Botanic Tooth-Powder and Tinctures'', ein Präparat, das für seine ,,Harmlosigkeit'' bekannt war, sollte es doch sowohl Skorbut heilen als auch das Zahnfleisch von Zahnstein befreien, und die Zähne – wie gelb auch immer sie gewesen sein mögen – sollten davon strahlend weiß werden. Überhaupt machte die ständige Anwendung dieses Wundermittels angeblich jeglichen Zahnarztbesuch überflüssig und ,,erhielt die Zähne bis in den letzten Lebensabschnitt hinein''.

Aus der Zeit vor Ende des achtzehnten Jahrhunderts sind spezielle Behälter für Zahnpulver und -pasten nicht bekannt. Wahrscheinlich wurden die verordneten Zahnpflegemittel vom Apotheker oder vom Zahnarzt in Päckchen verpackt und zu Hause dann in die Toilettenbehälter umgefüllt, die als geeignet erschienen und gerade zur Hand waren. Die einfachen Heilmittel ließen sich aus der Hausapotheke selbst zusammenstellen. Gegen 1780 kamen längliche Zahnpulverdosen aus Silber auf, die zwei Unterteilungen enthielten und deren in der Mitte angebrachte Deckel sich seitlich öffnen ließen. Vermutlich waren diese Unterteilungen für zwei verschiedene Sorten von Zahnpulver bestimmt, noch wahrscheinlicher aber, um eine der Größe der Borsten der Zahnbürste entsprechende Öffnung zu haben. In den Kreisen, in denen es üblich war, sich die Zähne zu putzen, pflegte man die Zahnpasten in eines der vielen gläsernen Toilettentöpfchen mit Silberdeckel umzufüllen.

Zu Beginn des neunzehnten Jahrhunderts wurden gesetzlich geschützte Zahnpasten in Steinguttöpfchen, die mit Ölpapier bedeckt waren, verkauft. Als es in den vierziger Jahren des neunzehnten Jahrhunderts ein überaus reichhaltiges Angebot solcher Präparate gab, wurden die Händler sich des Vorteils bewußt, auf den lithographierten Deckeln dieser Töpfchen nicht nur ihren Namen und den der jeweiligen Zahnpasta aufzudrucken, sondern diese ,,pot-lids'' auch mit Lobpreisungen der enthaltenen Produkte zu versehen, die schon ans Phantastische grenzten. Den dekorativeren Exemplaren wurde ein Muster auf die Glasierung aufgedruckt, wodurch sie noch farbenprächtiger wurden. Die (englische Firma [d. Ü.]) Pratt Ware benutzte seit 1849 eine Serie von vier Unterglasurdrucken in verschiedenen Farben. Einige der einfacheren, einfarbigen Dessins wurden lediglich aufgestempelt, die extravagantere Dekoraktion kam jedoch immer mehr in Mode, so daß sich diese Extravaganz schließlich nur noch mit dem in sehr blumenreicher Sprache verfaßten Text messen konnte. Die Darstellung von Blumen, Früchten, orientalischen

Tempeln, Phantasiewappen und natürlich vor allem der königlichen Familie war ein Teil dieser in Bildern sprechenden Überredungskunst. Hätten Queen Victoria und ihre älteste Schwiegertochter alle mit ihnen in Verbindung gebrachten Zahnpasten benutzt, so hätte ihnen für jeden Tag des Jahres eine andere zur Auswahl gestanden. „Nachahmung verboten", lautete eine nicht einmal selten zu findende Aufschrift, die dem Sammler dieser sog. „pot-lids" gewiß aufgefallen ist, da es immerhin eine stattliche Anzahl von Reproduktionen gegeben hat. Datierungsversuche sollten sich an einer Untersuchung der verwendeten Buchstabentypen und in einigen Fällen an der Wahl der im Muster vorkommenden Elemente orientieren. Eines der seltensten Exemplare der gefundenen Töpfchen trägt den Aufdruck „The Celebrated Alexandra Cherry Paste" und zeigt die Prinzessin mit Brautschleier und hochzeitlichem Kopfputz. Wie aus dem Aufdruck hervorgeht, wurde diese Zahnpasta erstmals nach dem 10. März 1863 verkauft (Farbtaf. XVII und Abb. 142).

Zungenschaber

Eine Garnitur römischer Toilettengegenstände, bestehend aus einem Zahnstocher, einem Ohrkratzer und einem Zungenschaber an einem gemeinsamen Ring, wurde bis weit in das neunzehnte Jahrhundert hinein zum Standardmodell und legt nahe, daß das Zungenschaben während der gesamten dazwischenliegenden Zeit ein Teil der Toilette jener Menschen gewesen sein muß, die auf eine sehr sorgfältige Körperpflege bedacht waren (Abb. 143). Walter Ryff (1500–1562) erwähnt einen Zungenschaber, bei dem es sich allem Anschein nach um dieses schaufelförmige Modell handelte. Wie die moderne Forschung zeigt, siedeln sich die meisten Mikro-Organismen des Mundes auf der Zungenoberfläche an, die damit zu einer Brutstätte der den Zahnbelag hervorrufenden Bakterien werden kann. Die Menschen des achtzehnten Jahrhunderts empfanden den Vorteil des Zungenschabers, den sie morgens gebrauchten. Allerdings sahen sie es als Verletzung des Gastrechtes an, wenn männliche Gäste es fertigbrachten, sich zum Zwecke der Anwendung dieses Toilettenartikels von der Tafel zu erheben. Ein anonymer Verfasser des neunzehnten Jahrhunderts ließ sich zu einer Art von Wahrsagerei durch Zungenschaben hinreißen:

„Eine belegte Zunge ist bei starken Rauchern sehr verbreitet. Ist der Belag dicklich und noch leidlich gleichförmig und feucht, so deutet dies auf einen offenen, aktiven fiebrigen Zustand hin, der, obwohl die Symptome von heftiger Natur sein können, kaum die Gefahr eines drohenden Unheils, noch einer malignen Tendenz in sich birgt. Eine gelbliche Färbung des Belags zeigt gewöhnlich eine Störung der Lebertätigkeit an. Eine braune oder gar schwarze Zunge ist ein schlechtes Zeichen, das meistens auf eine angegriffene Gesundheit und einen Zustand allgemeiner Schwäche hinweist."

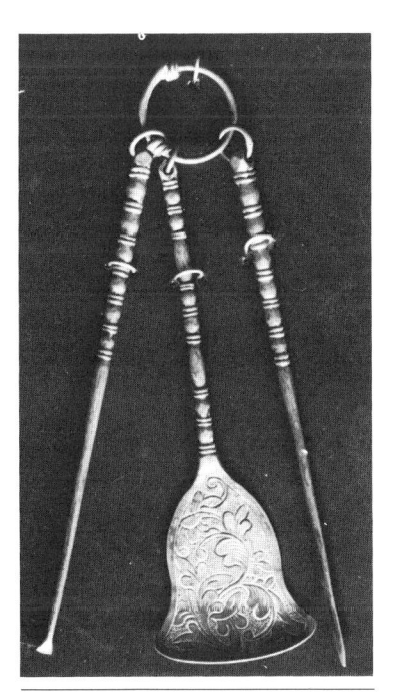

143 *Zahnstocher, Ohrkratzer und Zungenschaber an einem gemeinsamen Ring, um 1680. (Sammlung Proskauer-Witt, Bundeszahnärztekammer Köln)*

7 Mundhygiene

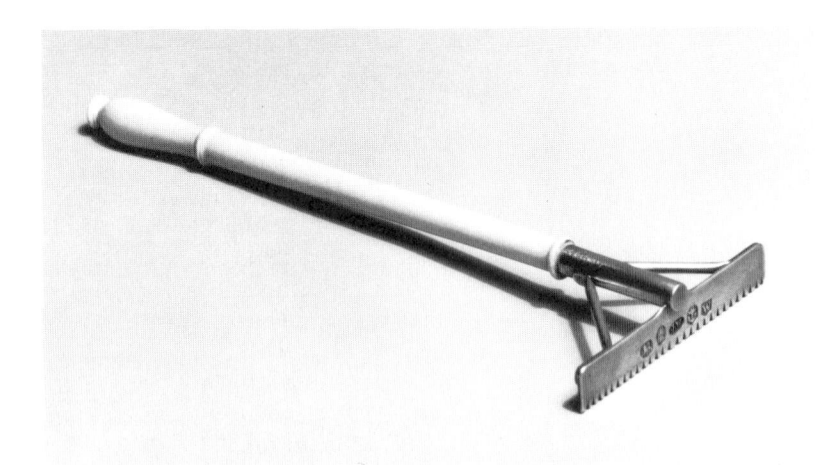

144 Silberner Zungenschaber, Joseph Willmore, 1820. Das Blatt ist fein gezähnt, der Griff aus Elfenbein. (I. Freeman & Son, Simon Kaye Ltd, London)

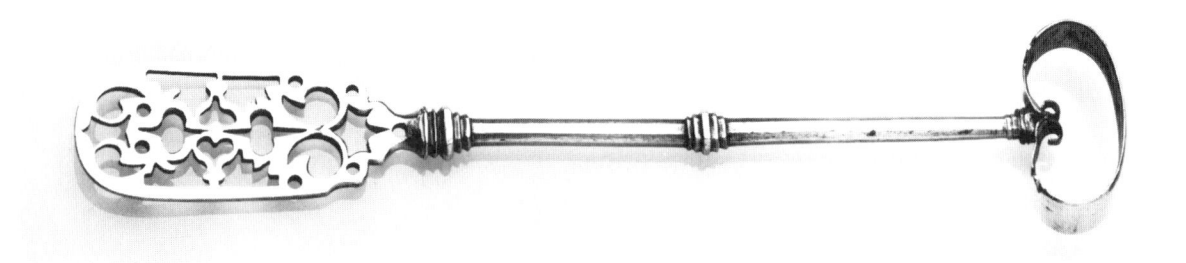

145 Zungenabhalter und Zungenschaber aus vergoldetem Silber, Augsburg, um 1615, 16 cm. (Kunstgewerbemuseum, West-Berlin).

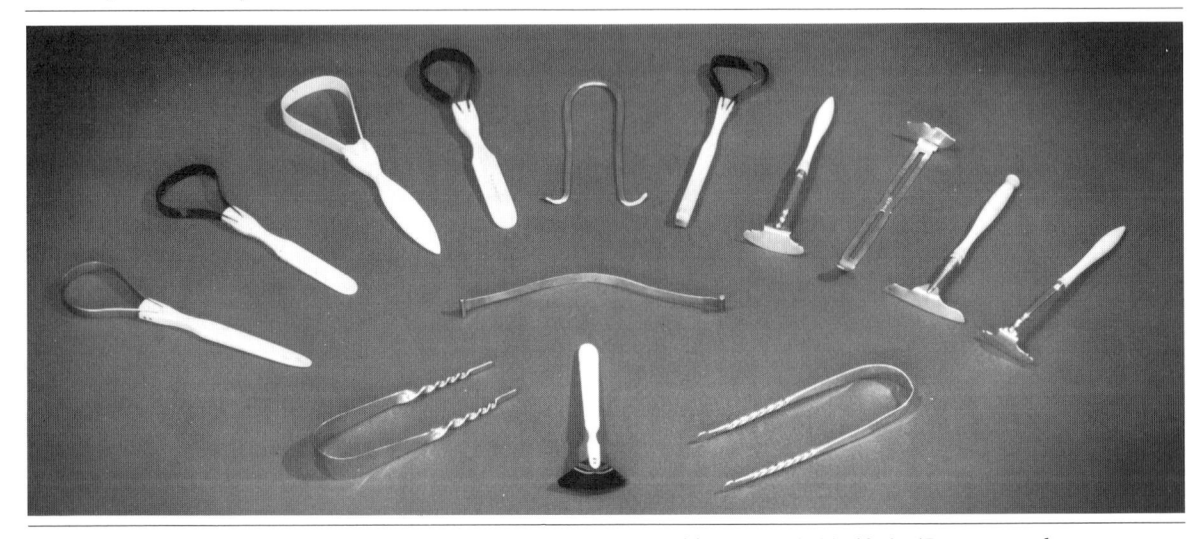

146 Verschiedene Zungenschaber aus Silber, Elfenbein und Schildpatt, um 1780–1870. (Privatsammlung, London)

Die einfachste Ausführung des Zungenschabers bestand aus einem dünnen, biegsamen Streifen, der entweder aus Silber, silber-vergoldet, aus Schildpatt oder aus Elfenbein war. Diese Zungenschaber hatten zwei Griffe und ließen sich zwischen Daumen und Zeigefinger zu einem Bogen formen. In manchen Fällen waren sie Teil einer Garnitur, zu der auch Zahnbürste und Zahnpulverdose gehörten (s. o.). Andere wiederum waren bereits zu einem Halbkreis gebogen, der sich innerhalb eines oder zweier Handgriffe befand. Einige hatten das Aussehen von Zuckerzangen mit weit voneinander abstehenden Enden, von Hacken oder, wie im Falle des Zungenschabers, dessen Klinge im rechten Winkel zum Stiel angebracht war, ähnelten dem von Kleinkindern zum Essen benutzten „Schieber". All diese Typen erschienen etwa ab 1770; das am längsten – nämlich bis zum Ende des neunzehnten Jahrhunderts – überdauernde Modell ist ein Halbreifen aus Schildpatt an einem Elfenbeingriff.

Die Verfasserin des vorliegenden Buches konnte keinerlei literarische Hinweise auf Zungenschaber oder deren Benutzung entdecken, was angesichts der vorhandenen Exemplare doch überraschend ist.

Zahnstocher und ihre Etuis

Die Annahme, daß der Mensch früher Kulturen vermutlich mit Dornen, Holz- oder Knochensplittern in seinen Zähnen stocherte, ist durchaus begründet. Zu diesem Zweck hergestellte Zahnstocher gehörten zu den in Ur gemachten Grabfunden und sind auch aus Gräbern ähnlichen Typs aus etwa der gleichen Zeit ausgegraben worden. Die meisten von ihnen waren Teil einer Garnitur von Metallutensilien, zu der auch ein Zahnstocher, ein Zugenschaber und ein Ohrkratzer an einem gemeinsamen Ring gehörten. Garnituren, die diesem Modell sehr ähnlich waren, wurden bis weit ins neunzehnte Jahrhundert hinein angefertigt. Im Talmud wurde ein Holzspan oder -splitter oder ein Reedgras empfohlen, die jeweils zwischen den Mahlzeiten im Mund getragen werden sollten. Die alten Griechen benutzten gern aus dem Holz des Mastixbaumes hergestellte Zahnstocher, Kielfedern sowie andere Federn und Strohhalme. Ihre Anwendung beschränkte sich nicht nur auf die Entfernung der zwischen den Zähnen festsitzenden Speisereste, sie galten vielmehr als Utensilien zur Zahnpflege, gehörten unbedingt zur Körperpflege und zur Einhaltung einer (relativen) Reinlichkeit, durch die ein kultiviertes Volk sich auszeichnete. Das gleiche traf auf die Römer zu. Von Nero wußte man, daß er einen silbernen Zahnstocher besaß, während Plinius die Borsten eines Stachelschweines empfahl. Die Römer hatten spezielle Sklaven, die ihnen die Zähne mit Stöckchen aus Mastixholz, deren oberes Ende wahrscheinlich plattgeschlagen und zerfasert war, reinigen mußten. Omar Khayyam besaß einen goldenen Zahnstocher; Erasmus, etwas bescheidener, benutzte die Kielfeder eines Kükens oder eines jungen Hähnchens. Mohammed verkündete seinen Anhängern, daß der Gebrauch des Zahnstochers vor dem Gebet den Wert desselben auf das 75fache erhöhe.

7 Mundhygiene

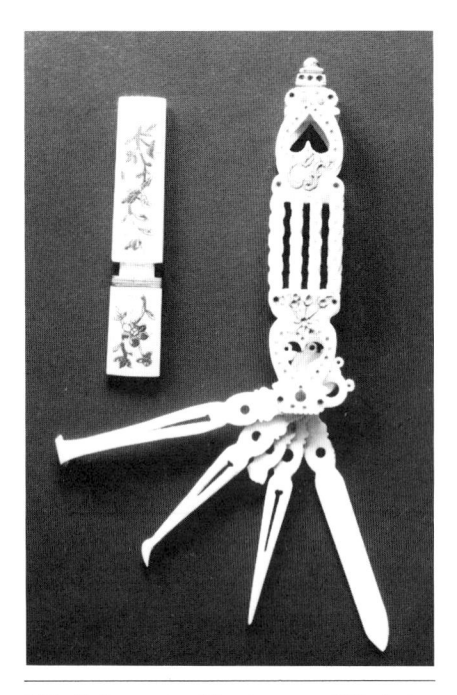

147 Zahnstocherkästchen aus Elfenbein und Zahnstocher in Filigrangehäuse aus Elfenbein, um 1815. (Sammlung Proskauer-Witt, Bundeszahnärztekammer Köln)

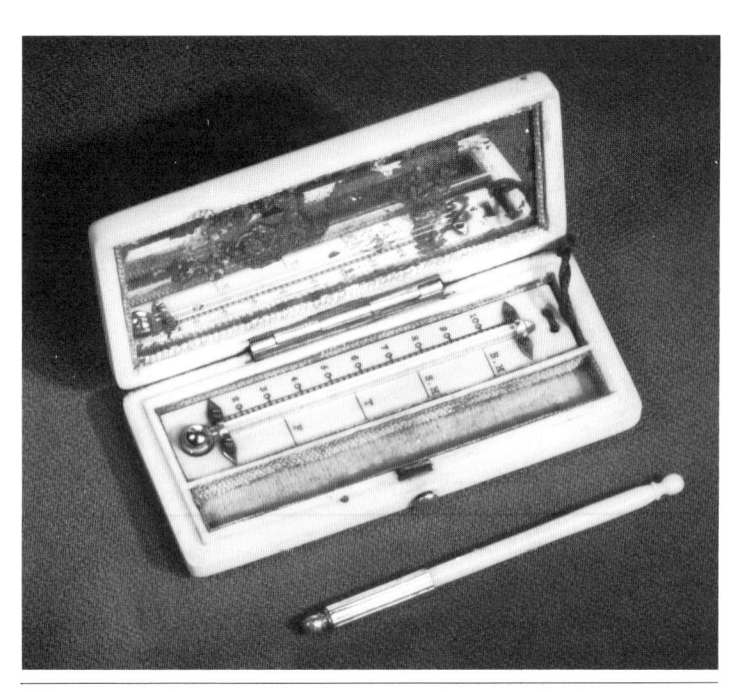

148 Zahnstocherkästchen Georgs IV. (siehe auch Abbildung 149 oben links). Im Innern ein Elfenbeinzahnstocher mit abschraubbarer Goldkappe sowie ein Thermometer von Alexander of Exeter, 1820, 9 cm. (M. Eckstein Ltd, London)

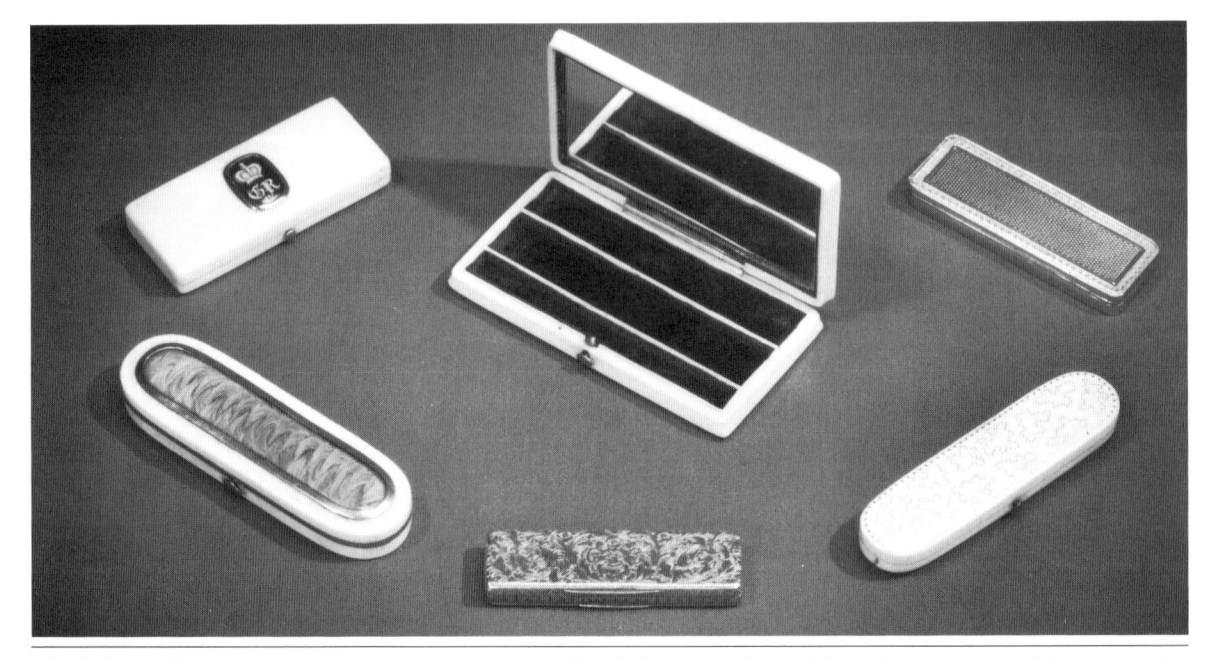

149 Zahnstocherdosen von links nach rechts: Elfenbein mit Wappen Georgs IV. in Gold und Emaille, um 1820; Elfenbein mit drei Fächern, um 1810; französisch, in zweifarbigem Gold, um 1800. Unten von links nach rechts: Elfenbein mit Goldmontierungen, auf dem Deckel ein kleiner Rahmen mit geflochtenem Haar, um 1810; Elfenbein und Gold, um 1820. (M. Eckstein Ltd, London)

Während des Mittelalters gab der Zahnstocher oft Anlaß zu Kommentaren; ein mittelalterliches Buch über Tischmanieren verdammt das Zähnestochern mit dem Messer, was wohl ein sehr verbreiteter Brauch gewesen sein muß. Giovanni d'Arcoli (1412–1484) empfiehlt die Anwendung des Zahnstochers nach den Mahlzeiten und wählt dazu eine Holzart mit adstringierender Wirkung – Zypresse, Aloe, Pinie, Rosmarin oder Wacholder. Fauchard warnte vor Zahnstochern aus Metall, Haarnadeln und Messerspitzen, da diese den Zähnen schaden. Er empfahl, einen abgerundeten Zahnstocher aus Eibisch- oder Luzernewurzel oder eine Kielfeder zu benutzen.

Heinrich von Navarra soll im Jahre 1576 monatlich 20 Sous für Zahnstocher ausgegeben haben. Ben Johnson sagte in *The Devil is an Ass:*

,,What diseases and putrefactions in the gummes are bred
By those [toothpicks] are made of adultrate and false wood?
(verfälschtes oder falsches Holz).

Im *Wintermärchen* deutet der Besitz eines Zahnstochers auf die Zugehörigkeit zum Adelsstand hin:

Je seltsamer, desto vornehmer;
ein großer Mann,
das versich're ich Euch,
man sieht es an seinem Zähnestochern.

Die Frauen in Spanien hatten Zahnstocher zur Selbstverteidigung bei sich, und die Flamencotänzerinnen behielten ihre Zahnstocher während des Tanzes im Mund, wodurch ihre Anmut angeblich noch mehr zur Geltung gebracht wurde. In Frankreich servierte man um das Jahr 1600 die Zahnstocher gleich mit dem Dessert, indem man sie in die Früchte steckte. Im darauffolgenden Jahrhundert wurden Zahnstocher zu einem Modeartikel, dessen Gebrauch den Eindruck erwecken sollte, man habe soeben ein sehr üppiges Mahl mit viel Fleisch verzehrt, selbst wenn das gar nicht der Fall gewesen war. Etwa um 1797 wußte Goethe von den Franzosen zu berichten, daß die von ihnen für ein Mahl getroffenen Vorbereitungen derartig umsichtig seien, daß die Zahnstocher niemals vergessen würden. Aus all dem geht hervor, daß die Benutzung des Zahnstochers eine über ihren eigentlichen hygienischen Zweck hinausgehende gesellschaftliche Bedeutung gewonnen hatte, den Gesten vergleichbar, die heutzutage zum Zigarettenrauchen gehören. In dem Maße wie die Zahnstocher zu ganz persönlichen, für ihre Besitzer unentbehrlichen Gegenständen wurden, begann man damit, sie aus Gold, Silber oder Elfenbein herzustellen, sie zu verzieren und die Ausführung zu verfeinern und sie teilweise mit zierlich gedrechselten Griffen zu versehen. Andere wiederum – d. h. die größere Anzahl von ihnen – wurden aus Horn oder aus Knochen angefertigt. Als sie dann für ihre Besitzer eine Notwendigkeit darstellten, benötigte man Kästchen, in denen sie sicher in der Westentasche oder im Handtäschchen aufbewahrt werden konnten. In der letzten Hälfte des achtzehnten und während des

150 *Zahnstocher, spätes 16. Jahrhundert, wahrscheinlich spanisch. Gold mit grüner Emaille, Rubinen und einer Perle, 15 cm. (British Museum, Waddesden Bequest, London)*

neunzehnten Jahrhunderts wurden diese länglichen und schmalen, entweder rechteckigen oder elliptischen Kästchen aus den verschiedensten, sehr dekorativen Materialien hergestellt, oft waren sie an der Innenseite des Deckels mit einem Spiegel ausgestattet und innen mit Samt ausgeschlagen. Als ausgesprochene Modeartikel spiegelten sie den Geschmack und die gesellschaftliche Stellung ihrer Besitzer wider. Es gab sie in der bescheideneren Ausführung aus Elfenbein oder aus Holz, mit Einlegearbeiten geschmückt, bis hin zu denen aus Silber und Gold, als emaillierte oder mit Juwelen besetzte Garnituren (Abb. 148, 149 und 151).

Im neunzehnten Jahrhundert stellte man dann die viel alltäglicheren Zahnstocher her, die sich wie ein Taschenmesser in ihr Gehäuse zurückklappen ließen (Abb. 147). Ihre Benutzung ging erst zurück, als die vornehme Lebensart sich gegen Ende des Jahrhunderts auch in den bürgerlichen Kreisen durchsetzte.

151 *Zahnstocherdose aus Elfenbein mit eingraviertem Schiffsmotiv, abgedeckt durch Glasplatte mit Goldrahmen, um 1795, 8,8 cm. Im Innern ein goldener Zahnstocher. (Phillips Ltd, London)*

Anmerkungen der Herausgeber

1 (S. 7) In diesem einleitenden Kapitel sind viele Angaben aus der Volkskunde zusammengestellt. Selbstverständlich findet man nicht alle diese Vorstellungen überall in der Welt und nicht zu jeder Zeit. Die Autorin hat versucht, dies in einen einführenden Zusammenhang zu bringen, was für die Einleitung zu einem Werk, das die Instrumente zur Zahnbehandlung zum Thema hat, sinnvoll und zweckmäßig ist. Daß der Wissenschaftler gerne wüßte, in welchen Kulturen und Zeiten sich solche Vorstellungen gebildet haben, ist hier nicht von Belang. Solche Untersuchungen gibt es vielfach. Das Thema im ganzen in einem eigenen Werk zu behandeln, wäre mühsam, aber zweifellos reizvoll. Es ist jedoch hier nicht gefragt.

2 (S. 11) Die hl. Apollonia, die in Alexandria lebte, wurde anläßlich einer Christenverfolgung unter Kaiser Decius 249 zum Feuertod verurteilt, dem sie durch Selbstverbrennung zuvorkam. Nach einer Legende sollen ihr vor ihrem Tod die Zähne ausgeschlagen bzw. einzeln mit der Zange ausgezogen worden sein. Schon im 14. Jahrhundert, vor allem aber seit dem 15./16. Jahrhundert war ihre Darstellung weit verbreitet; als Attribut gab ihr die Ikonographie – in Anspielung auf ihr Martyrium – die Zange mit einem Zahn. Sie gilt deshalb als Helferin gegen Zahn- und Kopfschmerzen und ist die Patronin der Zahnärzte.

3 (S. 11) Leider war das hübsche Gedicht, dessen letzte Strophe hier zitiert wurde (vgl. Max Apfelstedt, „Schutzpatronin der Zahnärzte", in: Zahnärztliche Mitteilungen 25/1934, Sonder-Nr. S. 22), nicht im ganzen auszumachen. Wir bringen deshalb hier die Rückübersetzung der beiden ersten Strophen aus der englischen Übersetzung von E. Bennion:

Heilige Apollonia,
als armer Sünder steh' ich hier,
meine Zähne schmerzen sehr,
sei mir doch bitte wieder gut
und gib mir wieder meine Ruh',
daß ich den Schmerz vergessen tu!

Apollonia, Apollonia,
die Heil'gen all in der Höh',
können meinen Schmerz in Dir wohl sehn,
befrei' mich von der bösen Pein,
denn mein Zahnweh
könnt' mein Tod auch sein.

4 (S. 21) Da es sich um eine Anzeige handelt, ist es schwierig, genau zu sagen, was dort nun eigentlich angepriesen wird. Das Wort „Cephalik"

weist auf Kopf, Schädel hin und könnte ein schmerzstillendes Mittel gewesen sein; in dem Fall hätte es eine sehr starke Arznei sein müssen, wenn sie die Schmerzen so schnell beseitigt. Das Mittel, das in den hohlen Zahn gefüllt wurde, war vermutlich ein anderes.

5 (S. 24) Dies ist in der Tat nichts Ungewöhnliches. Auch in Deutschland machten sich in der Epoche der „Kurierfreiheit" (1869–1952) bevorzugt Uhrmacher und Goldschmiede mit den Geheimnissen der Zahnheilkunde vertraut. Von keinerlei wesentlichen Rechtsvorschriften behelligt, nannten sie sich gern Dentisten, Zahnkünstler oder Zahnoperateure. Da insbesondere die Zahntechnik sehr eng mit der Goldschmiede- oder Uhrmacherkunst verwandt war, ist hieran nichts Erstaunliches. Diese tüchtigen Handwerker waren nicht selten auch tüchtige Zahnbehandler.

6 (S. 25) Auch gegenwärtig, da diese Zeilen geschrieben werden, erhebt sich, zumindest in Deutschland, die Klage, daß die Zahnärzte mit unangemessen hohen Honoraren große Reichtümer anhäufen. Begründet oder nicht, dieser Vorwurf scheint die Zahnärzte durch die Zeit hindurch zu begleiten.

7 (S. 29) Bei der Betrachtung historischer Dentalinstrumente wird nicht selten die Frage gestellt, wie die damaligen Behandler denn mit derart geradezu untauglichen Gerätschaften hätten arbeiten können. Eine solche Frage unterstellt wohl auch gelegentlich – in Beantwortung ihrer selbst –, daß mit derlei Geräten kaum ein vernünftiges Behandlungsergebnis zu erwarten gewesen sei. Vor solchem Hochmut kann man nur warnen! Man betrachte allein schon die Instrumentenmacherkunst, die aus den Gerätschaften spricht. Man vergegenwärtige sich, welch großartige Leistungen vergangene Generationen in allen Bereichen von Wissenschaft, Technik und Handwerk hervorgebracht haben. Sollen diese Menschen stümperhafte Zahnärzte oder Chirurgen gewesen sein, nur weil wir uns heute nicht vorstellen können, diese Geräte richtig anzuwenden? In vielerlei Hinsicht war uns die Handwerkskunst früherer Zeiten weit voraus; man beherrschte Fertigkeiten, die längst verlorengegangen sind. Mit Sicherheit darf angenommen werden, daß die Tüchtigen unter den Zahnärzten und Chirurgen ihr Handwerk damals ebenso souverän und virtuos beherrschten wie ihre Kollegen von heute.

8 (S. 51) Der Eindruck, der Schlüssel sei spätestens im letzten Drittel des 19. Jahrhunderts praktisch von der Bildfläche verschwunden, ist falsch. In der Sammlung Proskauer-Witt, Bundeszahnärztekammer, Köln, befindet sich ein französisches Zahnarztbesteck aus dem Ersten Weltkrieg, das einen Zahnschlüssel mit Holzgriff enthält. Im Katalog der Firma Jetter und Scheerer (Aeskulap) sind Mitte der Zwanziger Jahre unseres Jahrhunderts noch drei Schlüssel mit Metallgriff abgebildet. Wo er noch angeboten wurde, bestand sicher auch noch entsprechende Nachfrage.

Anmerkungen

9 (S. 65) Die abgebildeten und beschriebenen Instrumente zur senkrechten Extraktion (engl. ,,perpendicular extraction") markieren eine Fehlentwicklung in der Instrumentenlehre, die in eine Sackgasse mündete. Alle heute üblichen Extraktionsinstrumente, Zangen wie Hebel, begründen ihre Wirkungsweise in Gesetzmäßigkeiten, welche die physiologische Befestigung des Zahnes in seinem Fach berücksichtigt. Der Befestigungsapparat des Zahnes, in seiner Gesamtheit als Desmodont bezeichnet, erlaubt jedoch nur laterale oder rotierende Luxationsbewegungen des Zahnes bei der Extraktion, keinesfalls jedoch axiale, weswegen auch der Begriff des ,,Zahnziehens" eigentlich falsch ist. Die Biomechanik der desmodontalen Verankerung gestattet keine vertikale Extraktion. Die in diesem Sinn wirkenden Instrumente belegen zwar den schöpferischen Scharfsinn ihrer Erfinder, konnten sich jedoch wegen ihrer Untauglichkeit nicht durchsetzen. Sie sind daher heute höchst seltene Sammlerstücke.

10 (S. 76) Bereits Ende des 19. Jahrhunderts war der zahnärztliche Bohrer oder Schleifer im Prinzip zur heute üblichen Form ausgereift. Die damals im Handel befindlichen Hand- oder Winkelstückbohrer lassen sich problemlos in eine moderne Maschine einspannen, wie umgekehrt die heute benutzten Bohrer in ein Winkelstück zur alten Tretbohrmaschine des Jahres 1890 passen würden. Bei den Bohrinstrumenten ist seitdem eigentlich nur die Luftturbine hinzugekommen: Deren Bohrer oder Schleifer haben einen kleineren Schaftdurchmesser und werden durch Klemmspannung (friction grip, FG) anstelle der Bohrerhalteklappe befestigt.

11 (S. 80) Das Kautern mit glühenden Instrumenten scheint auf den ersten Blick eine ganz besonders archaische Behandlungsmethode zu sein. Man vergesse jedoch nicht, daß zu einer kompletten zahnärztlichen Behandlungseinheit noch um 1960 selbstverständlich der Thermokauter, nämlich die elektrische Glühschlinge, gehörte. Lediglich in der Technik, nicht jedoch in der Wirkung, unterscheidet sie sich vom Brenneisen. Auch die heute gebräuchlichen Elektrotome, die ohne Hitzeentwicklung schneiden und koagulieren, sind vom Brenneisen nicht so weit entfernt, wie wir uns das vielleicht einreden mögen.

12 (S. 82) Seit ägyptischen Zeiten gibt es viele Rezepte, um Metalle wie Gold aussehen zu machen – auch die Literatur zur Alchemie ist voll davon. Häufig wird dazu Safran verwendet. Curcuma (engl. turmaric), ein indisches Gewürz, ist z. B. in den (gelben) Currymischungen enthalten; ,,amatto" war nicht ohne weiteres zu finden. Die ,,Goldfärbung" mit solchen organischen Stoffen kann aber kaum von Dauer gewesen sein.

13 (S. 82) Bei der Entwicklung von mechanischen Goldhammerinstrumenten, die durch Bohrmaschinen angetrieben werden, ist besonders intensiv nach technischen Lösungen gesucht worden. Es gibt eine große Zahl von teilweise höchst komplizierten und sehr eleganten Goldhammerapparaten, die dem Praktiker zwischen 1890 und 1920 zu Gebote standen. Diesen meistens in samtgefütterten Lederkästchen aufbe-

Anmerkungen der Herausgeber

wahrten Instrumentensätzen ist gemein, daß sie fast immer so gut wie neu sind, wenn der Sammler sie findet. Fast nie sind Gebrauchsspuren oder Mängel festzustellen, im Gegensatz zu anderen technischen Geräten, welche meist gravierende Abnutzungserscheinungen aufweisen. Der Schluß liegt nahe, daß diese Geräte in der Regel unbenutzt im Schrank lagen, weil die Goldhammerfüllung zwar seitenweise in den Lehrbüchern abgehandelt wurde, in der Praxis jedoch so gut wie bedeutungslos war.

14 (S. 99) Die Angaben der Autorin sind nicht ganz präzise, wenn sie von ,,Kunstharz" spricht. Üblicherweise wird unter ,,continuous gum work" ein Verfahren der Prothesengestaltung verstanden, bei dem Konfektionszähne aus Porzellan sowie künstliches, rosafarbenes Zahnfleisch, ebenfalls aus Porzellan, eine Einheit darstellen. Die Porzellananteile wurden mit Nieten oder Stiften auf einer gestanzten Metallbasis befestigt. Hersteller künstlicher Zähne, allen voran die Firmen C. Ash & Sons (England), S. S. White und Justi (USA), boten eine enorme Formenvielfalt solcher zu Gruppen oder Blöcken zusammengefaßten Zahngarnituren mit fertigem ,,Zahnfleisch" an (daher die deutsche Bezeichnung ,,Blockzähne"). Die Herstellung war höchst kompliziert und aufwendig und dementsprechend teuer.

15 (S.115) Es handelt sich um einen sonst unbekannten Arzt, dessen wichtige Arbeit erst kürzlich nachgewiesen wurde: G.-V. Lafargue (biographische Daten sind nicht zu ermitteln). Vgl. Albert Faulconer und Thomas E. Keys, Foundations of Anesthesiology. Springfield/Ill. (Charles L. Thomes) 1965, wo eine englische Übersetzung seiner Arbeit u. d. T. ,,Notes on the effects of certain drugs introduced under the epidermis" (S. 1023) erschienen ist. Die Originalarbeit von 1836 ,,Notes sur les effets de quelques medicaments introduits sous l'épidermise" erschien in den ,,Comptes rendues hebdomadaires des sciences de l'academie des sciences", III: 397/8 (26. Sept. 1836) und 434 (5. Okt. 1836).

16 (S.134) Die Autorin hat recht, wenn sie für die Herstellung von Obturatoren heute keine der klassischen Indikationen mehr sieht. Diese sind der Defektschluß bei den angeborenen Spaltbildungen des Oberkiefers, die heute chirurgisch perfekt versorgt werden, sowie das Gumma des Oberkiefers als Symptom der Syphilis im tertiären Stadium. Wenn die Syphilis auch nicht ausgerottet ist, sind ihre Spätstadien heute in unserem Kulturkreis sehr selten. Zu Versorgung sehr großer Defekte als Folge radikaler chirurgischer Therapie bei der Malignombehandlung haben spezielle Obturatoren, verbunden mit Prothesen und Epithesen auch heute noch ihre Bedeutung.

17 (S.141) Das Modell von Behandlungsstuhl, auf das E. Bennion anspielt, ist jenes, in welchem der Patient wie in einem Lehnstuhl Platz nimmt und der Zahnarzt die Behandlung stehend am sitzenden Patienten vornimmt. Dieser Stuhltyp muß heute mit Fug auch schon als ,,historisch" angesehen werden, weil er vollständig von jenem Typ abgelöst wird, bei dem der Patient mehr oder weniger liegt und vom sitzenden

Zahnarzt behandelt wird. Moderne Behandlungsstühle haben häufig weder Armlehnen noch Fußstützen, sondern sind nurmehr Schalen oder Liegen, in die sich der Patient gleichsam „hineinzugießen" hat und in dem, wie häufig berichtet wird, das unangenehme Gefühl, dem Behandler völlig ausgeliefert zu sein, besonders quälend ist. Vor allem alte Menschen, aber auch körperbehinderte oder korpulente Patienten sind sehr unglücklich, daß der „gute alte Behandlungsstuhl" aus der modernen Praxis so gut wie verschwunden ist. Sein endgültiger Exitus scheint bevorzustehen; denn die bedeutenden internationalen Hersteller von Dentalmöbeln führen ihn schon lange nicht mehr im Angebot.

Nachwort der Herausgeber

Wenn ein Verlag sich entschließt, eine deutsche Ausgabe von einem englischen Werk herauszubringen, muß er schon gute Gründe haben – denn wem möchte er das Werk empfehlen, also: verkaufen? Zahnärzte verstehen meist gut genug Englisch, um auch die Originalausgabe benutzen zu können, wenn das Thema sie interessiert; und die zahlreichen, sehr schönen Abbildungen stimmen ohnehin – bis auf zwei, allerdings besonders wichtige Bilder auf der letzten Farbtafel – völlig überein.

Freilich erwies sich jene Originalausgabe noch als verbesserungsbedürftig, wie es – wie in diesem Fall – bei dem ersten größeren Werk zu einem bestimmten Thema oft der Fall ist. Auch wurden die auf den englischen Sprachbereich ausgerichteten Angaben des Anhangs beträchtlich ergänzt. Dennoch müssen die Herausgeber nun sagen, an wen sich diese Ausgabe im besonderen wendet, d. h. auch: Ob sich wohl außer Zahnärzten und Historikern noch andere dafür interessieren könnten, Personen z. B., die als Patienten mit der Zahnmedizin zu tun hatten (oder haben werden).

Antike Instrumente – wer will sie sehen? Wer möchte Näheres darüber wissen? Und warum? Viele Gründe ließen sich anführen. Gespräche und Erfahrungen mit Besuchern der *Sammlung Proskauer-Witt, Bundeszahnärztekammer Köln,* haben uns über die momentanen Motive und wohl auch über tiefere Gründe des Interesses, vor allem an zahnärztlichen Instrumenten, belehrt.

Die erste und größte Gruppe sind interessierte Laien: ,,normale'' Menschen, Patienten meist, die irgendwann einmal eine zahnärztliche Behandlung an sich erfahren haben oder wahrscheinlich noch erfahren werden. Zu dieser Gruppe gehören auch die Vertreter der Öffentlichkeit, vor allem der ,,Medien'', die fragen und aussprechen, was ,,das Publikum'' interessiert. Sie wollen in erster Linie ,,die Instrumente'' sehen. Was die große Sammlung sonst noch bietet (und das ist viel und vielfältig!), tritt oftmals in den Hintergrund.

Woran das liegt, ist deutlich. Die Vorstellung, die sich von den alten Behandlungsmethoden seit nunmehr zwei Jahrhunderten ausgebildet und gefestigt hat, ist die der Folter. Gesucht wird das Gruseln, das prickelige Gefühl, von dem man nicht genug kriegen kann. Daneben spielt wohl auch die Erinnerung an Zahnschmerzen eine Rolle, die bekanntlich mit zu den schlimmsten, da ausdauernden Schmerzen gehören, die es gibt. Davor verblaßt dann die Erfahrung einer heute längst schon fast schmerzlosen Behandlung. ,,Gehabte Schmerzen hab' ich gern.'' Angst und Schmerz aber sind auf diese Weise vermutlich für alle Zeit unlösbar mit der Vorstellung von Zahnbehandlung und den dazu nötigen Instrumenten verbunden.

Die zweite und wichtigste Gruppe bilden die Zahnärzte. Hinzu kommen die Zahntechniker, die Fachkräfte und Helfer in der Zahnheilkunde sowie alle Ärzte und Therapeuten, die auf vielfältige Weise mit Angst und Schmerz umgehen müssen.

Nachwort

Die Fachkräfte, deren Aufgabe die Behandlung von Zahnschmerzen ist, müssen sich ständig mit den verschiedensten individuellen Schäden und Beschwerden befassen. Und so richtet sich ihre Aufmerksamkeit zwangsläufig auf das Werkzeug, das sie zu handhaben verstehen und mit dem sie Linderung und Heilung bewirken. Auch müssen sie, selbst bei reichster Erfahrung im Urteil und bei größter Handgeschicklichkeit, doch immer wieder überlegen und entscheiden, wie denn im Einzelfall vorzugehen sei und welches Instrument sich für den notwendigen Eingriff am besten eignet.

Schwierige Situationen, die in früheren Zeiten kaum zu beherrschen waren – z. B. das gefürchtete Abbrechen der Zahnkrone, wenn der Zahnkranke zu spät zur Behandlung kam und der Zahn schon weitgehend zerstört war –, sind heute seltener und können überwunden werden. Häufiger müssen dagegen alte Menschen behandelt werden, deren Gewebe nicht mehr über die erstaunliche Heilkraft der Jüngeren verfügt. Allein der Zahnarzt weiß, wieviel Phantasie und Geschick nötig sind, um aus Erfahrung richtig zu handeln. Deshalb interessieren ihn auch die Instrumente und Behandlungsmethoden früherer Zeiten. Sie können seine Vorstellungskraft stärken und seine Erfahrung damit erweitern.

Die dritte und kleinste Gruppe sind die Historiker. Sie brauchen die Kenntnisse und Erfahrungen der Fachleute; aber ihre Phantasie richtet sich kaum auf die Situation im einzelnen. Alte Gegenstände, Bücher und bildliche Darstellungen sind ihre Instrumente, mit denen sie die Vergangenheit ordnen und damit die Wirklichkeit besser verständlich machen. Die Werke bedeutender Persönlichkeiten früherer Zeiten leben fort und können so einen Beitrag zur Lösung gegenwärtiger Probleme leisten.

Sammler und Forscher sind es vor allem, die dieses Buch benötigen; zunächst ist es von Sammlern für Sammler gemacht, aber jede Sammlung gibt auch dem Forscher die für ihn so notwendige, unmittelbare Nähe zur Realität, vermittelt Sachkunde. Zwar ist Instrumentenkunde nur ein Teil der Zahnheilkunde, so wie diese nur einen Teil der Medizin, und diese wiederum nur ein, wenn auch großes Gebiet der allgemeinen Kultur darstellt. Der Sammler ist der Kenner des einzelnen, der Forscher dagegen sucht das einzelne in größeren Zusammenhängen zu verstehen. Betrachten wir aber das einzelne!

Jeder, der sich mit Antiquitäten beschäftigt, weiß die diesbezügliche Bedeutung Englands zu schätzen. Wohl nirgendwo sonst auf der Welt findet man auf engstem Raum so viele Geschäfte, Märkte, Auktionshäuser und Fachmessen vereint wie in London, dem Dorado des internationalen Antiquitätenhandels. Dies liegt zum einen wohl an dem Umstand, daß in England die Wiege der ersten industriellen Revolution stand. Die unangefochtene Stellung des Vereinigten Königreiches bei der Herstellung industrieller Produkte manifestiert sich u. a. sehr deutlich in der großen Zahl namhafter Produzenten chirurgischer und zahnärztlicher Instrumente. Ihr Erfindungsgeist, gepaart mit dem Genie einiger bedeutender Zahnärzte, bescherte der Fachwelt wichtige Neuentwicklungen, beispielsweise die von Tomes entwickelte und von dessen Instrumentenmacher Evrard verwirklichte Extraktionszange neuen Typs. Man kann, ohne zu übertreiben, sagen, daß im letzten Drittel des vorigen Jahrhunderts die englischen Hersteller zahnärztlicher Bedarfsartikel eine absolut unangefochtene Vormachtstellung auf dem europäischen Markt besaßen, allen voran die Firma Claudius Ash & Sons, London, mit Niederlassungen in Liverpool, Manchester, Paris, Berlin, Hamburg, Frankfurt, Mailand, Wien, Budapest, Konstantinopel, Kopenhagen, Stockholm, Christiania, St. Petersburg, Moskau, Kiew und New York.

Andererseits scheint das den Engländern eigene Naturell den Antiquitätenhandel besonders zu begünstigen. Die Neigung zum Sammeln kurioser Gegenstände ist in England schon sehr viel länger und tiefer als bei uns verankert. Dies spiegelt sich z. B. in der beneidenswert großen Zahl wissenschaftlicher Sammlungen wider. In ihnen werden Schätze gehütet, die nicht nur die glorreiche naturwissenschaftliche und industrielle Vergangenheit Großbritanniens bezeugen, sondern deren kulturhistorischer Wert für ganz Europa von Bedeutung ist. Allein in London sind nicht weniger als drei wichtige Sammlungen zahnärztlicher Instrumente der interessierten Öffentlichkeit zugänglich (Wellcome-Collection im Science Museum, British Dental Association und Royal Society of Surgeons). Daneben gibt es eine unübersehbare Zahl privater Sammler, die ihren Bedarf großenteils im örtlichen Antiquitätenhandel decken. Zahlreiche Händler haben sich auf wissenschaftliche und medizinische Instrumente spezialisiert.

Auf diesem fruchtbaren Boden gedeiht eine von Amateuren getragene rege Sammlertätigkeit, wie sie in England bei den Angehörigen gebildeter Kreise eine lange Tradition hat. Daraus erwächst auch die Darstellung von Frau Bennion, die bereits durch ihr erstes Buch „Antique Medical Instruments" vor einigen Jahren die Fachwelt auf sich aufmerksam gemacht hat. Dieses Buch ist inzwischen weit verbreitet. Zugleich wurde mit ihm der Beweis erbracht, daß auch heute noch wissenschaftliche Amateure, aber profunde Kenner ihres Gebietes, erfolgreich wirken können und in ihrem speziellen Bereich ihren professionellen Fachkollegen in nichts nachstehen. Dies ist die Botschaft, die uns auch das vorliegende Werk vermitteln möchte. Der Sammler widmet sich der farbigen und pittoresken Seite unserer Standesgeschichte. Indem er wichtige Belegstücke zahnärztlicher Kunst vor Verlust und Vernichtung bewahrt, bearbeitet er einen Bereich, der seit der Jahrhundertwende aufs neue ins Blickfeld der professionellen Medizingeschichte getreten ist und bis heute seine Bedeutung nicht verloren hat.

So möge zum Schluß der Historiker zu Worte kommen und sagen, was er aus den Gegenständen zu lernen vermag. Geschichte ist oftmals Rekonstruktion, und ihre Ergebnisse weichen nicht selten erheblich vom scheinbar Selbstverständlichen ab. Ein Beispiel möge dies zeigen: Zahnschmerz kommt meist allmählich, steigert sich dann aber langsam bis zur Unerträglichkeit. Zwar wird der schmerzhafte Ruck einer Extraktion ebenfalls gefürchtet, doch danach ist die Erleichterung groß und der Schmerz bald vergessen (vgl. die letzte Abbildung 162, oder die bekannte Bildfolge „Der hohle Zahn" von Wilhelm Busch). Die wandernden „Zahnreißer" früher Jahrhunder-

Nachwort

te, bis heute oft genug als „Scharlatane" verschrien, mußten große Könner sein. Mit den bereits im 17. Jahrhundert hochentwickelten, vorzüglichen Instrumenten ist ihnen manche schwierige Extraktion gelungen; die an ihrem Hals hängenden Ketten von Backenzähnen mit ungebrochenen Wurzeln waren ein Beweis dieses Könnens und wurden mit Stolz vorgezeigt. Wenn aber eine Wurzel im Kiefer blieb, konnte man sich nur noch auf die „Heilkraft der Natur" verlassen. In so manchem dieser Fälle mag ein tödlicher Abszeß das Leiden beendet haben.

Nur mit dieser Gefahr vor Augen ist die Erfindung eines Instruments zu verstehen, das z. B. den Wurzelkanal erweitern und die Einführung einer Schraube ermöglichen sollte, um dann die Wurzeln einzeln ziehen zu können (Farbtafel XXII). Wenn man bedenkt, daß die Anästhesie erst zwei Generationen später allmählich eingeführt wurde, und selbst wenn man noch die hohe Schmerztoleranz früherer Zeiten in Rechnung stellt, kann es einen schaudern bei dem Gedanken an eine solche Operation – vor allem, wenn man sich noch dazu klar macht, wie lange es vermutlich dauerte, bis die Schraube fest genug in der Wurzel saß und der erlösende Ruck erfolgen konnte.

Die wirkliche Angst vor dem Zahnarzt setzt erst mit der Erfindung des Bohrens ein – also erst mit der konservierenden Zahnheilkunde. Nicht nur, weil mit den ersten Instrumenten das Ausbohren einer Karies recht lange dauerte, auch mit der Füllung des Loches war der Schmerz nicht immer behoben. Dauerschmerz aber zermürbt, wie Dauerlärm.

Wer dieses Buch mit seinen zahlreichen Bildern aufmerksam durchblättert, wird das Vergnügen der Sammler an der vielfältigen Form und der oft spielzeughaften Schönheit solcher Instrumente verstehen. Die Kunst der Instrumentenmacher, ihre handwerkliche Sorgfalt, die den Gegenständen Dauer über Jahrhunderte verlieh, ist von bleibendem Reiz. Dabei fragt sich der Betrachter freilich, ob denn die vielen verschiedenen Geräte wirklich alle gebraucht wurden?

Vor mehreren Jahren bekam die Kölner Sammlung einige Instrumente geschenkt, die ein Zahnarzt in der Kriegsgefangenschaft selbst gefertigt hatte (Farbtafel XXIII). Bei ihrem Anblick mag sich der Historiker daran erinnern, wie mit dem Aufkommen der industriellen Fertigung die Zahl der vielfältig angebotenen Instrumente zu einer schier unübersehbaren Fülle anwuchs, und er fragt sich wohl, ob hier Notwendigkeit vorliegt oder eine Art „Gesetzmäßigkeit", nach der sich so manche historische Erscheinung als Ausdruck periodischer Schwankungen verstehen läßt.

Hat nicht jeder Zahnarzt auch heute eine verhältnismäßig kleine Anzahl von Instrumenten zur Hand, die er regelmäßig benutzt, und dahinter noch einiges Gerät für besondere Fälle? Der barocken Fülle, zu der die Formenvielfalt der Instrumente in der zweiten Hälfte des 19. Jahrhunderts auflaufen – kaum vermindert in der Zeit des Krieges und der ersten Nachkriegszeit – stehen gleichsam „klassizistische" Perioden gegenüber, in denen das Einfache gesucht wird. Heute ist zwar wohl wieder eine Tendenz zur Vereinfachung zu beobachten, doch man kann vermuten, daß Kunstfertigkeit, Erfinder-

Nachwort der Herausgeber

Farbtafel XXII *Getriebehandbohrmaschine, von dem Berliner Hofzahnarzt Heinrich Lautenschläger im Jahre 1803 konzipiert und von einem Mechaniker namens Luckow angefertigt. War ein Zahn während der Extraktion abgebrochen, wurde der Wurzelkanal mit dem Luckow-Bohrer erweitert, um die sogenannte Serresche Schraube (nach Johann Jakob Serre, ebenfalls Hofzahnarzt in Berlin) aufnehmen zu können. Das Gerät diente dazu, die Restwurzel zu ziehen. (Sammlung Proskauer-Witt, Bundeszahnärztekammer Köln)*

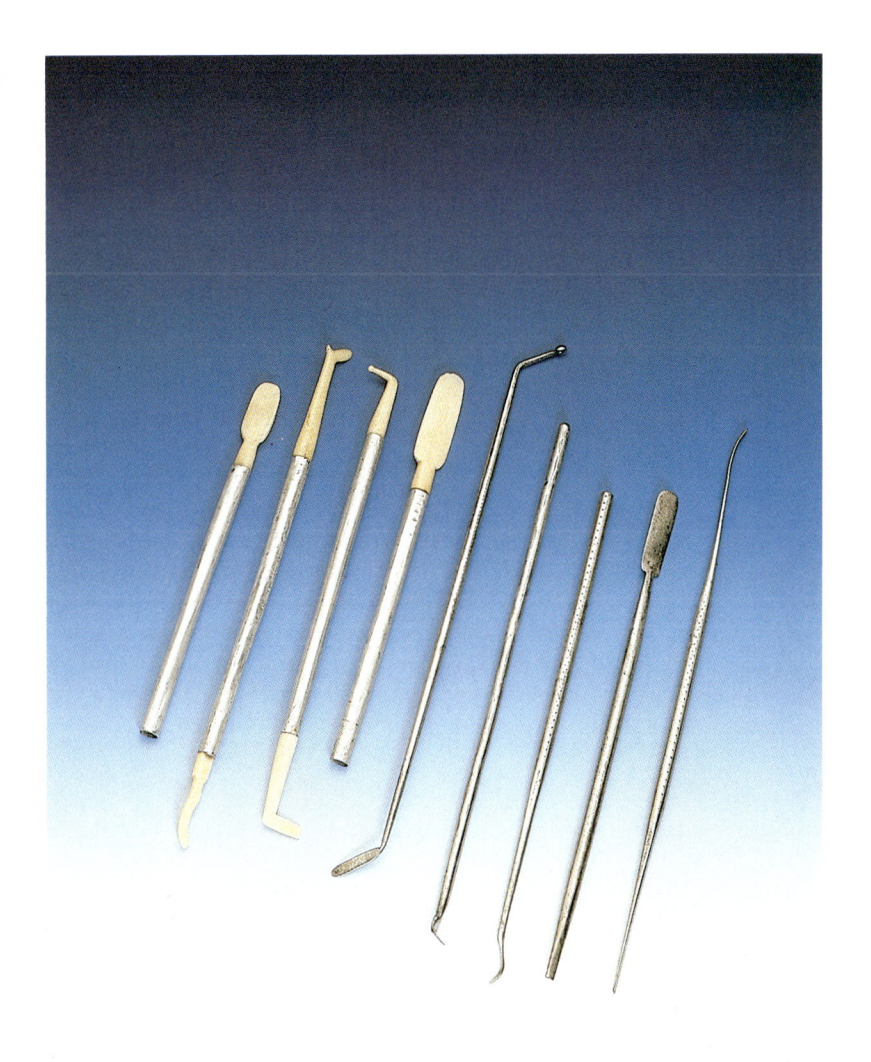

Nachwort

Farbtafel XXIII *Zahnärztliche Instrumente, die von dem Zahnarzt H. Stratmann in tschechischer Kriegsgefangenschaft nach 1945 aus Metallabfällen und Tierknochen angefertigt wurden. (Sammlung Proskauer-Witt, Bundeszahnärztekammer Köln)*

geist und Spieltrieb bald wieder zur Vermehrung des vielfältigen Angebots führen werden.

So wird nun, wie wir hoffen, die deutsche Ausgabe dieses Buches für beide gleich nützlich sein: für den Forscher wie für den Sammler. Die Bearbeitung war mühevoll und lohnend. Die Übersetzung hält sich streng an den Text, doch wurde so mancher Irrtum stillschweigend ausgemerzt. Wir danken bei dieser Gelegenheit Frau Ute Emmerich für die Durchsicht der Übersetzung. Manches, was darüber hinaus im Text nicht eindeutig oder schwer verständlich war, konnte durch ,,Anmerkungen'' erläutert werden (S. 155). Die Verzeichnisse der Instrumentenmacher wurden durch eine ausführliche Übersicht über deutsche Handwerker und Betriebe ergänzt (S. 168). Der Historiker endlich braucht eher als eine ,,Zeittafel'' eine ausführlichere Bibliographie, die hier nun nach Jahrhunderten, also chronologisch geordnet, geboten wird. Wo bei alten und seltenen Werken Faksimileausgaben erschienen sind, wurde das ebenfalls angeführt.

So sollte die deutsche Ausgabe in mancher Hinsicht abgerundet erscheinen, um, wie schon das englische Original, für einige Zeit als Standardwerk gelten zu können.

Hersteller zahnärztlicher Instrumente

Vorbemerkungen der Herausgeber

Leider stehen über das Wirken der zahlreichen Instrumentenmacher noch keine tragfähigen Forschungsergebnisse in ausreichender Zahl zur Verfügung. Der Sammler ist auf die wenigen erhaltenen Originalkataloge der Hersteller angewiesen, wie sie in einigen Spezialbibliotheken erhalten geblieben sind. Erst im letzten Drittel des 19. Jahrhunderts erscheinen Kataloge regelmäßiger, in Deutschland von den Firmen C. Ash & Sons, S. S. White, Geo Poulson, um die wichtigsten Namen zu nennen. Mithin stellen die auf den Instrumenten angebrachten Signaturen und Markierungen die hauptsächliche Primärquelle für Forscher und Sammler dar. Die empirisch so gewonnenen Ergebnisse sind in der Regel bruchstückhaft und zufällig.

Bei den Instrumentenmachern des Vereinigten Königreiches hat die Autorin Elisabeth Bennion in jahrelanger Arbeit eine hervorragende Übersicht zusammengestellt, auf die der Leser dankbar zurückgreifen wird, zumal die überwiegende Zahl der auf dem Markt erscheinenden Objekte englischen Ursprungs ist. In gleicher Weise wurde für den Bereich Nordamerikas von der dortigen großen Sammlergemeinde wesentliche Grundlagenarbeit geleistet, so daß Dr. Gary Lemen der Autorin eine Liste der amerikanischen Instrumentenhersteller überlassen konnte. Weniger überzeugend ist die Zusammenstellung der kontinentaleuropäischen Hersteller, die der besseren Übersicht wegen von den Herausgebern in deutsche und übrige europäische unterteilt wurde. Die Liste der kontinentaleuropäischen Instrumentenmacher wurde gegenüber der Originalausgabe erweitert und teilweise redigiert.

Die Liste der deutschen Instrumentenmacher wurde vollständig neu erarbeitet und auf die wesentlichen Dentaldepots, Fabriken für Dentalutensilien sowie Zahnhändler bis etwa zum Jahr 1900 ausgedehnt. Angaben der Originalausgabe, welche noch nicht eindeutig bestätigt werden konnten, wurden fortgelassen; dies betrifft etwa 35 Namen. Dennoch ist das Verzeichnis gegenüber der englischen Ausgabe sehr erheblich erweitert worden. Von großer Hilfe war dabei die leider vergriffene Veröffentlichung von Christian Hepburn: ,,Die Geschichte der Hersteller und Verkäufer zahnärztlicher Bedarfsartikel bis um 1900", Köln 1965.

Hersteller zahnärztlicher Instrumente

1. Deutschland

	Aeskulap	siehe Jetter und Scheerer
A. G. für Dentalindustrie		Dentaldepot in Karlsruhe, später Wertheimer & Mendel
gegr. 1884		
	Albert	Dentaldepot I. V. Albert Sohn in Frankfurt a/M
	1846	belegt durch Annonce
	1853	Preisverzeichnis
	1863	Zeil Nr. 36 in Frankfurt. Kein späterer Beleg
	Ash	C. Ash & Sons. Depot und Fabrikant für Dentalartikel
	1814	Ash & Son, Silversmith and Jeweller, 64 St. James's St. London
	1835	C. Ash, 9 Broad Street, Golden Square, London
	1862	Erste deutsche Filiale in Berlin
	1864	Filiale Leipzig, Auf dem Obstmarkt 1 unter Leitung von C. A. Lorenz (s. d.)
	1868	Filiale Berlin, Carlstraße 18a unter Leitung d. Herrn Finigan
	1868	Filiale Leipzig wird von C. A. Lorenz übernommen
	1869	Filiale Wien, Wollzeile 27
	1871	Filiale Hamburg, Bleichenbrücke 6
	1892	Jägerstr. 68, Berlin, und Gänsemarkt 62/63, Hamburg
	1915	Ausgliederung der Phoenix Aktiengesellschaft für Zahnbedarf
	1924	Fusion mit der C. de Trey Co. zur „The Amalgamated Dental Co."
	1987	Phönix Aktiengesellschaft für Zahnbedarf, Essen
	Baisch	Karl Baisch. Fabrik für Praxismöbel
	1907	Firmengründung in Stuttgart
	1987	Karl Baisch GmbH, Weinstadt 1
	v. Bargen	Zahnhandlung in Hamburg
	1849	
	Bauer	Wilhelm Bauer. Fabrikation von Stühlen, Bohrmaschinen, Ständern etc. in Berlin
gegr. 1890		
	Berger	Alwin Berger, Fabrikation von Dentalinstrumenten und -Maschinen in Berlin
gegr. 1882		
	Beutelrock	J. Beutelrock & Sohn. Fabrik für Wurzelkanalinstrumente
gegr. 1885		
	1972	Vereinigung mit Zipperer und Antaeos zu den Vereinigten Dentalwerken
	Biber	Arnold Biber, Fabrik für zahnärztliche und zahntechnische Bedarfsartikel
	1886	Firmengründung in Pforzheim
	1908	Firmenübernahme durch Dr. Fritz Winkelstroeter
	1923	Firmenbezeichnung Dentaurum
	1924	Zusammenschluß mit der Ritter Comp. Rochester, USA, zur Ritter-Biber-AG, Stammwerk in Durlach
	1927	Umfirmierung zur Ritter-AG (s. d.)
	1987	Ritter GmbH, Karlsruhe
	1987	Dentaurum J. P. Winkelstroeter KG, Pforzheim

Deutschland

Bing & Michael gegr. 1873	Dentaldepot in Leipzig, Frankfurter Straße 39	
Birk belegt 1846	Chirurgischer Instrumentenmacher in Berlin, Friedrichstraße 87	
Blume ca. 1860–1870 1863/1864	H. Blume († 1867), Instrumentenmacher in Berlin. Geschäft nach dem Tode von der Witwe weitergeführt Preisverzeichnisse gedruckt	
Bogner um 1800	Instrumentenmacher in Straßburg	
Brechtel 1883	S. Brechtel & Cie. Dentaldepot in Nürnberg Firmengründung. Später vereinigt mit Ad. Wagner zu den ,,Vereinigten Dental-Depots''.	
Breithaupt 1762	Friedrich Wilhelm Breithaupt Firmengründung in Kassel. Herstellung wissenschaftlicher Instrumente durch den Vater Johann Christian Breithaupt. Später werden auch chirurgische Instrumente hergestellt	
Busch & Co 1905 1987	Zahnbohrerfabrik Gründung durch Ernst und Otto Busch in Düsseldorf-Oberkassel Busch & Co GmbH & Co KG, Engelskirchen	
Buss gegr. 1879	Paul Buss. Dentaldepot in Berlin, Friedrichstraße 190	
Doerr gegr. vor 1887	Ernst Doerr, Fabrik und Lager zahnärztlicher Artikel in Leipzig	
Dotzert um 1863	J. N. Dotzert. Hersteller chirurgischer Instrumente in Frankfurt a/M	
Ehrlich & Schnass gegr. 1885 1987	Dentaldepot in Düsseldorf Schnass & Sohn KG, Düsseldorf	
Eicke gegr. 1894	Ed. und W. Eicke. Dentaldepot in Frankfurt a/M, Schillerstraße 17 (Übernahme der Geo-Poulson-Filiale) Ed. Eicke war vordem Vertreter von Geo Poulson (s. d.)	
Elverfeld gegr. 1884 1987	B. Elverfeld. Dentaldepot in Wiedenbrück/Wf. B. Elverfeld, Essen	
EMDA 1919 1987	Fabrik elektro-medizinischer und dentaler Apparate Firmengründung durch Georg Hartmann in Frankfurt a/M EMDA Dentaleinrichtungen, Frankfurt a/M	
Erhardt um 1840	Hermann Erhardt. Instrumentenmacher in Stuttgart	
Feill um 1850 (?)	George Feill. Zahnhandlung in Hamburg	
Fleischer um 1800	Instrumentenmacher in Gotha	
Friese 1868 1872 1909	Otto Friese. Dentaldepot in Magdeburg Firmengründung Friese & Rohrschneider, Magdeburg, Oranienstraße 12 Geschäftsübernahme durch Max Lohmeyer	
Froeschke gegr. 1895	R. Froeschke & Co. Fabrikation von Speisäulen und Wandarmen (,,Kron-ring-Geräte'')	

Fürth	Rich. Fürth & Co.
1854	Dentaldepot Hamburg, Heuberg 16
1862	Erwerb der Platinfabrik Holsten & Struve, Amelungstraße 19 in Hamburg
1866	Zahnbürstenfabrikation, Zahnfabrik
1867	noch belegt durch Hauptbuch Poulson
Fuhrmann & Co.	Dentaldepot in Leipzig
vor 1897	Firmengründung. Später Fuhrmann & Hühnel
Gesell	C. Gesell. Instrumentenmacher in Berlin
gegr. vor 1877	
Görk	Instrumentenmacher in Heidelberg. Katalog verschollen
vor 1821	
Gregor, Löb	Hofinstrumentenmacher in Dresden
um 1800	
Griebel	Instrumentenmacher in Berlin
belegt 1804	
Haas	Dr. Haas. Dentaldepot in Frankfurt a/M. Beethmannstraße 16
1849	
Hager	Erwin Hager & Co.
1912	Firmengründung durch E. Hager und Willi Noack in Düsseldorf
1924	Erwerb der Firma A. Meisinger (s. d.) und Fusion zur Fa. Hager & Meisinger
1987	Hager & Meisinger, Düsseldorf
Hamann	Instrumentenmacher in Erlangen
um 1800	
Heine (1)	Johann Georg Heine, Instrumentenmacher
1798	Gründung der Werkstatt in Würzburg
1802	Universitätsinstrumentenmacher
1807/1811	Kataloge
1824	Doctor der Chirurgie
Heine (2)	Ernst Heine, Dentaldepot in Hannover
1863	Firmengründung durch Ernst Heine und Geo Poulson
1867	Firma geht auf in der Zahnwarenhandlung Geo Poulson (s. d.)
Heller	F. Heller Instrumentenmacher in Nürnberg
um 1864	
Henker	A. Henker. Instrumentenfabrikation in Hanau
gegr. um 1872	
Hiltebrandt	Zahnfabrik in Essen
1922	Firmengründung durch Dr. Hiltebrandt
1933	VITA Zahnfabrik GmbH vorm. Dr. Hiltebrandt Zahnfabrik, später VITA Zahnfabrik H. Rauter oHG
1987	Vita-Zahnfabrik H. Rauter GmbH & Co KG, Bad Säckingen
Hoddes	Zahnfabrik in Bad Nauheim
1911	Firmengründung der Germania Zahnfabrik durch Dr. Joseph Hoddes, später Umbenennung in Zahnfabrik Dr. Hoddes
1939	Zahnfabrik Dr. Niecz & Co.
1940	Zahnfabrik Bad Nauheim
1987	Zahnfabrik Bad Nauheim GmbH & Co KG, Bad Nauheim
Hölzlin	Johann Nepomuk Hölzlin. Chirurgischer Hof-Instrumentenmacher in Freiburg
1821	Katalog

Hollstein um 1800		Fr. D. Hollstein. Instrumentenmacher in Dresden
Hutschenreuther		C. M. Hutschenreuther
	1814	Gründung der Porzellanfabrik
		Erwerb der Zahnfabrik Dr. Timme in Berlin während des Ersten Weltkrieges
	1920	Gründung der Saxonia Zahnfabrik in Radeberg bei Dresden, später Saxonia Dental-Verkaufsgesellschaft A. G. Dresden-R., Sidonienstraße 25
Jamrath um 1874–1877		Oskar Jamrath. Fabrikation von Behandlungsstühlen und Bohrmaschinen in Berlin
Jaroslawsky gegr. vor 1892		Gebrüder Jaroslawsky. Dentaldepot in Berlin, Potsdamer Straße 23a
Jetter & Scheerer		Fabrik für chirurgische und zahnärztliche Instrumente, Praxis- und Laboreinrichtungen
	1867	Firma begründet durch Gottfried Jetter
	1874	Erstes Preisverzeichnis
	1887	Eintritt der beiden Schwäger in die Firma. Firmenname jetzt Jetter & Scheerer
	1889	Eintragung der Handelsmarke „JS", Sinnbild mit Stab und Schlange
	1889	Erstes bebildertes Musterbuch
	1895	Aktiengesellschaft für Feinmechanik vorm. Jetter & Scheerer
	1987	Aeskulap-Werke AG, Tuttlingen
Kaestner		Friedrich Kaestner, Zahnarzt in Köln
		Fabrik für zahnärztliche Utensilien, Köln, Schildergasse 59
	1863	Warenkatalog
Karwath gegr. 1891		A. B. Karwath. Depot und Instrumentenfabrik in Breslau
Kittel		Instrumentenmacher in Berlin
	1816	Katalog, verschollen
Kitz um 1900		Max Kitz, Dentaldepot in Straßburg
Köhler gegr. 1890		Franz Köhler, Dentaldepot in München
Kretschmer gegr. 1885		Otto Kretschmer, Dentaldepot in Berlin
Krüss		A. Krüss
	1796	Gründung als optische Fabrik
	1851	Dentaldepot in Hamburg, Alter Wall 34
	1861	Katalog. Adolfsbrücke 7. Kein späterer Beleg
Kürten gegr. 1840		Daniel Kürten. Depot und Instrumentenfabrik in Solingen
	1987	Daniel Kürten, Solingen 11
Lautenschläger um 1800		Heinrich Lautenschläger. Zahnarzt und Instrumentenmacher in Berlin
	um 1900	F&M Lautenschläger, Berlin. Krankenhaus- u. Laborbedarf
	1987	F&M Lautenschläger, Köln 50
Leupold um 1717		J. Leupold. Instrumentenmacher in Leipzig

Lorenz		Carl Albin Lorenz. Dentaldepot in Leipzig
	1864	Gründung eines Dentaldepots in Leipzig, Königsplatz 1
	1864	Leitung der ersten deutschen Filiale von C. Ash & Sons in Deutschland, Obstmarkt 1 in Leipzig
	1866	Filiale in Paris und in Hamburg, Scholvienpassage 10
	1868	Übernahme des Geschäftes von C. Ash & Sons auf eigene Rechnung
	1869	bebilderter Katalog
	1870	Filiale in Moskau. Die Filialen werden nach kurzer Dauer wieder geschlossen
	1927	Leipzig, Gellertstraße 8
	1943	Ganghofen, Niederbayern (nach Zerstörung des Leipziger Hauses)
	1956	München
	1987	C. A. Lorenz, München
Lutter		Instrumentenmacher in Berlin
	um 1840	
Mann		W. Mann sen. und jun. Instrumentenmacher in Berlin
	um 1803	Als Firmenwappen wird ein Anker, später eine Eichel geführt
Matthias		B. Matthias & Co. Zahnfabrik in Hamburg
	um 1861	Firmengründung
	um 1876	Übernahme des Geschäftes durch Geo Poulson (s. d.)
Mebes		H. Mebes. Zahnärztliches Warenhaus in Berlin
	gegr. 1894	
Medizinisches Waarenhaus A. G.		Depot und Fabrik in Berlin
	gegr. vor 1897	Karlstraße 31, Berlin N.W. 6
Meisinger		Bohrerfabrikation durch den Maschinenbauer A. Ehrlich, gegr. 1880 Vertrieb durch die Uhren- und Furniturengroßhandlung Thomas & Co., Düsseldorf, Besitzer Arthur Meisinger
	1888	15. 6. 1888 Geschäftsgründung der Zahnbohrerfabrik DAZF (Deutsch-Amerikanische Zahntechnische Fabrik) A. Meisinger, Düsseldorf, Kronprinzenstraße 5, Mitinhaber A. Thiele
	1910	Übernahme durch Hugo Bung
	1924	Firmenübernahme durch E. Hager, seitdem Hager & Meisinger GmbH. unter Beibehaltung des DAFZ-Warenzeichens bis etwa 1930
Meyer		H. C. Meyer jun. Dentaldepot in Hamburg
	um 1849	
Miller		Georg Miller. Depot und Zangenfabrik in Berlin
	gegr. 1881	
Müller		Wilhelm Müller. Zahnbohrerfabrik in Berlin
	gegr. 1893	
Nockler		Franz Nockler. Dentaldepot in Berlin 14, Schiffbauerdamm 14
	1862	
Pappenheim (1)		Siegmund Pappenheim. Dentaldepot in Berlin
	vor 1840	Geschäftsadresse unbekannt
	1856	Jüdenstraße in Berlin
		Assoziation mit den Brüdern J. Philipp Pappenheim und Louis Pappenheim
	1864	Friedrichstraße 59
	1898	Schadowstraße 4/5 und Leipziger Straße 12
	1898	Filialen in Wien I und Amsterdam
		Eng verbunden mit Victor Pappenheim & Co. (s. d.)

Pappenheim (2)	Victor Pappenheim & Co. Dentaldepot in Berlin
um 1900	Schadowstraße 4/5
1914	Bülowstraße 104
	Eng verbunden mit Siegmund Pappenheim (s. d.)
Phoenix Aktiengesellschaft für Zahnbedarf	siehe unter C. Ash & Sons
Poulson	Geo(orge) Poulson. Depot und Fabrik für zahnärztliche Utensilien
1867	Geschäftsgründung in Hannover, Hildesheimer Straße 44
1870	Verlegung des Geschäftes nach Hamburg, Alsterthor 13
1876	Mönkedamm 14
1881	erster Katalog
1882	Fabrik Burgstraße 32
1884	Filiale Dresden, ab 1888 unter Wilhelm Schaper (s. d.)
1886	Filiale Berlin (bis 1927)
	Filiale Frankfurt, ab 1894 unter Eduard Eicke (s. d.)
	Filiale Kopenhagen (bis 1910)
1888	Filiale Prag (bis 1945)
	Filiale Warschau (bis 1919)
1889	Filiale Moskau (bis 1909)
1891	Alterwall 70
1900	Hohe Bleichen 20
1910	Fabrik Grönigerstraße
1987	Geo Poulson, Hamburg 36
Quoi	Werner Quoi. Zahnbohrerfabrik in Düsseldorf
gegr. vor 1897	
Rauhe	Carl Adolf Rauhe. Fabrik zahnärztlicher Instrumente und Maschinen sowie Zahnbohrerfabrik in Düsseldorf
um 1872	
Reiniger	Ernst Moritz Reiniger. Universitätsmechaniker in Erlangen.
1877	Gründung der Firma Reiniger
1887	Bau der ersten deutschen elektrischen Bohrmaschine nach Angabe von Schneider
1925	Übernahme durch Siemens
1987	Siemens AG, Geschäftsbereich Dental, Bensheim
Reuter	Josef Reuter. Instrumentenfabrikation in Köln
gegr. 1888	
Rindskopf	R. Rindskopf. Dentaldepot in Frankfurt
um 1851	
Ritter	Bau einer Möbelfabrik durch den deutschen Einwanderer Frank Ritter in Rochester, USA.
1880	
1887	Spezialisierung auf zahnärztliche Operationsmöbel
	seitdem Ritter Dental Manuf. Co.
1924	Gründung der deutschen Ritter AG. Übernahme der Fa. Arnold Biber (s. d.). Hauptsitz in Durlach
1987	Ritter GmbH, Karlsruhe
Rüttenau	M. Rüttenau. Dentaldepot in Frankfurt a/M. Douges-Gasse 14
vor 1860	Geschäftsgründung
1869	Kaiserhofstraße 8
1874	belegt durch Hauptbuch Poulson
Sammler	Franz Sammler & Söhne. Dentaldepot in Hannover
gegr. 1881	

Hersteller zahnärztlicher Instrumente

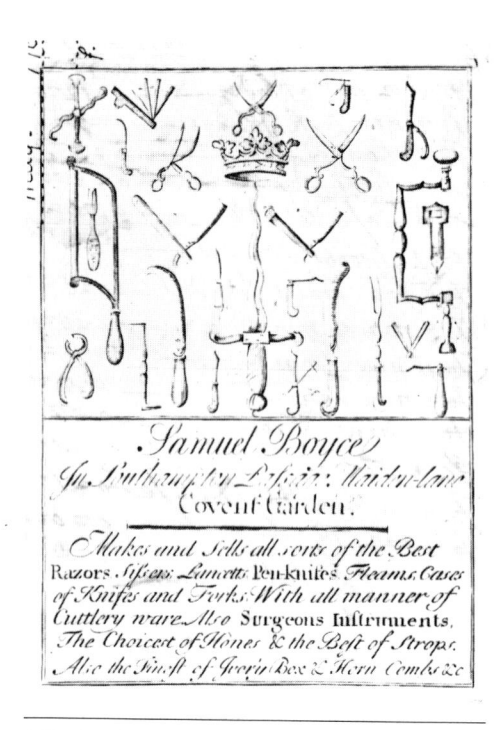

152 *Geschäftskarte. (British Museum, Ambrose Heal Collection, London)*

153 *Geschäftskarte. (British Museum, Ambrose Heal Collection, London)*

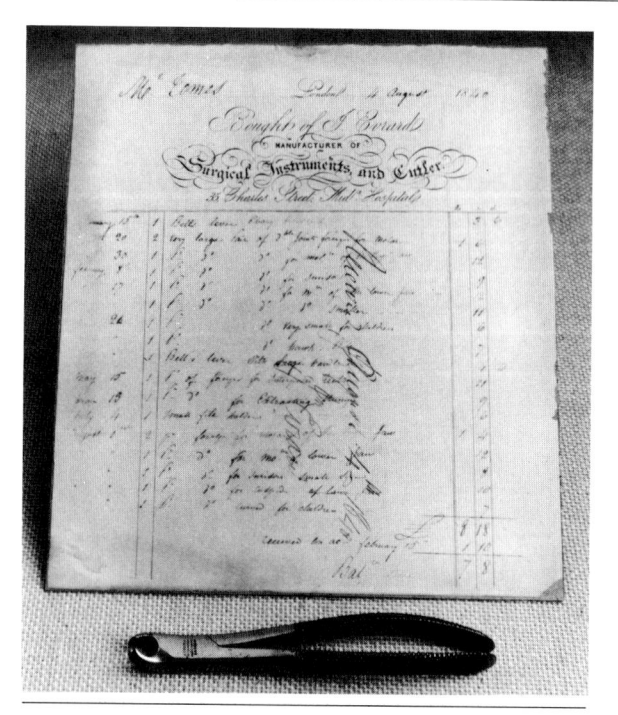

154 *Rechnung des Instrumentenmachers Evrard an Tomes, datiert 4. August 1840. Von Tomes entworfene und von Evrard ausgeführte Extraktionszange. (Museum of the British Dental Association, London)*

155 *Geschäftskarte. (British Museum, Ambrose Heal Collection, London)*

Deutschland

Saran gegr. um 1890	O. Saran. Dentaldepot in Dessau	
Sauermann um 1869	P. E. Sauermann & Sohn. Fabrik für Behandlungsstühle in Flensburg	
Schäfer & Montanus gegr. 1878	Elektrotechnische Fabrik Hammelgasse 12, Frankfurt a/M.	
Schaper 1888 1919	Wilhelm Schaper. Dentaldepot in Dresden Übernahme der Filiale von Geo Poulson (s. d.), Ferdinandstraße 14 Prager Straße 28	
Schmidt um 1800	Carl Schmidt. Chirurg und Medizinalartikelhändler in Frankfurt a/M	
Schneider gegr. 1883	Adam Schneider. Spezialfabrik für Behandlungsstühle in Berlin, Mittelstraße 15 Firmenname seiner Stühle „AES"	
Schnetter 1813	J. C. Schnetter, Instrumentenmacher in München Katalog	
Schwert 1896 1987	Instrumentenfabrik in Tuttlingen Fabrik gegründet durch Adolf Schweickhardt Adolf Schweickhardt GmbH & Co, Tuttlingen	
Seelig 1863	W. J. Seelig. Fabrikant von Operationsstühlen	
Sixt um 1912	Otto Sixt. Dentaldepot	
Sessou um 1800	N. Sessou. Instrumentenmacher in Berlin	
Simonis gegr. vor 1890	E. Simonis. Fabrik und Depot für Dentalartikel in Berlin	
Speckhahn 1843	E. J. G. Speckhahn. Zahnfabrikant in Hamburg	
Steinmann um 1800	J. G. Steinmann. Instrumentenmacher in Dresden	
Tack um 1910	Robert Tack. Fabrik elektro-medizinischer und elektro-dentaler Apparate und Instrumente, Berlin	
Thiel gegr. 1880 1892	Hermann Thiel. Depot, später auch Fabrik für Dentalartikel Nachfolger Georg Thun	
Tilly Ende 18. Jhdt.	Instrumentenmacher in Berlin	
de Trey 1920 1924 1987	Fabrik für Dentalartikel und zahnärztliche Bedarfsgegenstände Firma begründet durch Emile de Trey Sohn Cesar de Trey gründet „Societé de Trey & Cie." London Söhne Emmanuel und Auguste de Trey gründen eine Fabrik für zahnärztliche Produkte in Zürich Gründung der Produktionsstätte in Waldshut (Schwarzwald) Fusion mit der Fa. C. Ash & Sons zur „The Amalgamated Dental Co." De Trey Dentsply, Konstanz 12	
Wagner 1888 1987	Dentaldepot in Nürnberg Firmengründung durch Adam und Heinrich Wagner Ad. & Hch. Wagner, Nürnberg	

Weber (1) 1863	Alfred Weber. Zahnhändler in Berlin	
Weber (2) um 1800	Instrumentenmacher in Straßburg	
Weber & Hampel	Fabrik für zahnärztliche Hand- und Winkelstücke (Berlin)	
1890	Firmengründung. Markenzeichen W&H	
1919	Firma wird übernommen von Adam Schneider	
1925	Übernahme der Firma durch die Degussa	
1940	Übersiedelung nach Bürmoos/Salzburg	
1987	W&W Dentalwerke, Bürmoos/Österreich	
Wienand	Zahnfabrik	
1893	Dr. Friedrich August Wienand gründet mit seinen Söhnen Dr. August und Fritz Wienand die ,,Erste Kontinentale Zahnfabrik'' in Pforzheim	
1907	Übersiedelung der Fabrik nach Sprendlingen	
1987	Zahnfabrik Wienand, Sprendlingen (Dentsply)	
Wilde	Lothar Wilde oHG. Zahnfabrik	
1914	Gründung in Wiesbaden	
1938	Niederwalluf/Rheingau	
1987	Wilde GmbH, Walluf	
Windler gegr. 1818	Johann Gottlieb Windler. Instrumentenmacher in Berlin	
Zeuch vor 1888	F. W. Zeuch. Instrumenten- und Gerätefabrikation in Hamburg	
Zimmermann gegr. 1890	Dentaldepot in München	
Zipperer gegr. 1869	C. W. Zipperer. Fabrikation von Wurzelkanalinstrumenten München	
1972	Vereinigung mit Beutelrock und Antaeos zu den Vereinigten Dentalwerken	
1987	Vereinigte Dentalwerke, München	
Zittier um 1800	Instrumentenmacher in Mainz	
Zuter gegr. 1879	Gebr. Zuter. Dentaldepot in Frankfurt a/M.	

2. Großbritannien

Aitken		
1820	Firmengründung durch Henry A. Aitken	
1858	Bekannt geworden durch die Herstellung des Perkussionshammers, eingeführt durch Henry Vernon, Great Northern Hospital	
1861–76	Henry Aitken, 16 Railway Street, York	
1886	Henry Aitken & Co.	
1910	Henry Aitken & Co., 13 Micklegate (später Nr. 29), York	
Alexander & Fowler	s. Ewing	
Allcard & Edgill		
1845–9	Allcard & Edgill, 6 Union Lane, Sheffield	
1852	Allcard & Co., 6 Union Lane, Sheffield	

Allen & Hanbury		
	1715	Firmengründung in London, E. 2, laut Bevan
	1774	Samuel Mildred
	1795	Mildred & Allen, 2 Plough Court
	1797	Erste Erwähnung chirurgischer Instrumente im Katalog
	1856	Allen & Hanbury
	ca. 1870	Verlegung in die Wigmore Street
	1878–9	Herstellung von Instrumenten in der Bethnal Green Fabrik
	ca. 1972	Übernahme durch Escham Bros. & Walsh
Amesbury		
	1843	Joseph Amesbury, 8 Berners Street, London
Archer & Co.		
	(bekannt 1817)	Strand, London
Armitage		
	1843	John Armitage, 2 Hampton Street, Walworth Road, London
Arnold		(Postamtliches Verzeichnis 1883: auf Bestellung für das St. Bartholomew's Hospital. Hersteller von chirurgischen Instrumenten und allgemeinen Messerschmiedewaren, Bruchbändern, Gummistrümpfen, Leibriemen, Bandagen und Sonden, Kathetern, Bein-, Arm-, Handprothesen, künstlichen Augen usw. Tierärztlicher Instrumentenhersteller für das Royal Veterinary College, St. Pancras.")
	1819	J. & S. Arnold (Apotheker und Drogist), 59 Barbican, London
	1829	James Arnold (Hersteller von chirurgischen Instrumenten), 35 West Smithfield, London
	1837	James & John Arnold (Hersteller von chirurgischen Instrumenten), 35 West Smithfield, London
	1845	James Arnold (Hersteller von chirurgischen Instrumenten), 35 West Smithfield, London
	1857	James Arnold & Son (Hersteller von chirurgischen Instrumenten), 35 West Smithfield, London
	1866	Arnold & Sons (Hersteller von chirurgischen Instrumenten), 35 West Smithfield, London
	1928	Zusammenschluß mit John Bell & Croyden, 50–52 Wigmore Street, London
Ash		
	1814	Ash & Son, Silberschmied und Juwelier, 64 St James's Street, London
	1835	C. Ash, 9 Broad Street, Golden Square, London
	1840	C. Ash, 9 Broad Street, Golden Square. Hersteller von keramischen Zähnen
	1844	C. Ash & Sons, 9 Broad Street, Golden Square. Hersteller von keramischen Zähnen
	1846	C. Ash & Sons, 8 & 9 Broad Street, Golden Square. Hersteller von keramischen Zähnen
	1859	Claudius Ash & Sons, 6, 7, 8 & 9 Broad Street, Golden Square. Hersteller von keramischen Zähnen und Zahnmaterial
	1875	C. Ash (Hersteller zahnärztlicher Instrumente), Fabrik in Kentish Town, London. Jetzt Amalgamated Dental Co. Ltd, 26 Broadwick Street, London W. 1

Hersteller zahnärztlicher Instrumente

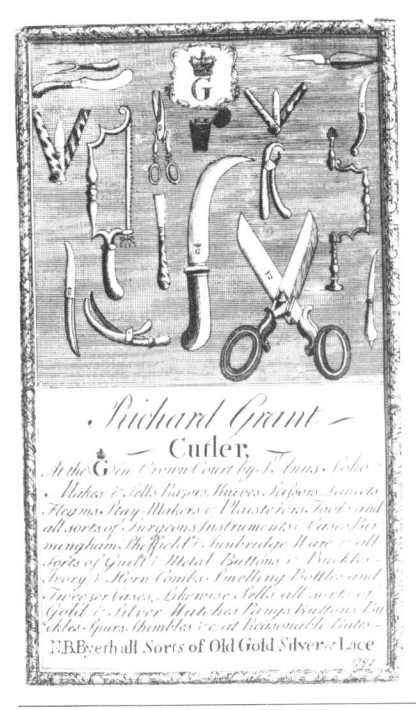

156 Geschäftskarte. (British Museum, Edward Heal Collection, London)

157 Geschäftskarte. (British Museum, Edward Heal Collection, London)

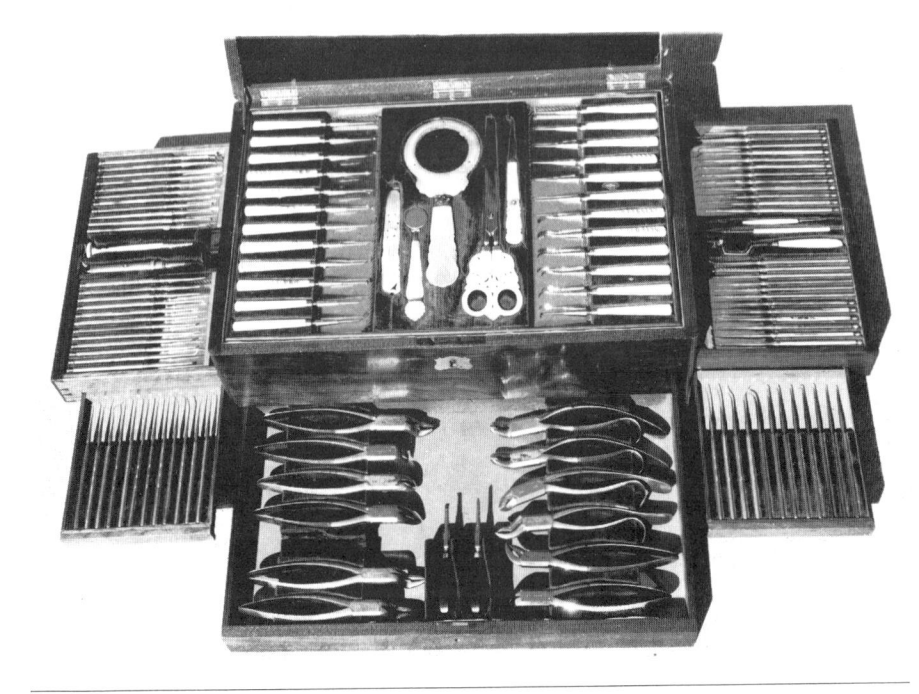

158 Großer Instrumentenkasten, Instrumentengriffe in verschiedener Ausführung lieferbar (Perlmutter, Elfenbein, Ebenholz, Halbedelstein oder Metall), S. S. White, um 1865; wahrscheinlich Ausstellungs- bzw. Musterstück. (Privatsammlung Dr. Gary Lemen, Sacramento, Cal.)

Atlee
1847 — T. Atlee & Co. (Äther-Inhalator in der Wellcome-Sammlung)

Auchinleck
1776 — Gilbert Auchinleck (Messerschmied), Nether-bow, Edinburgh

Baker
1765 — Firmengründung
1894 — Baker, 243 High Holborn, London

Ballard
1843 — Henry Ballard, 42 St John's Square, London

Barker
1797 — Geo. Barker (Messerschmied), Fargate, Sheffield
1817 — Geo. Barker (Messerschmied), Hawley Croft, Sheffield

Barth
19th century — Barth (Hersteller zahnärztlicher Instrumente)

Bartrop
1843 — Henry Bartrop, 33 Crawford Street, London

Battensby
1821 — John Battensby (Messerschmied, Hersteller chirurgischer Instrumente, von orthopädischen Prothesen und Sanitätsartikeln), Groat Market, Newcastle
1827 — John Battensby (Messerschmied, Hersteller chirurgischer Instrumente, von orthopädischen Prothesen und Sanitätsartikeln), 15 Groat Market, Newcastle
1829 — John Battensby (Messerschmied, Hersteller chirurgischer Instrumente, von orthopädischen Prothesen und Sanitätsartikeln), Middle Street, Newcastle
No trace by 1883

Bayne
1823 — Charles Bayne (Messerschmied), High Street, Oxford
1846 — Bayne & Chadwell (Messerschmied), 2 Grove Street, Oxford
1854 — Bayne & Chadwell (Messerschmied), 112 High Street, Oxford
1867 — Mrs Chadwell (Messerschmied), 112 High Street, Oxford
1872 — Mrs Chadwell (Messerschmied), 30½ Cornmarket, Oxford
1880 — Chadwell & Long (Messerschmied und Hersteller chirurgischer Instrumente), 30½ Cornmarket, Oxford
1884 — Wemborn (früher Chadwell) (Messerschmied und Hersteller chirurgischer Instrumente), 30½ Cornmarket, Oxford
Tätig bis 1912

Beauchamp
ca. 1820 — Instrumente für das Royal College of Surgeons, London

Becker
1802 — Christian Becker (Hersteller von chirurgischen Instrumenten)
1856 — Von der Witwe weitergeführt bis 1887, später Mossinger

Bell (1)
1798 — Firmengründung (Apotheker und Drogist)
Now John Bell & Croyden. Siehe Arnold

Bell (2)
1839 — Thos. Bell (Messerschmied), 15 Cornmarket, Belfast
1850 — Thos. Bell (Messerschmied und Hersteller von chirurgischen Instrumenten), 15 Cornmarket, Belfast
Zuletzt erwähnt 1880

	Bernadoue	
(andere Bezeichnung Bernardeau)		
ca. 1736	James Bernadoue, Russell Court, Drury Lane, London	
	Nicht mehr nachweisbar um 1744	
	Best	
ca. 1690	John Best	
1750	John Best, Lombard Street, London. (Stellte Smellies Zange her, ca. 1750. Die Firmenkarte weist ihn für die Zeit von 1690 bis 1760 als Hersteller zahnärztlicher Instrumente aus.)	
	Nicht mehr nachweisbar um 1843	
	Bickerstaff	
1678–ca. 1700	Thos. Bickerstaff (Messerschmied), Princes Street, Drury Lane, London	
	Bigg	
1751	Firmengründung. Henry Bigg	
1832–4	Sheldrake & Bigg, 29 Leicester Square, London	
1842	Henry Bigg, 9 St Thomas's Street, Borough, London	
1852	Bigg, St Thomas's Street, Southwark, London	
1858	Heather Bigg, 29 Leicester Square, London	
1858–9	Bigg & Millikin, 8 St Thomas's Street, London.	
	(Übernahm vermutlich die Firma Laundy)	
	Blackwell	
1817	J. Blackwell	
1826	Charles Blackwell, 3 Bedford Court, London	
1843	William Blackwell, 3 Bedford Court, Covent Garden, London	
	Blair	
ca. 1735	Thomas Blair (Messerschmied), Edinburgh	
Louis Blaise & Co.	Siehe Savigny	
	Blyde	
1841	Firmengründung. John Blyde Ltd, London.	
	Siehe Down	
	Bodker	
1765	Henry Bodker (Hersteller von chirurgischen Instrumenten), Poultry, London	
1768	Richard James Bodker (Hersteller von chirurgischen Instrumenten), Poultry, London	
1770	Jane & Richard Bodker (Hersteller von chirurgischen Instrumenten), Poultry, London	
1774	Richard Bodker (Hersteller von chirurgischen Instrumenten), Poultry, London	
1777	Richard Bodker (Hersteller von chirurgischen Instrumenten), 2 Colman Street, London	
Bond	Arthur Bond, Euston Road, London. Instrument für das Royal College of Surgeons, London.	

	Boog	
	1748	Robert Boog
	1779	Andrew Boog, College Street, Edinburgh
	1784	Alexander Boog
	1800	Andrew & Alexander Boog, Netherbow, Edinburgh
	1820–1826	Andrew & Alexander Boog, 13 High Street, Edinburgh
	1830	Thomas Boog (Messerschmied und Hersteller von chirurgischen Instrumenten), 105 High Street, Edinburgh
		Kein Beleg nach 1859
	Borthwick	
	Frühes 19. Jh.	B. Borthwick, College Street, Edinburgh
	Borwick	
	1791	Roger Borwick (Messerschmied), Sheffield
	1817	Roger Borwick (Messerschmied), Bailey Lane, Sheffield
	1825	Samuel Borwick (Messerschmied), Bailey Lane, Sheffield
		Kein Beleg nach 1860
	Botschan	
	19. Jh.	Joseph Botschan, 35 Worship Street, Finsbury, London
	Bourne & Taylor	
	Mitte 19. Jh.	Bourne & Taylor
	Boyce	
	1751–1760	Samuel Boyce, Maiden Lane, London
	Brace	
	Frühes 19. Jh.	Salisbury
	Bradford	
	Mitte 19. Jh.	136 Minories, London
	Brady	
	1855	Gegründet als Henry Bowman Brady (Apotheker)
	1857	Henry Bowman Brady (Apotheker), 40 Mosley Street, Newcastle
	1869	Henry Bowman Brady (Apotheker), 29 Mosley Street, Newcastle
	1879	Brady & Martin, 29 Mosley Street, Newcastle
	1883	Brady & Martin (Apotheker und Hersteller von chirurgischen Instrumenten), 29 Mosley Street, Newcastle
	Brailsford	
	Frühes 18. Jh.	John Brailsford, St Martin's Court, London
	Brand	
	Frühes 19. Jh.	Brand
	Brennand	
	1843	Pearson Brennand, 217 High Holborn, London
	Brereton	
	1830–1870	Brereton
	Brown (1)	
	1822	John Brown, Drahtarbeiter, 2 Whitechapel Road, London
	1852	John Brown (Messerschmied), 2 Townsend Road, London
	1858	John Brown (Messerschmied), 17 Connaught Terrace, London
		Kein Beleg nach 1861

Hersteller zahnärztlicher Instrumente

	Brown (2)	
	1847	John Brown & Son (Hersteller chirurgischer Instrumente und Messerschmiede), 68 Grey Street, Newcastle upon Tyne
	1861	J. Brown (Hersteller chirurgischer Instrumente), 10 Upper Buxton Street, Newcastle upon Tyne
	1863	Brown & Son (Hersteller chirurgischer Instrumente), 98 Grey Street, Newcastle upon Tyne
	1865	Brown & Son (Hersteller chirurgischer Instrumente), 93 Grey Street, Newcastle upon Tyne
	1870	Brown & Son (Hersteller chirurgischer Instrumente), 98 Grey Street, Newcastle upon Tyne
	1875	J. Brown & Son (Hersteller chirurgischer Instrumente), 98 Grey Street, Newcastle upon Tyne
	1877	Keine Eintragung
	Bruce	
	1832–1833	Henry Bruce (Messerschmied und Hersteller chirurgischer Instrumente), 66 Southbridge, Edinburgh
	Bullen	
	1858	Established. C. S. Bullen (Messerschmied und Hersteller chirurgischer Instrumente), 89 Mount Pleasant, Liverpool
	Butler	
	ca. 1681	Firmengründung. George Butler, Sheffield
	ca. 1810	George and James Butler (Messerschmied), 4 Trinity Street, Sheffield
	1865	George and James Butler (Messerschmied), 105 Eyre Street, Sheffield
	Capron	
	19. Jh.	Capron. Erfinder des Hernien-Bistoury (Operationsmesser mit auswechselbarer Klinge)
	Cargill	
	1739	John Cargill, Lombard Street, London
	1773	Peter Cargill, Lombard Street, London
	1789	Peter Cargill (Messerschmied), Lombard Street, London
	Carr	
	1847	George Carr (Messerschmied), 25 Nun Street, Newcastle upon Tyne Keine Eintragung nach 1853
	Carsberg	
	1798	Firmengründung. Carsberg, 38 Great Windmill Street, London
	Cartwright	
	ca. 1760–80	Paston Cartwright, Lombard Street, London
	Chadwell	siehe Bayne
	Chandler	
	Spätes 18 Jh.	Chandler
	Charlwood	
	1770	Yeeling Charlwood (Messerschmied), Russell Court, London. ,,Nachfolger des verstorbenen Mr Gordon, ca. 1760'' siehe Underwood
	Chasson	
	ca. 1770	J. Chasson (Messerschmied und Hersteller von chirurgischen Instrumenten), Newgate Street, London
	1789	Mary Chasson (Messerschmied), 68 Newgate Street, London

	Clark	
	1818	G. Clark (Messerschmied), 5 York Buildings, Bath
	1828	G. Clark (Messerschmied), 16 Vineyards, Bath
	1832	G. Clark (Messerschmied), 3 Bond Street Buildings, Bath
		Kein Beleg nach 1832
	Clarke	
	ca. 1861	J. Clarke, 225 Piccadilly, London
	Cluley	
	1813	Francis Cluley (Hersteller von chirurgischen Instrumenten), Westbar Green, Sheffield
	1825	Francis Cluley (Hersteller von chirurgischen Instrumenten), 4 Surrey Street, Sheffield
		Kein Beleg nach 1837
	Cole	
	ca. 1760	Henry Cole, Strand, London
	Collins (1)	
	19. Jh.	D. Collins & Son (Hersteller zahnärztlicher Instrumente)
	Collins (2)	
	ca. 1840	Collins
	Cooke	
	1670	John Cooke
	ca. 1686	George Cooke
	1698	George Cooke, Old Lombard Street, London
	Coombes	
	Vor 1730	John Coombes, Cross Inn, Oxford
	Corbett	
	1820	Daniel Corbett, 34 Patrick Street, Cork
	1844	Daniel Corbett, 1 Queen Street, Cork.
		Joseph Corbett, 11 Morrisson's Island, Cork
	1856	Daniel Corbett, 17 South Mall, Cork.
		Joseph Corbett, 11 Morrisson's Quay, Cork
	1893	Joseph Corbett, 11 Morrisson's Island, Cork.
		William Cochrane Corbett, 3 South Mall, Cork
		Diese Familie von Zahnärzten scheint wohl ebensogut Instrumentenmacher gewesen zu sein, wie es nicht anerkannte Messerschmiede dieses Namens in Cork gab.
	Corcoran	
	Spätes 19. Jh.	Corcoran, Dublin?
	Corneck	
	1768	James Corneck (Messerschmied), Cheapside, London
	Courtney	
	ca. 1710	Richard Courtney, Hatton Gardens, London
	Cox	siehe Savigny und Krohne & Seseman
	Coxeter	
	1836	Firmengründung
	1843	J. Coxeter & Co., 23 Grafton Street, London
	1863	J. Coxeter
	1870	J. Coxeter & Son
	1894	James Coxeter & Son, 4 & 6 Grafton Street, London
	1923	Coxeter Ltd, London

	Craddock	
	1843	Geo. Craddock, 35 Leicester Square, London
	Crawford	
	1817	W. Crawford, 68 Charles Street, London
	Crook	
	ca. 1750	John Crook, Great Turnstile, Holborn, London
	Crookes	
	1826	John Crookes (Messerschmied), Fetter Lane, London
	Crooks	
	1787	John Crooks, Razor Maker, Great Turnpike, Holborn, London
	1826	John Crooks, 1 Back Church Lane, Whitechapel
	Cruickshank	
	1765	Cruickshank, London (stellte Potts Fistel-Messer her)
	Dadley	
	1775	Thomas Dadley (Messerschmied), Bridge Street, Stratford-upon-Avon
	1804	William Dadley (Messerschmied), Bridge Street, Stratford-upon-Avon
	1846	John & Richard Dadley (Messerschmied), Bridge Street, Stratford-upon-Avon
	Dalton	
	1852	Dalton, 85 Quadrant, London
	Davies	
	Spätes 18. Jh.	Davies (Hersteller von chirurgischen Instrumenten)
	Dick	
	1865	James Dick (Messerschmied und Bandagenhersteller), 28 St Enoch Wynd, Glasgow
	1866	James Dick (Messerschmied und Bandagenhersteller), 92 Glassford Street, Glasgow
	1871	James Dick (Messerschmied und Bandagenhersteller), 45 Renfield Street, Glasgow
	1872	James Dick (Messerschmied, Bandagen- und Hersteller von künstlichen Gliedmaßen), 45 Renfield Street, Glasgow
	1874	James Dick (Hersteller von chirurgischen Instrumenten), 45 Renfield Street, Glasgow
	1896	James Dick (Hersteller von chirurgischen Instrumenten), 107 West George Street, Glasgow
	1921	Geschäftsaufgabe
	Dixon	
	1843	William Dixon, 2 Tonbridge Street, New Road, London
	Donnell	
	Mitte 19. Jh.	J. E. Donnell, 384 Strand, London
	Down	
	1874	Down Bros Ltd
	1879	Millikin & Down, St Thomas Street, Borough, London
	1894	Down Bros, 5–7 St Thomas Street, Borough, London
		Jetzt Down Surgical Ltd, Mitcham, Surrey, incorporating Mayer & Phelps, Blyde & Gray
	Druce	
	Frühes 19. Jh.	H. Druce
	Dungworth	
	1861	John Dungworth, 146 Broomhall Street, Sheffield

Großbritannien

	Dunsford	
	ca. 1780–1800	Dunsford
	Durroch	
	1788	Wm. F. Durroch gegründet
	1847	Wm. F. Durroch (Hersteller von chirurgischen Instrumenten), 2 New Street, London
	1860	Wm. F. Durroch (Hersteller von chirurgischen Instrumenten), 28 St Thomas's Street, London
	1862	Wm. F. Durroch (Hersteller von chirurgischen Instrumenten), 3 St Thomas's Street, London
		Kein Beleg nach 1869. Siehe Smith
	Dyer	
	1823	Wm. Dyer (Messerschmied), Old Town Street, Plymouth
	1830	Wm. Dyer (Messerschmied und Hersteller von chirurgischen Instrumenten), 5 Old Town Street, Plymouth
	1844	Daniel Dyer (Messerschmied und Hersteller von chirurgischen Instrumenten), 5 Old Town Street, Plymouth
	1857	Daniel Dyer (Messerschmied und Hersteller von chirurgischen Instrumenten), 59 Old Town Street, Plymouth
	1864	Alfred Dyer (Messerschmied und Hersteller von chirurgischen Instrumenten), 59 Old Town Street, Plymouth
	1873	Alfred Dyer (Messerschmied und Hersteller von chirurgischen Instrumenten), 99 Old Town Street, Plymouth
	1890	Daniel Dyer, 8 Whimpole Street, Plymouth and 13 Marlborough Street, Devonport
		Im Geschäft bis 1923
	Eagland	
	1826	Charles Eagland, 10 Poland Street, London
	Einsle	
	1843	Edward Einsle, 46 St Martin's Lane, London
	Elam	
	1843	Alfred Elam & Bros, 403 Oxford Street, London
	Elliott	
	1824	John Elliott (Messerschmied und Hersteller von chirurgischen Instrumenten), Spring Gardens, Clitheroe
	1848	John Elliott (Messerschmied und Hersteller von chirurgischen Instrumenten), Church Brow, Clitheroe
	1851	Robt. Elliott (Hersteller von chirurgischen Instrumenten), Church Brow, Clitheroe
	1855	Robt. Elliott (Hersteller von chirurgischen Instrumenten), Waddington Lane, Clitheroe
		Kein Beleg nach 1858
	Ellis	
	1843	Wm. Ellis, 3 Thanet Place, London
	Ernst	
	1863	Gustav Ernst, 19 Calthorpe Street, London
	1869	Gustav Ernst, 80 Charlotte Street, London

	Evans (1)	
	1676	John Evans, Blacksmith
	1783	David Evans (Hersteller von chirurgischen Instrumenten), 10 Old Change, London
	1803	David Evans & Co. (Hersteller von chirurgischen Instrumenten), 10 Old Change, London
	1811	John Evans & Co. (Hersteller von chirurgischen Instrumenten), 10 Old Change, London
	1854	John Evans & Co. (Hersteller von chirurgischen Instrumenten), 10 Old Change, and 12 Old Fish Street, London
	1855	John Evans & Co. (Hersteller von chirurgischen Instrumenten), 12 Old Fish Street, London
	1867	Evans & Stevens (Hersteller von chirurgischen Instrumenten), 6 Dowgate Hill and 31 Stanford Street, London
	1874	Evans & Wormall (Hersteller von chirurgischen Instrumenten), 31 Stanford Street, London
		Lieferant der Army, der Navy und der indischen Regierung.
		Hauptlieferant der Navy, ca. 1812 – Mit Krone als Markenzeichen
	Evans (2)	
	Spätes 18. Jh.	Evans, Oswestry
	Everill	siehe Savigny
	Evrard	Jean-Marie Evrard (1808–82), geboren in Toulouse, war Vorarbeiter bei Charrière in Paris, bevor er nach London ging
	1837	Jean Evrard, 35 Charles Street, Middlesex Hospital, London
	1865	Jean Evrard (hauptsächlich Hersteller zahnärztlicher Instrumente), 34 Berners Street, London
	Ewing	
	Mitte 19. Jh.	Ewing, Liverpool
	Fannin	
	1829	Firmengründung. Fannin, 41 Grafton Street, Dublin
		Firma besteht noch.
	Ferguson	
	1822	Daniel Ferguson (Hersteller von chirurgischen Instrumenten), 14 Castle Street, London
	1826	Daniel Ferguson (Hersteller von chirurgischen Instrumenten), 44 West Smithfield Street, London
	1828	Daniel Ferguson (Hersteller von chirurgischen Instrumenten), 21 Giltspur Street, London
	1851	Ferguson & Son, 21 Giltspur Street, London
	1858	John Ferguson & Co., 21 Giltspur Street, London
		Kein Beleg nach 1869
	Ferris	
	ca. 1770	Firmengründung
	1775	Till Adams
	1783	Till Adams (Drogist), Union Street, Bristol
	1787	Till Adams, Ann, Apotheker, Union Street, Bristol
	1812	Fry & Gibbs (Drogist), 3 Union Street, Bristol
	1820	Fry Gibbs & Ferris (Drogist), 4 Union Street, Bristol
	1826	Fry Gibbs & Ferris (Drogist und Apotheker), 4 Union Street, Bristol

	1834	Ferris Brown & Capper (Drogist und Apotheker), 25 Union Street, Bristol and 1 Mall, Clifton
	1837	Ferris Brown & Score (Drogist und Apotheker), 25 Union Street, Bristol and 1 Mall, Clifton
	1842	Ferris & Score (Drogist und Apotheker), 4–5 Union Street, Bristol
	1856	Ferris, Townsend, Lamotte & Bourne (Drogist und Apotheker), 4–5 Union Street, Bristol
	1865	Ferris, Townsend, Bourne & Townsend (Drogist und Apotheker), 4–5 Union Street, Bristol
	1869	Ferris, Bourne & Townsend (Drogist und Apotheker), 4–5 Union Street, Bristol
	1893	Ferris & Co. Firma besteht noch
Figgett		
	1843	J. L. Figgett, 29 Trafalgar Street, Walworth
Fisher		
	1805	John Fisher, 34 Wapping Street, London
	1843	James Fisher, 7 Cannon Street Road, London
Fraser		
	ca. 1830	Fraser. (Nicht aufgeführt im Postamtlichen Verzeichnis zwischen 1840 und 1860)
Froggatt		
	Mitte 19. Jh.	Froggatt
Fuller		
	1832	John Fuller, Whitechapel Road, London
	1843	John Fuller, 239 Whitechapel Road, London Kein Beleg nach 1860
Gardner		
	Mitte 19. Jh.	J. Gardner & Son, 32 Forrest Road, Edinburgh
Gay		
	1817	John Gay (Messerschmied), 68 Kirkgate, Leeds
	1822	John Gay (Messerschmied und Hersteller von chirurgischen Instrumenten), 68 Kirkgate, Leeds
	1826	John Gay (Messerschmied und Hersteller von chirurgischen Instrumenten), 5 Kirkgate, Leeds
	1839	John Gay (Messerschmied und Hersteller von chirurgischen Instrumenten), 10 Kirkgate, Leeds
	1842	John Gay (Messerschmied und Hersteller von chirurgischen Instrumenten), 10 Kirkgate, Leeds
	1845	John Gay (Messerschmied und Hersteller von chirurgischen Instrumenten), 132 Briggate, Leeds
	1849	John Gay & Son (Messerschmied und Hersteller von chirurgischen Instrumenten), 132 Briggate, Leeds
	1851	John R. Gay (Messerschmied und Hersteller von chirurgischen Instrumenten), 132 Briggate, Leeds
	1878	Lavini & Gay (Messerschmied und Hersteller von chirurgischen Instrumenten), 132 Briggate, Leeds
	1882	J. R. Gay (Messerschmied und Hersteller von chirurgischen Instrumenten), 132 Briggate, Leeds Kein Beleg nach 1886

Hersteller zahnärztlicher Instrumente

	Gibbs	
	ca. 1740	Firmengründung. Gibbs
	1756	Joseph Gibbs, 137 Bond Street, London
	1772	James Gibbs, 137 Bond Street, London
	1800	Gibbs & Lewis, 137 Bond Street, London
	Gill (1)	
	1825	John Gill (Hersteller von chirurgischen Instrumenten), 45 Salisbury Square, London
	Gill (2)	
	ca. 1810	Thomas Gill (Messerschmied), 83 St James's Street, London
	Gillett	
	ca. 1800	Gillett. Auf dem „Messeretui" in St James's Market, London
	Goodall	
	1805	John Goodall, St Saviour's Churchyard, London
	Gordon	
	ca. 1740	Firmengründung
	ca. 1770	Jacob Gordon, Russell Court, Drury Lane, London
	ca. 1825	Nachfolger H. Underwood
	Graham	
	ca. 1800	Graham
	Grant	
	ca. 1745	Firmengründung. Grant
	1791	Richard Grant (Messerschmied), St Anne's, Soho, London
	Gray (1)	
	1849	Firmengründung. Joseph Gray, 154 Fitzwilliam Street, Sheffield
	1864	Gray & Lawson, 51 New George Street, Sheffield
	Gray (2)	
	1841	Wm. Gray (Messerschmied und Hersteller von chirurgischen Instrumenten und orthopädischen Prothesen), 28 Market Street, Newcastle
		Kein Beleg nach 1847
Gray & Selby		
	1862–71	John Henry Gray (Optiker), Pelham Street, Nottingham
	1874	Gray (Mrs Jane) & Selby (Optiker und Hersteller von chirurgischen Instrumenten), 27 Pelham Street, Nottingham
	1876	Gray & Selby (Hersteller von chirurgischen Instrumenten und Optiker), 27 Pelham Street, Nottingham
		Bis 1936 im Geschäft
	Greer	
	ca. 1790	C. Greer, 10 Charing Cross, London
	Grenier	
	1698	Isaac Grenier
	Grice	
	ca. 1800	Firmengründung. John Grice
	1817	John Grice, 239 Whitechapel Road, London
	1832	Grice & Fuller, Whitechapel, London
	Grick	
	Mitte 19. Jh.	Grick
	Grover	
	ca. 1680	Samuel Grover, London Bridge, London
	Guest	
	Spätes 18. Jh.	Guest. Stücke in der Wellcome Collection, London

Hales
1817	Henry Hales, 4 Manor Row, Tower Hill, London

Hall
1817	Thomas Hall, 8 Charles Street, London

Hallam
18. und 19 Jh.	Hallam (Hersteller zahnärztlicher Instrumente)

Hammock
1826	Charles Hammock, 53 Chiswell Street, London

Harnett
19. Jh.	J. & W. Harnett (Hersteller zahnärztlicher Instrumente)

Harris
1825	Philip Harris – Nachfolger von S. Evans (Apotheker) – Bull Ring, Birmingham
1896	Philip Harris (Apotheker), 144–146 Edmund Street, Birmingham

Harvey (& Reynolds)
1839	Thos. Harvey (Apotheker und Drogist), 5 Commercial Street, Leeds
1841	Thos. Harvey (Apotheker und Drogist), 13 Briggate, Leeds
1856	Harvey & Reynolds, (Apotheker und Drogist), 13 Briggate, Leeds
1861	Harvey, Reynolds & Fowler (Apotheker und Drogist), 10 Briggate, Leeds
1864	Haw & Reynolds (Apotheker und Drogist), Briggate, Leeds
1867	Haw, Reynolds & Co. (Apotheker und Drogist), Briggate, Leeds
1872	Haw, Reynolds & Co. (Apotheker und Drogist), 14 Commercial Street, and Briggate, Leeds
1886	Reynolds & Branson
	Geschäft besteht bis heute. (Hersteller der ersten Fieberthermometer)

Haskoll
1784	William Haskoll (Silberschmied und Messerschmied), The Square, Winchester
1792	William Haskoll (Messerschmied), Winchester
	Kein Beleg nach 1798

Hawkesley
1865	Thomas Hawkesley, 357 Oxford Street, London
1925	Hawkesley & Son Ltd. Now Gelman Hawkesley, Shoreham, Sussex

Hemmings
1843	Aug. F. Hemmings, 45 Chiswell Street, Finsbury, London

Hentsch
1826	Fred. C. Hentsch, 18 Dukes Court, London
1843	Fred. C. Hentsch, 25 Bartlett Buildings, London
1894	Fred. Hentsch, 49 Greek Street, London

Higden
Frühes 19. Jh.	Higden, Edinburgh

Higham
1843	Mrs Priscilla Higham, 48 Jermyn Street, London

Hill
19. Jh.	Hill (Hersteller zahnärztlicher Instrumente)

Hersteller zahnärztlicher Instrumente

	Hilliard (1)	
	1834	Firmengründung. W. B. Hilliard & Sons, Buchanan Street, Glasgow
	1856–1857	W. B. Hilliard & Sons, 65 Renfield Street, Glasgow
	1909	W. B. Hilliard & Sons, 157 Hope Street, Glasgow
	1920	W. B. Hilliard & Sons, 123 Douglas Street, Glasgow
		(Stellte viele Instrumente für Lister her)
	Hilliard (2)	
	1834	H. & J. E. Hilliard, 57 Arcade, Glasgow
	1837	Harry Hilliard, 28 Argyll Street, Glasgow
	1842	Hilliard & Chapman, 28 Argyll Street, Glasgow
	1848	Harry Hilliard, 28 Argyll Street, Glasgow
	1851–1864	Hilliard & Chapman, 28 Argyll Street, Glasgow
	Hilliard (3)	
	1832	Firmengründung. Hilliard
	1850–1851	H. & H. Hilliard (Hersteller chirurgischer Instrumente), 7 Nicolson Street, Edinburgh
		Jetzt unter der Firmenbezeichnung Ross & Hilliard
	Hills	
	ca. 1825	Monson Hills
	1853	Henry J. Hills, 46 King Street, Borough, London
Hobbs, Robert & Swayne		
	1628	Hobbs, Robert & Swayne. Hersteller der Prujean Collection
	Hockin	
	19. Jh.	Hockin
	Hodge	
	Frühes 19. Jh.	J. Hodge
	Hooper	
	19. Jh.	Hooper, Pall Mall. Hersteller von Anästhesie-Geräten
	Hughes	
	1843	Francis Hughes & Co., 247 High Holborn, London
	Hunter	
	1843	Hunter Mason & Co., 44 Webberrow, Blackfriars, London
	ca. 1865	Hunter & Zac, 44 Webberrow, Blackfriars, London
	Hutchinson	
	1825*	Wm. Hutchinson & Son, Razor Makers, 10 Pinstone Street, Sheffield
	1833	Wm. Hutchinson & Son, Razor Makers (Hersteller von chirurgischen und veterinärmedizinischen Instrumenten), 10 Pinstone Street, Sheffield
	1841	Wm. & Henry Hutchinson (Hersteller von chirurgischen und veterinärmedizinischen Instrumenten), 76 Norfolk Street, Sheffield
	1859	Wm. Hutchinson & Co. (Hersteller von chirurgischen und veterinärmedizinischen Instrumenten), 78 Norfolk Street, Sheffield
	1871	Wm. & Henry Hutchinson & Co. (Hersteller von chirurgischen und veterinärmedizinischen Instrumenten), 36 Duke Street, Sheffield

	1879	Wm. & Henry Hutchinson & Co. (Hersteller von chirurgischen und veterinärmedizinischen Instrumenten), 36 Matilda Street, Sheffield Jetzt siehe Skidmore (1922) * Man sagt, ,,gegründet 30 Jahre vor Simpsons Geburt" (1811), vermutlich also 1781. Während des amerikanischen Bürgerkriegs erlitt ein nach Amerika gehendes Schiff Schiffbruch. Später stellte sich heraus, daß es eine Menge chirurgischer Instrumente an Bord hatte Marke ,,W. H. Hutchinson".
Jackson		
	1821–1822	James Jackson (Messerschmied), 30 Bell Yard, Lincoln's Inn, London
Jamieson		
	Frühes 19. Jh.	Jamieson
Jarvis		
	Frühes 19. Jh.	Jarvis
Jessop		
	1774	Firmengründung. Wm. Jessop & Sons, Sheffield
	1818	Wm. Jessop & Sons, Spring Street, Sheffield
Johnson		
	1818	Geo. Johnson & Son, Furnivall Street, Sheffield
	1856	Geo. Johnson & Son, 13 Porter Street, Sheffield
Johnstone		
	ca. 1860	Johnstone, Near Long Acre, London
Kettlebutter		
	1636	Registriert. Richard Kettlebutter
	1694	Erwähnt
Kidston		
	1850	W. Kidston & Co., 18 Bishopsgate Street, London
Krohne & Seseman		
	ca. 1860	Firmengründung. Krohne & Seseman by Mr Grice
	1878	Erster Katalog. 8 Duke Street, Manchester Square, London, und 241 Whitechapel Road, London
	1926	Aufgekauft von Alfred Cox (Surgical) Ltd. Jetzt unter diesem Namen. Siehe Savigny
Lane		
	ca. 1730	James Lane, Fleet Street, London
Laundy		
	1783	Sam. Laundy (Hersteller von chirurgischen Instrumenten), 12 St Thomas's Street, Borough, London
	ca. 1790	S. Laundy (Hersteller von chirurgischen Instrumenten), 12 St Thomas's Street, Borough, London
	1802	J. Laundy (Hersteller von chirurgischen Instrumenten), 12 St Thomas's Street, Borough, London
	1802	Laundy & Son (Hersteller von chirurgischen Instrumenten), 12 St Thomas's Street, Borough, London
	1803	J. Laundy & Son (Hersteller von chirurgischen Instrumenten), 12 St Thomas's Street, Borough, London
	1811	Joseph Laundy (Hersteller von chirurgischen Instrumenten), 12 St Thomas's Street, Borough, London

	1814	Laundy & Son (Hersteller von chirurgischen Instrumenten), 12 St Thomas's Street, Borough, London. (Kein Handel unter dieser Anschrift nach 1820)
	1805	S. Laundy & Son (Hersteller von chirurgischen Instrumenten), 9 St Thomas's Street, Borough, London
	1813	Joseph Laundy (Hersteller von chirurgischen Instrumenten), 9 St Thomas's Street, Borough, London
	1816	Joseph Laundy & Son (Hersteller von chirurgischen Instrumenten), 9 St Thomas's Street, Borough, London
	1819	Joseph Laundy (Hersteller von chirurgischen Instrumenten), 9 St Thomas's Street, Borough, London
		Die Firma hört auf zu bestehen unter diesem Namen ca. 1843. Später, 1844, H. Bigg, 9 St Thomas's Street, Borough, London. Siehe Bigg
Laurie		
	1826	John Laurie, 2 St Bartholomew's Close, London
Lawley		
	1866	Wm. Lawley, 78 Farringdon Street, London
		siehe Milliken
Leavers		
	1817	T. Leavers, 28 Charles Street, Hatton Garden, London
Lindsey		
	Mitte 19. Jh.	Lindsey
Lings		
	Mitte 19. Jh.	Lings
Logan		
	Frühes 19. Jh.	Logan
Looker		
	1790	James Looker (Messerschmied), 86 Lombard Street, London
	ca. 1820	Henry Looker (Messerschmied), Poultry, London
Loyd		
	19. Jh.	Loyd (Hersteller zahnärztlicher Instrumente)
Lumley		
	ca. 1800	Lumley
McFay		
	19. Jh.	McFay (Hersteller zahnärztlicher Instrumente)
Machin		
	ca. 1820	Machin & Co.
Mackenzie		
	1835	Donald Mackenzie (Messerschmied), 48 Nicholson Street, Edinburgh
	1839	Donald Mackenzie (Messerschmied und Hersteller von chirurgischen Instrumenten), 48 Nicholson Street, Edinburgh
	1850	Donald Mackenzie (Messerschmied und Hersteller von chirurgischen Instrumenten), 48 Nicholson Street, Edinburgh, and 58 South Bridge Street, Edinburgh
		Kein Beleg nach 1876
MacLeod		
	1813	John MacLeod (Messerschmied und Hersteller von chirurgischen Instrumenten), 17 College Street, Edinburgh
	1818	John MacLeod (Messerschmied und Hersteller von chirurgischen Instrumenten), 2 College Street, Edinburgh

	1836	John MacLeod (Messerschmied und Hersteller von chirurgischen Instrumenten), 3 College Street, Edinburgh
		Kein Beleg nach 1837 unter diesem Namen, aber dann:
	1838	James Simpson, 3 College Street, Edinburgh
	1844	James Simpson, 80 South Bridge, Edinburgh
McLellan		
	1805	Wm. McLellan, St Martin-le-Grand, London
	1852	Wm. McLellan, 3 Twiner Street, London
McQueen		
	1847	Robt. McQueen (Messerschmied und Hersteller von chirurgischen Instrumenten), 52 Grainger Street, Newcastle
	1873	Robt. McQueen (Messerschmied, Hersteller von chirurgischen Instrumenten und Augenarzt), 52 Grainger Street, Newcastle
Mappin		
	1818	J. Mappin, 3 Whitecroft, Sheffield
	ca. 1850	J. Mappin, Bull Street, Birmingham
		Later J. Mappin (Hersteller von chirurgischen Instrumenten), 17 Motcomb Street, London
		Now Mappin & Webb Ltd
Marr		
	1878	David Marr, 27 Little Queen Street, London. (Stellte viele Instrumente von Lister her.)
Mather		
	1848	Wm. Mather (Apotheker und Drogist), 105 Chester Road, Manchester
	1858	Wm. Mather (Apotheker und Drogist), 109–111 Chester Road, Manchester
	1868	Wm. Mather (Drogist und Hersteller von chirurgischen Instrumenten), 14 Bath Street, London, and 109 Chester Road, Manchester
	1877–1888	Wm. Mather (Drogist und Hersteller von chirurgischen Instrumenten), Dyer Street, Manchester
Mathews		
	1846	Wm. Mathews, 10 Portugal Street, London
	1851	Wm. Mathews, 8 Portugal Street, London
	1865	W. Mathews & Co., 8 Portugal Street, London
	1878	Mathews, London
	1894	Mathews Bros, 10 New Oxford Street, London
Maw		
	1807	Firmengründung unter der Bezeichnung Hornby & Maw, Fenchurch Street, London
	1814	Hornby & Maw, Plaster Factory, Whitecross Street, London
	1826	Geo. Maw & Son, Aldermanbury, London
	1828	J. & S. Maw, 11 Aldersgate Street, London
	1830	Erster Katalog (mit Abbildungen versehen von Cox, J. F. Lewis and Turner)
	1860	S. Maw & Son
	1868	Zweiter Katalog
	1870	S. Maw, Son & Thompson
	1901	S. Maw, Son & Sons
Mayer		
	1864	Jos. Mayer (Hersteller von chirurgischen Instrumenten), 51 Great Portland Street, London

Hersteller zahnärztlicher Instrumente

	1869	Mayer-Meltzer (Hersteller von chirurgischen Instrumenten), 59 Great Portland Street, London
	1874	Mayer-Meltzer (Hersteller von chirurgischen Instrumenten), 71 Great Portland Street, London (Fabrik in 83a Dean Street, London) Später, siehe Down
Mayer-Meltzer		siehe Mayer
Mayer & Phelps		
	1863	Firmengründung. Siehe Down
Mechi & Bazin		
	ca. 1862	London
Medlalow		
	19. Jh.	Medlalow
Meesham		
	1855	T. Meesham (Messerschmied), Market Place, Salisbury
	1865	Meesham & Son (Messerschmied), Oatmeal Row, Market Place, Salisbury
	1875	Henry Meesham & Co. (Messerschmied), 19 Market Place, Salisbury
Migden		
Spätes 18. Jh.		Migden. Instrument in der Wellcome-Sammlung, London
Millikin		
	1822	J. Millikin (Hersteller chirurgischer Instrumente), 301 Strand, London
	1826	Millikin & Wright (Messerschmied und Hersteller chirurgischer Instrumente), 301 Strand, London
	1846	John Millikin, 161 Strand, London
	1860	Millikin & Lawley, 161 Strand, London
	1860–1861	Millikin (vormalig Bigg & Millikin), 9 St Thomas's Street, London
	1863	Millikin (vormalig Bigg & Millikin), 33 St Thomas's Street, London
	1865	John Millikin (vormalig Bigg & Millikin), 12 Southwark Street, London
	1875	John Millikin, 3 St Thomas's Street, London (siehe Bigg)
Montague		J. H. Montague, siehe Savigny
Mountaine		
	ca. 1750	Firmengründung. Richard Mountaine (Messerschmied und Silberschmied), (1729–1808), High Street, Portsmouth
	1798	William Mountaine (Messerschmied), High Street, Portsmouth
Moyes		
	ca. 1825	Moyes
Mundy		
	19. Jh.	Mundy
Norie (oder Norrie)		
	1801	W. A. Norie (Messerschmied), 77 Hutcheson Street, Glasgow
	1813	W. A. Norie (Messerschmied), 618 Argyll Street, Glasgow
	1821	W. A. Norie (Messerschmied und Hersteller chirurgischer Instrumente), 5 Argyll Street, Glasgow
	1824	W. A. Norie (Messerschmied und Hersteller chirurgischer Instrumente), 94 Glassford Street, Glasgow
	1826	W. A. Norie (Messerschmied und Hersteller chirurgischer Instrumente), 12 Glassford Street, Glasgow
	1833	Mrs W. A. Norie (Messerschmied und Hersteller chirurgischer Instrumente), 12 Glassford Street, Glasgow
	1839	L. Norie (Messerschmied und Hersteller chirurgischer Instrumente), 12 Glassford Street, Glasgow

	1840	Mrs Norie (Messerschmied und Hersteller chirurgischer Instrumente), 12 Glassford Street, Glasgow
	1841	W. A. Norie (Messerschmied und Hersteller chirurgischer Instrumente), 12 Glassford Street, Glasgow
		Kein späterer Beleg
Nowill		
	1700	Thomas Nowill (Messerschmied), Sheffield
	1788	Nowill & Kippax (Messerschmied), 27 High Street, Sheffield
	ca. 1800	Hague & Nowill (Messerschmied), 7 Meadow Street, Sheffield
	1861	John Nowill & Sons (Messerschmied), 115 Scotland Street, Sheffield
Oliver & Ogle		
	1818	Oliver & Ogle, Sycamore Street, Sheffield
	1825	Oliver & Webster, 12 Sycamore Street, Sheffield
	1830	V. & Wm. Webster, Sycamore Street, Sheffield
		Kein Beleg nach 1835
Orok		
	1774	John Orok (Messerschmied), Head of Barrenger's Close, Edinburgh
		Kein Beleg nach 1778
Paget		
	1822	Firmengründung. Richard Paget
	1826	Richard Paget, 184 Piccadilly, London
Palmer		
	Mitte 19. Jh.	Palmer
Patten		
	ca. 1750–80	Henry Patten, Middle Row, Holborn, London
Paul		
	19. Jh.	Paul (Hersteller zahnärztlicher Instrumente), London
Peacock		
	1867	Aaron Peacock (Hersteller mathematischer Instrumente), 10 Clarence Street, Newcastle
	1929	Peacock (Hersteller chirurgischer Instrumente), Newcastle
		Geschäft besteht noch
Pearce		Siehe Cuzner
Pepys		
		John Pepys (Messerschmied), St Helen's Bishopsgate, London. (gest. 1760)
		Wm. Hasledine Pepys (Neffe) (Messerschmied und Hersteller chirurgischer Instrumente), Poultry, London. (geb. 1748, gest. 1805)
		Wm. Hasledine Pepys F.R.S. (Sohn) (Messerschmied, Hersteller chirurgischer Instrumente und Apotheker), Poultry, London. (geb. 1775, gest. 1856)
		Robt. Edmond Pepys (Sohn) (Hersteller chirurgischer Instrumente), Poultry, London. (geb. 1819, gest. 1883)
		Geschäft bestand fort bis 1863, als Poultry niedergerissen wurde.
Perkins		
	1826	Jonathan Perkins, 15 Portland Street, London
Philp, Whicker & Blaise		siehe Savigny
Plum (1)		
		Plum. Selbst im Geschäft, bevor Weiss eintrat, ca. 1830

Plum (2)
- 1822 R. Plum (Messerschmied), 4 Dolphin Street, Bristol
- 1826 R. Plum (Messerschmied und Hersteller chirurgischer Instrumente), 4 Dolphin Street, Bristol
- 1841 G. Plum (Messerschmied und Hersteller chirurgischer Instrumente), 3 Dolphin Street, Bristol, and 262 Strand, London
- 1851 G. Plum (Messerschmied und Hersteller chirurgischer Instrumente), 3 Dolphin Street, Bristol, and 448 Oxford Street, London
- 1880 G. Plum (Messerschmied und Hersteller chirurgischer Instrumente), 6 Dolphin Street, Bristol

Geschäftsaufgabe 1932

Plum (3)
- 1854–1939 Robt. Plum (Messerschmied und Hersteller chirurgischer Instrumente), 3 St Augustine's Parade, Bristol

Pratt
- 1852 J. F. Pratt (Hersteller chirurgischer und zahnärztlicher Instrumente), 10 Chase Street, Middlesex Hospital, London
- 1855 J. F. Pratt (Hersteller chirurgischer und zahnärztlicher Instrumente), 420 Oxford Street, London

Price
- Spätes 18. bis Mitte 19. Jh. Price

Prockter
- 1826 Henry James Prockter, 12 Barton Street, London

Prout
- Spätes 19. Jh. Prout, 229 Strand, London

Pryor
- 1826 Thomas Pryor, 67 Minories, London

Jetzt Pryor & Howard Ltd, London

Quiney
- 19. Jh. Quiney

Quixall
- ca. 1800 Quixall

Raeburn
- 1805 George Raeburn, 22 Little Queen Street, London

Rauschke
- 19. Jh. Rauschke, Leeds. (Vormalig Mayer & Meltzer)

Read (1)
- 1826 John Read (Hersteller veterinärmedizinischer Instrumente), Bridge Street, Newington Causeway, London (Erfinder der Magenpumpe)
- 1829 John Read (Hersteller chirurgischer Instrumente), 35 Regent Circus, London
- 1848 Richard Read (Hersteller chirurgischer Instrumente), 35 Regent Circus, London

Read (2)
- 1670 James Read, Schwertfeger, Blind Quay, Dublin
- 1718 James Read, Bürger von Dublin
- 1735 James Read, Vorsteher der Cutlers Guild (gest. 1744)
- 1745 John Read (Messerschmied)
- 1746 John Read (Messerschmied), Crane Lane, Dublin. Auch 4 Parliament Street (Vordereingang), Crane Lane (Hintereingang)

Großbritannien

1776	Thomas Read (Messerschmied), Crane Lane, Dublin. Auch 4 Parliament Street (Vordereingang), Crane Lane (Hintereingang)
1800–1900	(Hersteller chirurgischer Instrumente)

Reay & Robinson

1829	Thomas Reay
1837	Reay & Robinson, 87 Church Street, Liverpool
1851	Partnerschaft aufgelöst, danach Thos. Reay

Remm

Frühes 19. Jh.	Remm

Revell

19. Jh.	Revell (Hersteller zahnärztlicher Instrumente)

Reynolds

ca. 1840	Reynolds, Liverpool

Rhodes

1818	Rhodes & Son, Wicker, Sheffield
1868	W. C. & J. Rhodes, Castle Hill, Sheffield

Richardson (1)

1832	John Richardson (Messerschmied und Hersteller chirurgischer Instrumente), 92 South Bridge, Edinburgh

Richardson (2)

ca. 1750	John Richardson, Prescot Street, London

Richardson (3)

1800	Thos. Richardson (Messerschmied), 31 Maguire Street, Liverpool
1805	Thos. Richardson (Messerschmied), 121 Dale Street, Liverpool
1807	Thos. Richardson (Messerschmied), Post Office Place, Liverpool
1810	Thos. Richardson (Messerschmied und Hersteller chirurgischer Instrumente), Post Office Place, Liverpool
1825	Wm. & Thos. Richardson (Messerschmied), 74 Church Street, Liverpool
1827	Thos. Richardson (Messerschmied und Hersteller chirurgischer Instrumente), Post Office Place, Liverpool
1829	Thos. Richardson Jun. (Messerschmied), 72 Church Street, Liverpool
1832	Richardson Sen. (Messerschmied und Hersteller chirurgischer Instrumente), 72 Lord Street, Liverpool
1832	Richardson Jun. (Messerschmied), 70 Church Street, Liverpool
1841	Thos. Richardson Jun. (Messerschmied und Hersteller chirurgischer Instrumente), 70 Church Street, Liverpool
1862	Thos. Richardson, Jun. (Messerschmied und Hersteller chirurgischer Instrumente), 18 South Street, Waterloo, Liverpool
	Kein Beleg nach 1862

Rigby

19. Jh.	Rigby (Hersteller zahnärztlicher Instrumente)

Risley

1826	Wm. Risley, 18 Roy Street, London

Roberts (1)

1844	Benjamin Roberts, Wundarzt-Dentist, 15 North Parade, Bradford
1844	Benjamin Roberts (Messerschmied und Hersteller orthopädischer Prothesen), 6 Darley Street, Bradford
1849	Benjamin Roberts (Messerschmied und Hersteller orthopädischer Prothesen), 5 Darley Street, Bradford
1849	Benjamin Roberts, Dentist, 42 Darley Street, Bradford
1861	Benjamin Roberts, Wundarzt-Dentist, 8 Little Horton Lane, Bradford

	Roberts (2)	
	ca. 1800	Moses Roberts, New Street, Covent Garden, London
	Robinson	
	1826	John Robinson, 19 Kingsland Road, London
	Rodgers	
	ca. 1820	J. Rodgers & Sons, London
	Rooke	
	ca. 1800	Rooke
	Rose	
	19. Jh.	Rose (Hersteller zahnärztlicher Instrumente)
	Rudford	
	ca. 1850	Rudford, Manchester
	Ryley	
	1826	J. W. Ryley, 4 Duke Street, London
	Salt	
	1773	Wm. Salt (Messerschmied), Cock Street, Wolverhampton
	1781	Wm. Salt (Messerschmied und Spielwarenhandel), Cock Street, Wolverhampton
	1822	Richard Salt (Messerschmied), 4 Dale End, Wolverhampton
	1828	Sarah Salt (Messerschmied), 4 Dale End, Wolverhampton
	1830	Sarah Salt & Son, 4 Dale End, Wolverhampton
		Thomas P. Salt
		Salt & Son
		Edward W. Salt
		Salt & Son Ltd, Orthopädische Geräte
	Saunders	
	19. Jh.	Saunders
	Savigny	
	ca. 1720	Paul Savigny, Geschäftsnachfolger der verstorbenen Witwe How (Messerschmied), Halbert & Crown, St Martin's Churchyard, London
	1726	John Tessier Savigny (Hersteller von chirurgischen Instrumenten und Rasiermessern), Acorn and Crown, Gerrard Street, London
	1784	John Henry Savigny (Hersteller chirurgischer Instrumente), 129 Pall Mall, London
	1794	John Henry Savigny (Hersteller chirurgischer Instrumente), 28 King Street, London
	1798	Erste Katalogausgabe
	1810	Savigny, Everill & Mason (Hersteller chirurgischer Instrumente), 67 St James's Street, („umgezogen von Pall Mall und King Street"), London
	ca. 1850	Everill, Philp & Whicker (vormals Savigny & Co.)
	1855	Philp, Whicker & Blaise, 67 St James's Street, London
	1856	Whicker & Blaise (Hersteller chirurgischer Instrumente), 67 St James's Street, London
	1868	Louis Blaise & Co. (vormals Savigny & Co.)
	1872	Louis Blaise & Co., 67 St James's Street, and 276 Westminster Bridge, London
	1885	C. Wright & Co. (von Louis Blaise & Co., vormals Savigny & Co.), 108 New Bond Street, London
	1896	Alfred Cox (vormals Partner von C. Wright & Co., von Louis Blaise, vormals Savigny & Co.), 108 New Bond Street, London

	1896	J. H. Montague (vormals Partner von C. Wright usw.), 101 New Bond Street, London
Sawyer		
	19. Jh.	Sawyer
Schmidt & Robinson		
	19. Jh.	Schmidt & Robinson, 267 Strand, London
Scudamore		
	ca. 1700	Scudamore, Spiceal Street, London
Settle		
	19. Jh.	Settle
Sharp		
	1851	James Sharp (Hersteller chirurgischer Instrumente), 26 Market Street, Newcastle
		Kein Beleg nach 1866
Sheldrake		
	1790	Timothy Sheldrake (Hersteller orthopädischer Prothesen), 483 Strand, London
	1796	Timothy Sheldrake, 50 Strand, London
	1805	Timothy Sheldrake, 50 Strand, London
		William Sheldrake, 483 Strand, London
	1820	Timothy Sheldrake, 10 Adams Street, London
		William Sheldrake, 483 Strand, London
	1823	William Sheldrake, 483 Strand, London
		see Bigg
Simpson (1)		
	1788	Robt. Simpson (Messerschmied), 9 Clerkenwell Green, London
	1803	Simpson & Smith (Messerschmied), 16 Strand, London
	1822	Simpson & Smith (Messerschmied), 55 Strand, London
	1863	Henry Simpson, 55 Strand, London
Simpson (2)		siehe MacLeod
Skidmore		
	1851	Wm. Skidmore (Hersteller chirurgischer Instrumente), Preisträger der Weltausstellung 1851
	1898	Wm. Skidmore & Co. Ltd, Sheffield
		siehe Hutchinson
Smale		
	19. Jh.	Smale
Smith (1)		
	1826	Benjamin Smith, 68 Cromer Street, London
Smith (2)		
	1803	Wm. Smith, 4 St Saviour's Churchyard, London
	1831	Wm. Smith (Hersteller chirurgischer Instrumente), New Street, London
		siehe Durroch
Snidall		
	1818	James Snidall, 52 Pond Street, Sheffield
Sparling		
	ca. 1780	Sparling (Messerschmied), Corner of Norris Street, Haymarket, London
Spurr		
	1818	Peter Spurr, Arundel Street, Sheffield

Staniforth

1864	G. H. Staniforth (Messerschmied), 10 Church Street, Cardiff
1885	G. H. Staniforth (Messerschmied), 5 Church Street, Cardiff
1889	G. H. Staniforth (Messerschmied), 6 Church Street, Cardiff
	Firma existiert heute noch in der Staling Road, Penarth

Stanton

1738	Edward Stanton, Lombard Street, London
	Kein Beleg nach 1744

Stevens

ca. 1830	J. Stevens (Hersteller chirurgischer Instrumente), 159 Gower Street, London
	später Stevens & Pratt

Stevenson

1822	John Stevenson (Messerschmied)

Still (1)

1799	Alexander Still (Messerschmied und Hersteller chirurgischer Instrumente), Infirmary Street, Edinburgh
1835	Alexander Still (Messerschmied und Hersteller chirurgischer Instrumente), 3 Infirmary Street, Edinburgh

Still (2)

1817	Charles Still (Hersteller orthopädischer Prothesen), 9 Leicester Street, London

Stirling (1)

1828	Robt. Stirling (Messerschmied), 19 New Vennal, Glasgow
1834	Robt. Stirling (Messerschmied und Hersteller chirurgischer Instrumente), 19 New Vennal, Glasgow
1836	Robt. Stirling (Messerschmied und Hersteller chirurgischer Instrumente), 12 London Street, Glasgow
1837	Mrs Robt. Stirling (Messerschmied und Hersteller chirurgischer Instrumente), 12 London Street, Glasgow
1839	Robt. Stirling & Co. (Messerschmied und Hersteller chirurgischer Instrumente), 12 London Street, Glasgow
1854	Robt. Stirling & Co. (Messerschmied und Hersteller chirurgischer Instrumente), 3 Saltmarket, Glasgow
	Kein Beleg nach 1858

Stirling (2)

1851	James Stirling (Messerschmied und Hersteller chirurgischer Instrumente), 88 Gallowgate, Glasgow
	Kein Beleg nach 1860

Stirling (3)

1856	Wm. Stirling (Messerschmied und Hersteller chirurgischer Instrumente), 44 Trougate, Glasgow
1858	Wm. Stirling (Messerschmied), 44 Trougate, Glasgow
	Kein Beleg nach 1892

Stodart

1787	J. Stodart (Messerschmied und Hersteller chirurgischer Instrumente), 401 Strand, London
1791	James Stodart (Messerschmied), 401 Strand, London
1805	J. Stodart (Messerschmied), 401 Strand, London
1826	David & Samuel Stodart, 401 Strand, London
1839	David Stodart, 401 Strand, London

Strange

1815	Wm. Strange (Hersteller chirurgischer Instrumente), 17 Cloisters Street, St Bartholomew's Hospital, London
1820	Wm. Strange (Hersteller chirurgischer Instrumente), 44 West Smithfield, London
1826	Übernahme durch Ferguson

Stubbs

ca. 1860	Stubbs (Hersteller zahnärztlicher Instrumente), Birmingham
1897	Edwin Stubbs (Apotheker und Drogist), Warwick Road, Acocks Green, Birmingham

Swain

ca. 1735	Thomas Swain, Bedford Street, London. (Stellte Chapman's Geburtszange her)

Tax

1705	Thomas Tax (Hersteller chirurgischer Instrumente), Lombard Street, London

Thistlewaite

ca. 1850	S. Thistlewaite, Manchester
1890	Place & Thistlewaite (Hersteller chirurgischer Instrumente), 4 Palatine Buildings, Manchester
1893	Place & Thistlewaite (Hersteller chirurgischer Instrumente), 31 Market Street, Manchester
	Firma bestand noch 1940.

Thompson

1817	James Thompson, 42 Great Windmill Street, London
1826	James Thompson, 38 Great Windmill Street, London
1843	J. Thompson, 38 Great Windmill Street, London
	siehe Maw

Thompson & O'Neill

1833	S. Thompson, 6 Henry Street, Dublin
ca. 1860	Thompson & O'Neill

Tully

1806	Geo. Tully (Messerschmied), 24 Maryport Street, Bristol
1808	Philip Tully (Messerschmied), Somerset Street, Bristol
1813	George Tully (Messerschmied), 24 Maryport Street, Bristol
1813	Philip Tully (Messerschmied), Gay Street, Bristol
1816	George Tully (Messerschmied), 4 Dolphin Street, Bristol
1818	Philip Tully (Messerschmied), 17 St James Place, Bristol
	Kein Beleg für George Tully nach 1821.
	Kein Beleg für Philip Tully nach 1828.

Tymperon

ca. 1735–1770	Edward Tymperon, Russell Court, Drury Lane, London

Underwood

ca. 1820	H. Underwood (vormals Charlwood), 56 Haymarket, and Russell Court, Drury Lane, London
	siehe Charlwood

Walker

Frühes 19. Jh.	F. Walker, 16 Moorgate Street, London

Walsh

1839	Jonathan Walsh, 12 St Bartholomew's Street, London

	Walters	
	19. Jh.	F. Walters & Co., 12 Palace Road, Lambeth
	Warren	
	1826	James Warren, 20 & 21 Chenies Mews, Bedford Square, London
	1887	Warren & Rudgley
	Watts	
	ca. 1800	Watts
	Weale	
	ca. 1740	Richard Weale, Cannon Street, London
	Weedon	
	1789	Thomas Weedon (Messerschmied), 18 Little Eastcheap, London
	ca. 1830	Weedon (Messerschmied), 41 Hart Street, Bloomsbury, London (Arbeiten bekannt bis ca. 1856)
	Weiss	
	1787	Firmengründung. John Weiss (Messerschmied), 42 Strand, London
	1811	John Weiss (Messerschmied), 33 Strand, London
	1823	John Weiss (Messerschmied), 62 Strand, London
	1830	John Weiss & Son, 62 Strand, London
	1831	Erster Katalog
	1843	Zweiter Katalog, 62 Strand and King William Street, London
	1863	Dritter Katalog
	1883	John Weiss & Sons, 62 Strand, & 287 Oxford Street, London
	1889	J. Weiss & Sons, 287 Oxford Street, London
	1894	J. Weiss & Sons, 287 Oxford Street, London (früher 62 Strand) Jetzt 17 Wigmore Street, London
	Well	
	ca. 1800	B. B. Well, 431 Strand, London
	Wenborn	
	19. Jh.	Wenborn (Messerschmied und Hersteller chirurgischer Instrumente), 30a Cornmarket, Oxford siehe Bayne
	Westbrook	
	1817	H. & J. Westbrook (Hersteller chirurgischer Instrumente), 92 Broad Street, London
	Westbury	
	1852	Established. Robt. Westbury (Hersteller chirurgischer Instrumente und orthopädischer Prothesen), 15 Old Millgate, Manchester
	1861	Robt. Westbury (Hersteller orthopädischer Prothesen), 26 Old Millgate, Manchester
	1865	Robt. Westbury (Hersteller chirurgischer Instrumente und orthopädischer Prothesen), 26 Old Millgate, Manchester Im Geschäft bis 1920
	Whitford	
	1798	John Whitford (Messerschmied), 2 Little Cloisters, Smithfield, London
	1814	John Whitford (Hersteller chirurgischer Instrumente), 47 West Smithfield, London
	1822	Elizabeth Whitford (Hersteller chirurgischer Instrumente), 47 West Smithfield, London
	1823	Whitford & Co. (Messerschmied), 2 Porter Street, London Kein späterer Beleg

	Whyte	
	Mitte 19. Jh.	John Whyte, 58 Upper Sackville Street, Dublin
	Wight	
	ca. 1790	Wight
	Wightman	
	19. Jh.	Joseph Wightman
	Wing	
	19. Jh.	Wing (Hersteller zahnärztlicher Instrumente)
	Wolloms	
	ca. 1850	Wolloms, 14 Mortimer Street, Cavendish Square, London
	Wood (1)	
	1799	Joseph Wood, Spurriergate, York
	1831	Joseph Wood & Son
	1845	Joseph Wood
	1850	Invented York razor
	1871	Joseph Wood & Co
	1935	Schließung des Geschäfts
	Wood (2)	
	1833	J. & W. Wood (Messerschmied und Hersteller chirurgischer Instrumente), 109 Piccadilly, Manchester
	1836	J. & W. Wood (Messerschmied und Hersteller chirurgischer Instrumente), 72 King Street House, and Grove Street, Manchester
	1840	J. & W. Wood (Messerschmied und Hersteller chirurgischer Instrumente), 72 King Street House, and 4 Ardwick Place, Manchester
	1845	J. & W. Wood (Messerschmied und Hersteller chirurgischer Instrumente), 74 King Street, and 79 Market Street, Manchester
	1850	J. & W. Wood (Messerschmied und Hersteller chirurgischer Instrumente), 74 King Street, Manchester
	1861	J. & W. Wood (Messerschmied und Hersteller von chirurgischen Instrumenten und orthopädischen Prothesen), 74 King Street, Manchester
	1881	William Wood & Son Im Geschäft bis 1929
	Wood (3)	
	1868	Wm. Wood (Hersteller chirurgischer Instrumente), 95 Lord Street, Liverpool Kein Beleg nach 1875
	Wood (4)	
	1864	John Wood (Hersteller chirurgischer Instrumente), 81 Church Street, Liverpool
	1878	John Wood (Hersteller chirurgischer Instrumente, Optiker und Hersteller orthopädischer Prothesen), 81 Church Street, Liverpool
	1885	John Wood (Messerschmied und Hersteller chirurgischer Instrumente), 81 Church Street, Liverpool Kein Beleg nach 1916
	Woolhouse	
	1818	John Woolhouse, 27 Smith Street, Sheffield Sam Woolhouse, Orchard Street, Sheffield
	Woolley	
	1836	James Woolley (Apotheker), 58 King Street, Manchester
	1841	James Woolley (Apotheker und Drogist), 58 King Street, Manchester
	1851	James Woolley (Apotheker und Drogist), 69 Market Street, Manchester

	1871	James Woolley & Sons (Drogist), 69 Market Street, Manchester
	1881	James Woolley, Sons & Co. (Drogist und Apotheker), 69 Market Street, Manchester
		Letzte Eintragung unter diesem Namen 1963
Wotherspoon		
	1816	Geo. Wotherspoon (Messerschmied), 17 New Vennal, Glasgow
	1824	Geo. Wotherspoon (Messerschmied), 7 Blackfriars Street, Glasgow
	1825	Geo. Wotherspoon (Messerschmied), 17 New Vennal, Glasgow
		Kein Beleg nach 1828
Wright (1)	siehe Savigny	
Wrigth (2)		
	1794	John Wright (Messerschmied), 7 Ships Alley, London
	1809	Wm. Wright (Messerschmied und Hersteller orthopädischer Prothesen), 7 Ships Alley, London
	1825	Henry Wright (Hersteller chirurgischer Instrumente), 13 London Road, Southwark, London
	1832	Henry Wright (Hersteller chirurgischer Instrumente), 32 London Road, London
	1843	Henry Wright (Hersteller chirurgischer Instrumente), 18 London Road, London
		Kein Beleg nach 1867
Wright (3)		
	1782	William Wright (Messerschmied), Morrison's Close, Edinburgh
	1784	Wm. Wright (Messerschmied), Blackfriars Wynd, Edinburgh
	1795	Wm. Wright (Messerschmied), Blairs Street, Edinburgh
	1809	Wright & Son (Messerschmied), Horse Wynd, Edinburgh
	1815	Wright & Son (Messerschmied), 31 West College Street, Edinburgh
	1820	William Wright (Messerschmied), 26 Potterrow, Edinburgh
	1827	William Wright (Messerschmied), 18 Middletons Entry, Edinburgh
Wyke		
	1758	John Wyke (Uhrmacher und Hersteller chirurgischer Instrumente)
	ca. 1780	John Wyke und Thomas Green
	1786	John Wyke verstorben
		(Werkzeuge übergeben an Josiah Wedgwood und James Watt)
Young (1)		
	1777	Firmengründung, jetzt Young, Son & Marlow Ltd
Young (2)		
	1784	Young, Edinburgh
	1803	Archibald Young (Messerschmied), Leith Wynd, Edinburgh
	1808	Archibald Young (Messerschmied), Leith Walk, Edinburgh
	1809	Archibald Young (Messerschmied), Reid's Nursery, Edinburgh
	1811	Archibald Young (Messerschmied), Ronaldson's Buildings, Edinburgh
	1817	Archibald Young Sen. (Messerschmied), Ronaldson's Buildings, Edinburgh
	1818	Archibald Young Jun. (Hersteller chirurgischer Instrumente), 19 College Street, Edinburgh
	1819–1821	Archibald Young Sen. (Messerschmied), 50 Rose Street, Edinburgh
		Kein Beleg nach 1821

1823	Archibald Young Jun. (Hersteller chirurgischer Instrumente), 58 Bridge Street, Edinburgh
1835	Archibald Young Jun. (Hersteller chirurgischer Instrumente), 79 Princes Street, Edinburgh
1847	Archibald Young assistierte Simpson bei frühen Experimenten; er setzte sich völlig der Äther-Anästhesie aus und ließ sich mit offener Flamme am Mund berühren.
1861	Archibald Young (Hersteller chirurgischer Instrumente), 58 North Bridge Street, Edinburgh
1879	Archibald Young (Hersteller chirurgischer Instrumente), 58 North Bridge Street, and 57 Forest Road, Edinburgh
1887	Archibald Young (Hersteller chirurgischer Instrumente), 57–61 Forest Road, Edinburgh
	Jetzt Archibald Young & Son, 57–61 Forest Road, Edinburgh

3. Übriges Europa

Aubry	Paris, Frankreich
Becker	Holland
Beligne	Frankreich
Benois	Frankreich
Bernard	Frankreich
Bichlie	Schweden. Carl Friedrich Bichlie (1799–?) studierte in Stockholm. Zahnarzt des schwedischen Königs, machte sich seine eigenen Instrumente.
Billard	Paris, Frankreich. Louis Alexandre Billard (1798–1877). Frühester spezialisierter Instrumentenmacher für zahnärztliche Instrumente in Paris. Ab 1828 ,,dents minérales''.
Blanc	Frankreich
Bogner	Straßburg, 18. Jh.
Bonneels	Belgien
Bosch	Straßburg
Boullay	Paris, Frankreich. ,,Coutelier de l'Ecole Royale'', rue de l'Ecole de Médicine 1, Paris
Boze	Rußland
Brager	Frankreich
Brevette	Frankreich
Broehm	Bukarest, Rumänien
Canali	Italien
Capron	Paris, Frankreich
Carter	Frankreich
Chardin	Frankreich
Charrière	Frankreich. Joseph François Bernard Charrière (1803–1876) ließ sich um 1826 in Paris als chirurgischer Instrumentenmacher nieder. 1860 Übernahme durch Collin.
Chiron	Frankreich
Clasen	Brüssel, Belgien
Collin	Frankreich

Hersteller zahnärztlicher Instrumente

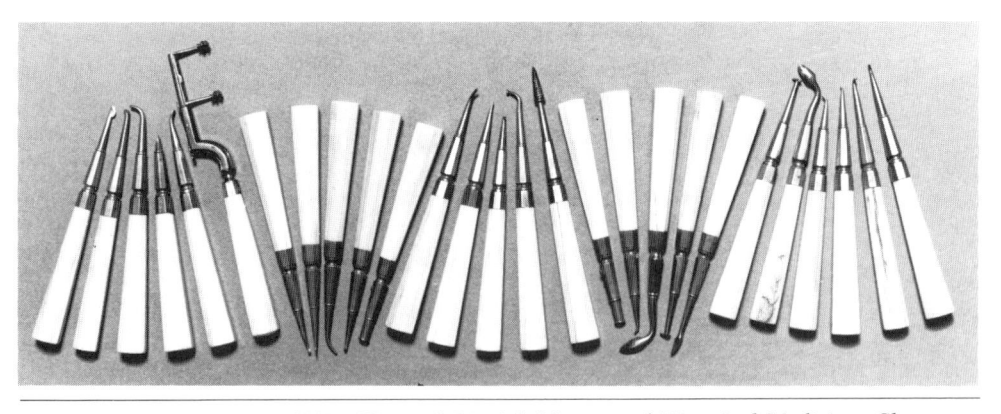

159 *Instrumentensatz, um 1825. (Howard Dittrick Museum of Historical Medicine, Cleveland, Ohio)*

Conrad	Straßburg
Cotsani	Italien
Creuzand	Frankreich
Delamotte	Frankreich
Denis	Belgien
Eberle-Manheim	Paris, Frankreich
Elser	Frankreich
Faure	Holland
Ferras	Toulouse, Frankreich
Fischer (1)	Martin Fischer, Wien, Österreich um 1800
Fischer (2)	Johann Fischer, Wien, Österreich um 1800
Franck-Valery	Frankreich
Galanter	Henri Galanter, Frankreich um 1860
Gasselin	Frankreich
Gauet	Frankreich
Geier	Georg Geier, Wien, Österreich um 1800
Gentile	Frankreich
Gerber	Rußland
Germain	Frankreich
Gilbert	Frankreich
Glitschka	Belgien
Gockel	Mathias Gockel, Wien, Österreich vor 1820
Graiff	Frankreich
Grangeret	Frankreich. 1795 chirurgischer Instrumentenmacher der französischen Marine. 1805 chirurgischer Instrumentenmacher Napoleons. Keine Spur nach 1815
Gueride	Frankreich
Guerin	Frankreich
Hajek	Osteuropa
Hansen	Dänemark
Haran	Frankreich
Hebert	Frankreich

Übriges Europa

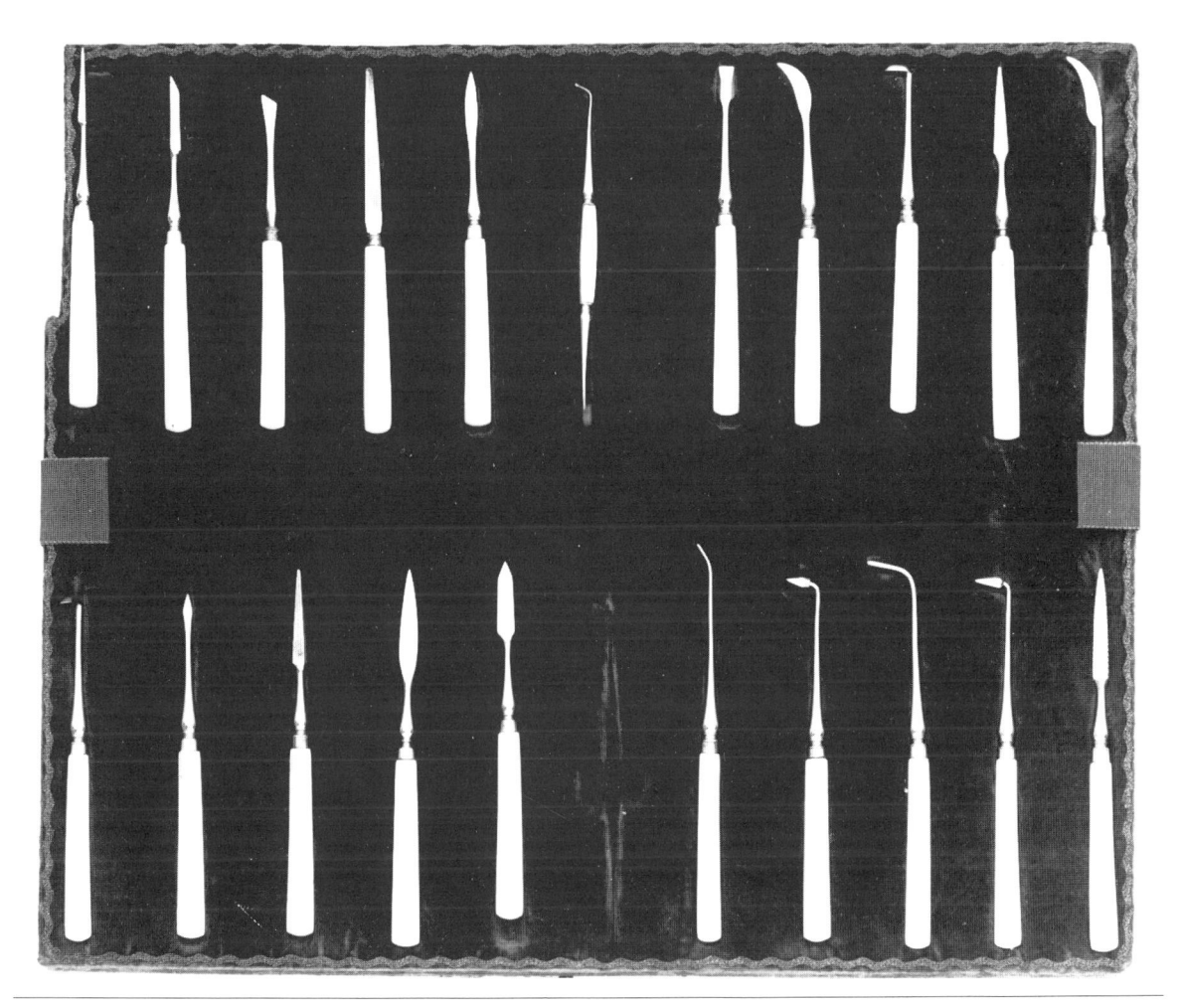

160 *Instrumentenkasten von Giovanni Allessandro Brambilla (1728–1800). (Museum für Geschichte der Wissenschaften, Florenz)*

Henry	Frankreich. „Coutelier de la Chambre des Pairs". Verfasser von *„Precis Descriptif sur les Instruments de Chirurgie"*, Paris 1825. Instrumente gelegentlich „Sir Henry" signiert	
Hersan	Frankreich	
Hufnagel	M. Hufnagel, Wien, Österreich um 1800	
Jani	Bern, Schweiz um 1800	
Jolivet	Frankreich	
Joyant	Frankreich	
Klein	Gent, Belgien	
Lassere	Frankreich	
Laurent	Frankreich	
Leiter	Josef Leiter, Wien, Österreich um 1850	
Lemaitre	Frankreich	
Lemale	Frankreich	
Lepine	Frankreich	
Leplaquais	Frankreich	

Lesueur	Frankreich
Lichtenberger	Straßburg
Lollini	Italien
Lollins Frat	Italien
Luer	Paris, Frankreich
Luent Freres	Frankreich
Malliard	Österreich, auch geschrieben Maillard. Katalog 1789
Mang	Michael Mang, Prag um 1800
Mariand	Frankreich
Mathieu	L. Mathieu, Frankreich um 1860
Menier	Frankreich
Mette	Schweden
Michault	Frankreich
Molinari	Spanien
Moison	Frankreich
Moll	Frankreich
Morette	Frankreich
Mossinger	Holland
Mouniot	Nantes, Frankreich
Nachet	Frankreich
Neuhold	Wien, Österreich
Noel	Paris, Frankreich
Nyrop	Camillus Nyrop, Kopenhagen, Dänemark, später J. E. und L. Nyrop
Odoux	Frankreich
Perret	Jacques Perret (1739–1784). Katalog 1772
Personne	Frankreich
Pohl	Holland
Raillot	Frankreich
Ratery	Frankreich
Reiner	Österreich
Renault	Frankreich
Reymond Freres et Cie	Genf, Schweiz
Rizzoli	Italien
Robert & Collin	Frankreich
Romelin	Frankreich
Sabatneck	Wien, Österreich
Samson	Frankreich
Saverio	Neapel, Italien
Schaffer	Schweiz
Schwabe	Moskau, Rußland
Serendal	Frankreich
Simal	Frankreich
Sirhenry	Frankreich (siehe Henry)
Siries	Italien
Songy	Frankreich
Soubrillard	Frankreich
Sousa-Ferreira, de	Portugal
Soyez	Frankreich
Stille	Schweden

Streb	Karl Streb, Wien, Österreich um 1800	
Suderie	Frankreich	
Thürriegl	Rudolf Thürrigl, vormals Sabatneck (s. d.), Wien, Österreich um 1860	
Varnout & Galante	Frankreich	
Vigneron	Guillaume Vigneron, jr., Paris, Frankreich um 1723	
Walter-Biondetti	Schweiz	
Weber	Straßburg	
Wulfing-Luer	Frankreich	

4. Nordamerika

Aloe		St Louis
Arnold		
	1841	Dally & Arnold, Baltimore
	1847	Francis Arnold. Instrumente schlug F. Arnold
	ca. 1860	F. Arnold & Son
	ca. 1865	F. Arnold & Sons
		Im Geschäft bis 1880
Bagot		
	1850	E. Bagot, New York
		E. Bagot & Son
Biddle		
	ca. 1878	John Biddle, New York. Instrumente schlug J. Biddle
		Im Geschäft bis 1880
Boehun		Rochester
Boekal		Philadelphia
(Bonnerave		Argentina)
Buffalo		
	1867	Buffalo Dental Manufacturing Co., Buffalo
Bushnell		
Caswell Hasard & Co.		New York
Chamberlain		
	ca. 1840	N. B. Chamberlain, Boston
		Hersteller des Morton-Gerätes
Chevalier		
	1833	Chevalier, New York. Firmengründung spätestens unter diesem Datum. Frühere Instrumente schlug Chevalier
	1858	J. D. Chevalier & Sons, New York
Cleveland Dental Manufacturing Co.		Cleveland
Codman-Shurtleff		
	1851	Codman-Shurtleff, Boston
Crocker		Cincinnati
Davis & Lawrence		New York and Montreal
Ford		New York
Frye		Portland
Gardiner		Minneapolis
De Garmo		New York
Gemrig		Philadelphia

Hersteller zahnärztlicher Instrumente

Goulding		
	1847	William R. Goulding, New York
		(Mitunter wurde jedoch Gould für dieselbe Firma gehalten.)
Haenstein		New York
Hernstein		New York
Hood & Reynolds		
	1874	Hood & Reynolds
	1897	John Hood & Co.
	1903	John Hood Company
Johnson & Lund		
	1859	Johnson & Lund, Philadelphia
		Im Geschäft bis 1934
Johnston Brothers		
	1869	Johnston Brothers, New York
	1881	siehe S. S. White
Kastner		
Kern		
	1830	Horatio G. Kern. New York
		Instrumente schlug H. G. Kern
		Im Geschäft bis 1889
Kolbe		D. W. Kolbe, Philadelphia
Krug Sheerer Corp.		New York
Kurmerle		J. F. Kurmerle, Philadelphia
Kurn		Philadelphia
Kuy-Scheerer		New York
Lane		New York
Leach & Green		Boston
Lentz		Philadelphia
Leslie		
	1856	Firmengründung unter der Bezeichnung Mississippi Valley Dental Depot, St Louis, Miss.
		Instrumente schlug Leslie
	1865	A. M. Leslie & Co., St Louis
	1883	St Louis Dental Manufacturing Co.
Lufkin Rule Co.		?Michigan
Otto		New York
Otto & Reynders		New York
Penfield		Philadelphia
Plumb		D. B. Plumb & Co., Georgia
Pratt		Boston
Queen		Philadelphia
Reynders		New York
Rochester Surgical Appliances Co.		Rochester
Sharp & Smith		Chicago
Shepard & Dudley		New York
Sherrard-Duffy		New York
Snow		Syracuse
Snowden		
	1856	Snowden, Baltimore
	1860	Snowden & Cowden

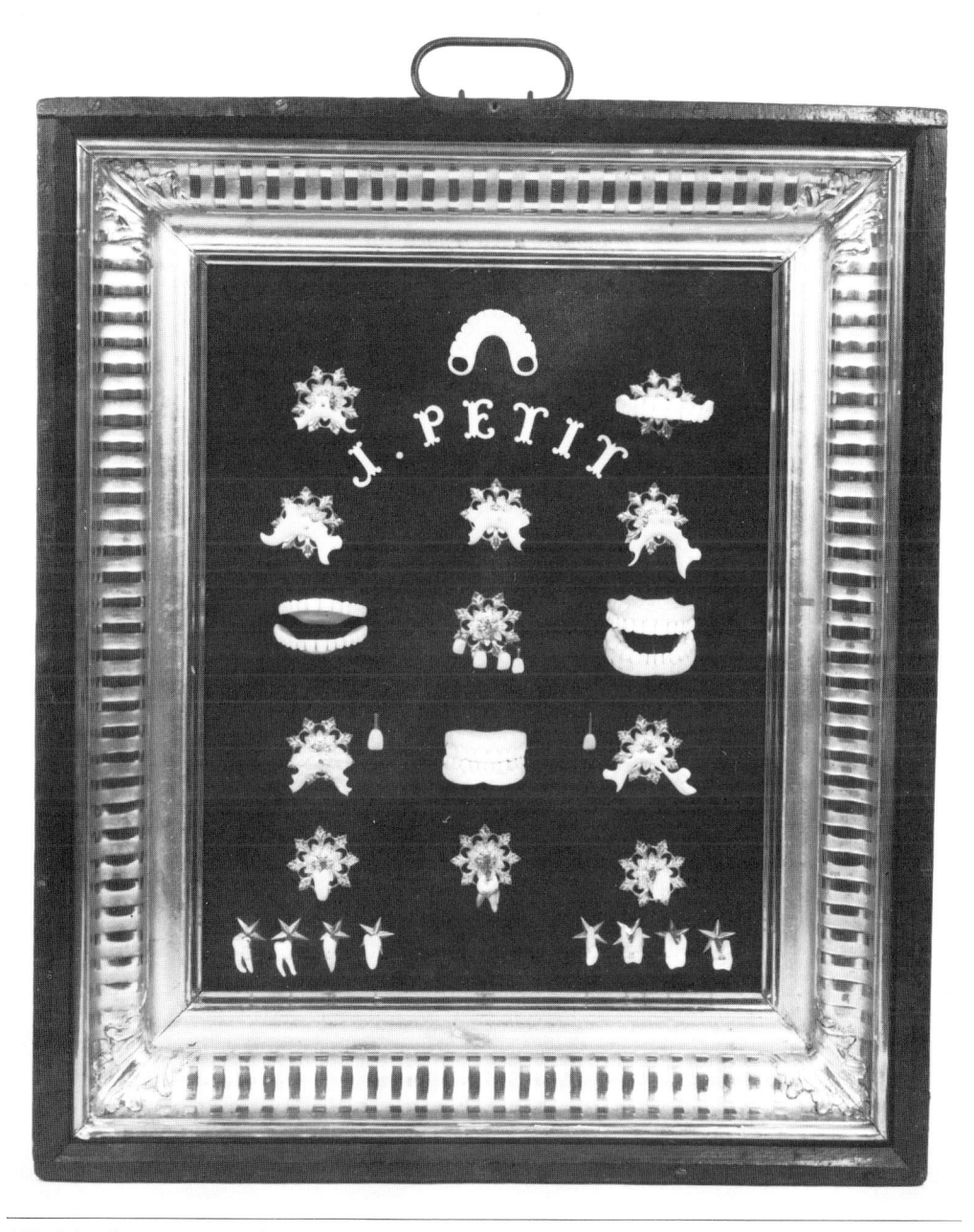

161 *Schaukasten eines Zahnarztes mit Musterprothesen, französisch, um 1860. (Arthur Middleton Ltd, London)*

Spencer	Siehe Toland
Sutton & Raynor	
1854	Sutton & Raynor, New York
Taylor	New York
Tiemann	New York

Toland Dental Depot		
	ca. 1850	Toland Dental Depot, Cincinnati
		Instrumente gestempelt J. T. Toland oder H. R. Sherwood oder (Dr) J. M. Bronn } bis 1856
	1863	Spencer & Moore
	1874	Spencer and Crocker, später Samuel A. Crocker & Co.
Traux Greene & Co.		Chicago
White		
	1844	Dr Samuel S. White, 273 Race Street, Philadelphia
	1845	Jones, White & Co.
	1849	Jones, White & Co., 120 Mulberry Street
	1851	Jones, White & McCurdy
	1852	Jones, White & McCurdy, 116 Mulberry Street
	1859	Jones and White
	1861	Samuel S. White
	1868	S.S. Warenzeichen eingetragen
	1881	S. S. White Dental Manufacturing Co., Philadelphia
White (Branch Offices) (1)		
	1850	Jones, White & Co., 23 Tremont Row, Boston
	1851	Jones, White & McCurdy
	1857	Jones & White
	1861	Samuel S. White
	1881	S. S. White Dental Manufacturing Co., Boston
White (Branch Offices) (2)		
	1858	Jones, White & McCurdy, 102 Randolph Street, Chicago
	1859	Jones & White
	1861	Samuel S. White
	1869	Samuel S. White, 121–123 State Street, Chicago
	1881	S. S. White Dental Manufacturing Co., Chicago
White (Branch Offices) (3)		
	1852	Jones, White & McCurdy, Fulton Street, Brooklyn
	1859	Jones & White
	1861	Samuel S. White
	1881	S. S. White Dental Manufacturing Co., Brooklyn
White (Branch Offices) (4)		
	1846	Jones, White & Co., 263 Broadway, New York
	1851	Jones, White & McCurdy
	1857	Jones, White & McCurdy, 335 Broadway, New York
	1859	Jones & White
	1860	Jones & White, 658 Broadway, New York
	1861	Samuel S. White
	1881	S. S. White Dental Manufacturing Co., New York
Wightman		
	ca. 1845	Joseph Wightman, wahrscheinlich von Boston. Stellte einige von Mortons Geräten her
Yarnall		Philadelphia

Chronologisches Schriftenverzeichnis

Bis ins 16. Jahrhundert:

JOHN OF GADDESDEN: *Rosa Medicinae*, c. 1350
DE CHAULIAC, GUY (GUIDO DES CAULIACO): *Chirurgia magna*. Venedig 1400, 1–74
DE CHAULIAC, GUY (GUIDO DES CAULIACO): *Chirurgia Magna*. 1478
VIGO, GIOVANNI DA: *Practica in arte chirurgica copiosa*. Lugduni 1518
BLUM, MICHAEL: *Artzney Buchlein*. 1530
ALBUCASIS, d. i. ABŪ L-QĀSIM HALAF IBN AL-'ABBĀS AZ-ZAHRĀWĪ: *Chirurgicorum Omnium*. 1532
D'ARCOLI, GIOVANNI, d. i. JOANNES ARCULANUS: *Commentaria in nonum librum Rasis ad regem Almansorem*. Venedig 1542
HOULLIER, JACQUES: *Chirurgia*, 1555
MARTINEZ, FRANCISCO: *Coloquio breve y compendioso . . ., Sobre la materia de la dentadura*. Valladolid 1557.
RYFF, WALTHER HERMANN: *Die gross Chirurgei oder volkommene Wundtartzeney*. Frankfurt 1559–1562
EUSTACHIUS, BARTHOLOMAEUS: *Libellus de dentibus*. Venedig 1563
PARÉ, AMBROISE: *Dix livre de la chirurgie*. Paris 1564
CROCE, ANDREAS DELLA: *Chirurgiae*, 1573
PARÉ, AMBROISE: *Les oeuvres . . . en vingt huit livres*. 4. Aufl. Paris 1585
GUILLEMEAU, JACQUES: *Oeuvres de Chirurgie*. 1598; Paris 1612

17. Jahrhundert:

LOWE, PETER: *Discourse of the whole art of surgery*. 1612
DUPONT: *L'operateur charitable*, Paris 1633
SCULTETUS, JOANNES: *Armamentarium chirurgicum*. Ulm 1655 und Venedig 1665
SCULTETUS, JOANNES: *Wundt-Artzneyisches Zeug-Hauß*. Übers. Amadeus Megerlin. Frankfurt 1666
SCHMID, JOSEPH: *Instrumenta chirurgica, das ist: Kurtze und gründliche Beschreibung, aller und jeder chirurgischen Instrumenten samt deroselben ins Kupffer gebrachte Abbildung*. Augspurg 1673
FABRICIUS AB AQUAPENDENTE, HIERONIMUS: *Wund-Arznei*. Übers. Joh. Scultetus, Nürnberg, Franckfurt 1684
ALLEN, CHARLES: *Curious Observations on the Teeth*. 1687. Reprint London 1924
BEAUCORDUS, STEPHAN: *Neue Kunst-Kammer der Chirurgie oder Heil-Kunst, worinnen die . . . Chirurgie auffgestellet und von den Instrumenten, künstlichen Operationen gehandelt wird*. 3. Aufl. Hannover und Hildesheim 1692
SOLINGEN, CORNELIS: *Handgriffe der Wund-Artzney*. Franckfurt/Oder 1693

18. Jahrhundert:

DE GARENGEOT, RENÉ JACQUES CROISSANT: *Traité des opérations de chirurgie, suivant la méchanique des parties du corps humain.* 1–2 Paris 1720

FABRICIUS AB AQUAPENDENTE, HIERONIMUS: *Opera chirurgica.* Lugduni batavorum 1723

HEISTER, LORENZ: *Chirurgie, in welcher alles, was zur Wund-Artzney gehöret . . .* 2. Aufl. Nürnberg 1724

DE GARENGEOT, RENÉ JACQUES CROISSANT: *Nouveau traité des instruments de chirurgie les plus utiles.* 1–2 Neue Aufl. den Haag 1725

DE GARENGEOT, RENÉ JACQUES CROISSANT: *Nouveau traité des instruments de chirurgie les plus utiles.* 2. Aufl. Paris 1727

BASS, HEINRICH: *Erläuterter Nuck, oder Gründliche Anmerkungen über des Prof. zu Leyden Anthon Nucks Chirurgische Hand-Griffe und Experimente . . .* , mit Kupferstichen. Hrsg. Friedrich Hoffmann, Halle 1728

DE BEAUMONT, BLASIUS: *Exercitationes anatomicasy essenciales operationes de cirurgia con un breve resumen de ben dajes y instrumentos.* Madrid 1728

FAUCHARD, PIERRE: *Le Chirurgien Dentiste.* 2 Bde. 1. Aufl. Paris 1728, 2. Aufl. 1–2 1747

DE GARENGEOT, RENÉ JACQUES CROISSANT: *Abhandlung von denen nützlichsten und gebräuchlichsten Instrumenten der Chirurgie.* Aus dem Französischen übersetzt J. A. Mischel. 1–2, mit Kupffern. Hrsg. Joh. Theod. Eller, Berlin und Potsdam 1729

HURLOCK, JOSEPH: *A practical treatise upon dentition.* London 1742

LECLUSE, LOUIS: *Nouveaux éléments d'ontologie.* Paris 1754

PFAFF, PHILIPP: *Abhandlung von den Zähnen.* Berlin 1756

BOURDET, ETIENNE: *Recherches et observations sur toutes des parties de l'art du dentiste.* 1–2, 1757. Neue Aufl. Paris 1786 (1757 nach Crowley)

VOGEL, ZACHARIAS: *Anatomische, chirurgische und medicinische Beobachtungen und Untersuchungen.* Rostock 1759

HEISTER, LORENZ: *Kleine Chirurgie oder Handbuch der Wundartzney.* 3. Aufl. Nürnberg 1767

HUNTER, JOHN: *The natural history of the human teeth.* 1. Aufl. London 1771; 2. Aufl. London 1778

HUNTER, JOHN: *A practical treatise on the deseases of the teeth.* London 1778

CHANNING, JOHN: *Artificial teeth made of the calves' bone,* 1778

ALBUCASIS, d. i. ABŪ L-QĀSIM HALAF IBN AL-'ABBĀS AZ-ZAHRĀWĪ: *De Chirurgia,* arabice et latine. Cura Johannis Channing, Oxonii 1778

BRAMBILLA, GIOVANNI ALESSANDRO: *Instrumentarium chirurgicum Viennense, oder Wiennerische chirurgische Instrumenten Sammlung.* Wien 1781

BELL, BENJAMIN: *A system of surgery,* 1782

HUNTER, JOHN: *Abhandlungen über die chirurgischen Krankheiten des Mundes.* Nürnberg 1784

GLESINGER, ARTHUR: *Ein zahnärztliches Instrumentarium aus der Medizinisch-chirurgischen Josephs-Akademie von 1785.* Zeitschr. f. Stomatologie 30, 1932 (4) 214–218

CAMPANI, ANTONIO: *Odontologia Ossis Trattato sopra i Denti.* Florenz 1786

SERRE, JOHANN JACOB JOSEPH: *Geschichte oder Abhandlung der Zahnschmerzen des schönen Geschlechts in ihrer Schwangerschaft.* Wien 1788

SERRE, JOHANN JACOB JOSEPH: *Abhandlung über die Flüsse und Entzündungen, von denen die Geschwulsten oder Zahnfleischgeschwüre herrühren.* Wien, Leipzig 1791

KNAUR, THOMAS: *Selectus Instrumentorum Chirurgicorum.* 1796

ARNEMANN, JUSTUS: *Übersicht der berühmtesten und gebräuchlichsten chirurgischen Instrumente älterer und neuerer Zeiten.* Göttingen 1796

19. Jahrhundert:

DYER, W.: *Bemerkungen über das Ausziehen der Zähne, nebst Beschreibung eines neuen dazu dienlichen Werkzeuges.* Annalen d. engl. und frz. Chirurgie, hrsg. Bernh. Nath. Gottlob Schreger, 1. Erlangen 1800, 475 ff.

SKINNER, ROBERT CARTLAND: *Treatise on the Human Teeth.* 1801

LAFORGUE, CH.: *L'art du dentiste.* Paris 1802, dt.: *Die Zahnarzneikunst.* Leipzig 1803

DUVAL, J(ACQUES) R(ENÉ): *Des accidents de l'extraction des dents.* Paris 1802

SERRE, JOH. JAC. JOSEPH: *Praktische Darstellung aller Operationen der Zahnheilkunst.* Berlin 1803

GARIOT, J(EAN) B(APTISTE): *Traité des maladies de la bouche.* Paris 1805

SERRE, JOHANN JACOB JOSEPH: *Essay on the Anatomy and Physiology of the Teeth.* 1817

DE LA FONS, J. P.: *A description of the new patent instrument for extracting teeth.* London 1826

DE LA FONS, J. P.: *Neues Instrument zum Ausziehen der Zähne und Methode, künstl. Zähne zu befestigen.* Hrsg. F. A. Wiese, Leipzig 1827

BELL, THOMAS: *The anatomy, physiology and deseases of the teeth.* London 1829

MAURY, C. F.: *Vollständiges Handbuch der Zahnarzneikunde.* Weimar 1830; frz.: *Traité complet de làrt du dentiste.* Nouvelle éd. Paris 1833

SNELL, JAMES: *Practical Guide to Operations on the Teeth.* 1831

LINDERER, CALLMAN JACOB: *Lehre von den gesammten Zahnoperationen.* Berlin 1834

LINDERER, JOSEPH: *Handbook of Dentistry.* 1837, dt.: *Handbuch der Zahnheilkunde,* Berlin 1848

PARÉ, A.: *Oeuvres complètes.* Hrsg. Joseph François Malgaigne. 2 Bde., Paris 1840

TOMES, JOHN: *On the construction and application of forceps for extracting teeth.* 1841

TOMES, JOHN: *Über die richtige Konstruktion und Anwendung der Zange zum Ausziehen der Zähne.* Der Zahnarzt 1, 1846, 97–107

VELUSSIO, GIOVANNI BATISTA: *Über die Extraktion solcher Zähne, welche der gewöhnlichen Kraftanwendung widerstehen nebst Beschreibung einer Hebelschraube.* Der Zahnarzt 2, 1847, 333–336 (II2) 33–36

LEFOULON, J.: *Über die Instrumente zum Ausziehen der Zähne.* Zahnarzt 5, 1850 (VIII 8) 234 ff.

WOLFFSOHN: *Über einige Instrumente zum Ausziehen der Zähne.* Zahnarzt 5, 1850 (1) 6–11

LINDERER, JOSEPH: *Die Zahnheilkunde nach ihrem neuesten Standpunkte.* Erlangen 1851

TOMES, JOHN: *A system of dental surgery.* Philadelphia 1859

EMILIANI, GIROLAMO: *Dall'uso del forcipe per l'estrazione dei denti.* Bologna 1860

TOMES, JOHN: *Ein System der Zahnheilkunde.* Übers. Ad(olph) zur Nedden. Leipzig 1861

20. Jahrhundert

CHRISTENSEN, CARL: *Ein rationeller Artikulator.* Korresp. bl. Zahnärzte 31, 1902, 54–69

BERTEN, JAKOB: *Über die Konstruktion eines neuen Satzes Zahnextraktionszangen.* Österr.-ung. Vjschr. Zahnhk. 21, 1905, 129–153

SUDHOFF, KARL: *Zahnzangen aus der Antike.* Archiv f. Gesch. d. Med. 2, 1908/1909, 55–69

GUERINI, VINCENZO: *A History of Dentistry.* Philadelphia u. New York 1909

BREUER, RICHARD: *Ein zahnärztliches Instrumentarium vor 100 Jahren. Napoleon I.* Festschrift des Vereins österr. Zahnärzte zum 50j. Bestand, Wien 1911

SCHRISKER, HANS: *Die hippokratischen Geräte zur Einrichtung von Frakturen und Luxationen.* Med. Diss. Jena 1911

v. TÖPLY, R.: *Antike Zahnzangen und chirurgische Hebel.* Jahreshefte des Österr. archäolog. Inst. Wien 15, 1912, 195 ff.

COLYER, SIR FRANK: *John Hunter and Odontology.* London 1913

DEPENDORF, THEODOR: *Die Zangen aus dem Legionslager von Vindonissa.* Dtsch. Mschr. Zhk. 32, 1914 (V 5), 381–388

SCHÜLLER, ADOLF: *Die Geschichte der Zahnzangen.* Berlin, med. Diss. 1920/1922

WENK, GERHARD: *Die Geschichte der Zahnextraktionsinstrumente.* Würzburg, med. Diss. 1921

BLOCH, JULIUS: *Die Entwicklung des zahnärztlich-chirurgischen Instrumentariums im 19. Jahrhundert.* Berlin, med. Diss. 1921/1924

NAGEL, HELMUT: *Die Geschichte der Zahnzangen und ihrer Vorläufer.* Halle, med. Diss. 1921/1922

WALDERA, PAUL GEORG: *Geschichte der Zahnextraktionsinstrumente.* Köln, med. Diss. 1921/1922

LÜDEKE, WALTER: *Die Bedeutung und geschichtliche Entwicklung der wichtigsten Instrumente für die Pflege der Zähne.* Halle, med. Diss. 1921/1922

FRAENKEL, OTTO: *Die Geschichte der Zahnhebel.* Greifswald, med. Diss. 1922

HEISIG, VIKTOR: *Ueber die Entwicklung der zahnchirurgischen Hebel und deren Anwendung.* Breslau, med. Diss. Juni 1922

ROTHERT, HANS: *Ueber die Entwicklung und Verwendung der Zahnextraktionszange vom Altertum bis zur Gegenwart.* Breslau, med. Diss. 1922

SOENKE, HERBERT: *Geschichtliche Entwickelung der verschiedenen Extractionsmethoden und des Instrumentariums.* Greifswald, med. Diss. 1922

WILKENS, BERNHARD: *Ueber die Geschichte der Zahnzangen.* Heidelberg, med. Diss. 1922

NEGENDANK, LUDWIG: *Die Geschichte der Zahnextraktionsinstrumente.* Hamburg, med. Diss. 1922/1926

MOUREAU, GUSTAV: *Beitrag zur Entwicklungsgeschichte der Zahnzange.* Frankfurt/M., med. Diss. 1923

NIENS, ALFRED: *Geschichte der zahnärztlichen Bohrmaschine.* Frankfurt/M., med. Diss. 1923

NINDEL, OTTO: *Extraktionsmethoden – Extraktionsinstrumente, einst und jetzt.* (Unter bes. Berücks. der im zahnärztl. Inst. d. Univ. Halle/S. befindl. Sammlung alter Extraktionsinstrumente). Halle, med. Diss. 1923/1924

HAMMACHER, PAUL: *Die Entwicklung der Zahnzange zum modernen Extractionsinstrument.* Bonn, med. Diss. 1924

MARQUARDT, HANS: *Historische Entwicklung unserer schneidenden Handinstrumente, Zahnreinigungsinstrumente, Schmelzmesser und Exkavatoren.* Göttingen, med. Diss. 1924

WALLIS, WILLIAM KARL FRIEDRICH: *Die Entwicklung der Zahnzangen im 19. Jahrhundert.* Greifswald, med. Diss. 1924

GERDES, FRIEDRICH: *Die Entwicklung der bei der konservierenden Zahnbehandlung notwendigen Schneide- und Füllinstrumente.* Würzburg, med. Diss. 1924/1925

KOCH, WILHELM: *Die zahnärztliche Bohroperation und die zahnärztlichen Bohrinstrumente in ihrer geschichtlichen Entwicklung.* Bonn, med. Diss. 1925

REINFELDT, ERWIN: *Das Instrumentarium der konservierenden Zahnheilkunde und Wurzelbehandlung im 16.–18. Jahrhundert.* Erlangen, med. Diss. 1925

ZAUSCH, HANS: *Das zahnärztliche Extraktionsinstrumentarium des 16. bis 17. Jahrhunderts.* Erlangen, med. Diss. 1925

UHLMANN, FRANZ: *Eine historische Betrachtung über die Entwicklung der Extraktionsinstrumente auf physikalischer Grundlage.* Würzburg, med. Diss. 1927

LINDSAY, LILIAN: *Worms in the Teeth.* British Dental Journal 50, 1929

MOLNÁR, LADISLAUS: *Über die Entwicklung der Zahnextraktionsinstrumente.* Rostock, med. Diss. 1929

GOLDMANN, JOSEF: *Die historische Entwicklung der Handbohrer und Bohrmaschinen.* Göttingen, med. Diss. 1929/1930

BOFINGER, RICHARD: *Ueber ältere und neuere Instrumente und Methoden zur Zahn- und Wurzelextraction.* Tübingen, med. Diss. 1933

STERN, ROBERT: *Die geschichtliche Entwicklung von Zahnzangen und Hebeln bis zu modernen Extraktionsinstrumenten.* Erlangen, med. Diss. 1933

ERICH, THEODOR: *Die Entwicklung der zahnärztlichen Extraktionsinstrumente bis zur Einführung der Zahnzange.* Greifswald, med. Diss. 1935

SCHLÜTER, INGEBURG: *Über die Entwicklung der Bohrer für zahnärztliche Zwecke.* Leipzig, med. Diss. 1935

ZSCHAUBITZ, GERHARD: *Zur Geschichte der Zahnzangen.* Leipzig, med. Diss. 1936

MÖBIUS, HELLMUT: *Eine kritische Betrachtung der Zahnextraktionsinstrumente im Verlauf ihrer Entwicklung.* Leipzig, med. Diss. 1937

COLYER, JONAS FRANK: *Old instruments for Extracting Teeth.* Wallace Memorial lecture 1938. British dental Journal 66, 1939 (V 10)

BUESS, HEINRICH: *Die Entwicklung der Injektionsgeräte.* Ciba-Zschr. 9, 1946, 3637–3640

162 *Karikatur von George Cruikshank*

CZECH, DOROTHEA: *Die geschichtliche Entwicklung der Zahnextraktion vom 16. Jahrhundert bis zu John Tomes.* Erlangen, med. Diss. 1946

DELLMANN, HELMUT: *Zur Geschichte der kiefer- und gesichtschirurgischen Instrumente.* Düsseldorf, med. Diss. 1947

DRIAK, FRITZ: *Historische Zahnzangen und ihre Verwendung.* Wiener Beiträge zur Gesch. d. Med. 2, hrsg. Emanuel Berghoff 2, Wien 1948, Festschrift Max Neuburger 104–118

LUFKIN, ARTHUR WARD: *A History of Dentistry.* London 1948

COLYER, SIR FRANK: *Old Instruments Used for Extracting Teeth.* London 1952

SCHROEDER, HANS JOACHIM: *Die Entwicklung der Zahnzangen und die Forderung an ein Zangengrundinstrumentarium.* Berlin, med. Diss. 1952

CAMPBELL, J. MENZIES: *Dental Pelicans.* Dental Magazin and Oral Topics 1953 (VI), 172–179

KRAUSE, WALTER: *Geschichte des Zahnbohrers und der Zahnfeile bis zur Erfindung der Fußbohrmaschine.* Leipzig, med. Diss. 1954; vgl. MICHAEL REICH: *Zur Entwicklung des zahnärztlichen Bohrantriebs,* Erlangen, Diss. 1980

MINGOLI, A.: *Strumenti dentari nei secoli passati.* Clinica odontoiatrica, Accademia Stomatologica, Roma 9, 1954 (6), 147–152

SMITH, MAURICE: *A Short History of Dentistry.* London 1958

DONALDSON, J. A.: *The development of the application of electricity to dentel surgery up to 1900.* Brit. Dent. Journal 109, 1960 (4) 121 ff.

KOLLOSCHE, DIETRICH: *Die Entwicklung des Operationsleuchtenbaus in der Zahnheilkunde vom Reflektor bis zur neuzeitlichen Operationsfeldleuchte.* Düsseldorf, med. Diss. 1960

STRÖBEL, HANS GEORG: *Bau und Wirkung der Extraktionsinstrumente sowie ihre Entwicklung.* Düsseldorf, med. Diss. 1961

LANDON, MELLE A.: *L'évolution des instruments d'extraction.* Revúe d'histoire de l'art dentaire 1964 (4) 9–11, 1965 (I 5) 36–41

WAGNER, INA-VERONIKA: *Die Geschichte zahnärztlicher Instrumente in der Zeit 1550–1960.* Unter bes. Berücks. d. chirurg. Instrumentariums. Dresden, med. Diss. 1967; vgl. Dt. Stomat. 20, 1970 (3) 225

BENDS, HELMUT: *Die Entstehung des zahnärztl. Kombinations- oder Einheits-Geräts.* Köln, med. Diss. 1968

WOODFORDE, JOHN: *The Strange Story of False Teeth.* London 1968

BELLONI, L.: *Lo strumentario chirurgico di Giovanni Alessandro Brambilla.* Florenz, Istitute e Museo di Storia bella Scienza, 1971

ALBUCASIS: *On surgery and instruments.* A definitive ed. of the Arabic text with English transl. and commentary by M. S. Spink and G. L. Lewis, London 1973

DECHAUME, MICHEL; HUARD, PIERRE: *Histoire Illustrée de l'Art Dentaire.* Paris 1977

LONGFIELD-JONES, G. M.: *A Set of Silver Dental Instruments from the New Milton Collection.* Medical History 28, 1984

Photonachweis

American Dental Association, Chicago, Ill.
Archäologisches Museum Tarquinia
Arthur Middleton Ltd, London
British Museum, London (Ambrose Heal Collection, Edward Heal Collection, Waddesden Bequest)
Dekan und Ordenskapitel, Wells Cathedral
E. P. Malloroy & Son, Ltd, Bath
Hartford Dental Society, Hartford, Conn.
Howard Dittrick Museum of Historical Medicine, Cleveland, Ohio
I. Freeman & Son, Simon Kaye Ltd, London
J. Saville Zamet, London
Kunstgewerbemuseum, West-Berlin
Macaulay Museum of Dental History, Medical University of South Carolina
Massachusetts General Hospital, Boston, Mass.
M. Eckstein Ltd, London
Musée Condé, Chantilly
Musée Dentaire, Lyon
Musée d'Histoire de la Médecine de Paris (Cliché Assistance Publique)
Musée d'Histoire des Sciences, Genf
Musée du Val-de-Grâce, Paris
Musée Fauchard, Paris
Museum der Medizin der UdSSR, Kiew
Museum der Schwedischen Zahnärztlichen Gesellschaft, Stockholm
Museum für die Geschichte der Wissenschaften, Florenz
Museum für Geschichte der Medizin, Wien
Museum of London
Museum of the Baltimore College of Dental Surgery, Baltimore
Museum of the British Dental Association, London
Museum of the History of Science, Oxford
National Gallery, London
New York Academy of Medicine
Odontological Museum of the Royal College of Surgeons, London
Peter Goodwin, London
Phillips Ltd, London
Privatsammlung Dr. Ben Z. Swanson, London
Privatsammlung Dr. Claude Rousseau, Paris
Privatsammlung Dr. Gary Lemen, Sacramento, Cal.
Privatsammlung, London
Privatsammlung, Paris
Privatsammlung Peter Gordon, London
Privatsammlung Raymond Babtkis, New York
Privatsammlung Rosalind Berman, Cheltenham, Pa.
Punch Library, London
Rijksuniversiteit, Utrecht
Royal Army Dental Corps Historical Museum, Aldershot
Sammlung Proskauer-Witt, Bundeszahnärztekammer Köln
Sammlung U. Lohse, Burg a. F.
Science Museum, Wellcome Collection, London
Semmelweis-Museum, Budapest
Sotheby & Co., London
Trinity College, Cambridge
University of Alberta Dental Museum, Edmonton
Zentralmuseum Mainz

– # Personen- und Sachverzeichnis

Kursive Seitenzahlen verweisen auf Abbildungslegenden auf der betreffenden Seite. Die Namen der Instrumentenmacher aus den alphabetischen Aufstellungen der Seiten 168 bis 211 sind ebensowenig in das Personen- und Sachverzeichnis aufgenommen wie die Namen aus dem chronologischen Schriftenverzeichnis.

A

Abdrucklöffel *98, 99*
Abszeß 49, 70, 132, 163
Aderlaß 11, 15, 132
AITKEN, JOHN 50
ALBUCASIS 31, 32, 40, 53, 77, 89, 129, 142
ALLEN, CHARLES 20, 21, 31, 35, 70, 87, 90, 132, 134, 143, 147
ALLEN, JOHN 99
Alraune 102
Amalgam 82, 85
American Dental Association 25
American Journal of Dental Science 25
Anästhesie 28, 99, 102–121
Anatomie der Zähne 68
ANDRY, NICHOLAS 69
ANNE, engl. Königin 12, 44
Antisepsis 29, 76, 144
APOLLON, griech. Gott 7, 10, 40
APOLLONIA, Schutzheilige der Zahnärzte und Zahnleidenden 10, 11, *12, 13*, 16, 155
ARCHIGENES aus Apameia, röm. Arzt 69
ARCHIMEDES, griech. Mathematiker und Physiker 73
ARISTOTELES, griech. Philosoph 15, 53
ASH, CLAUDIUS (Instrumentenmacher) 50, 73, *74*, 80, 97, 98, 121, *123*, 158, 162, 167
Äther 103–105
ATLEE (Instrumentenmacher) 108
Ätzmittel 30
AURELIANUS, CAELIUS, numid. Arzt 15
AVICENNA, pers. Philosoph und Arzt 102, 128, 146

B

BAKER, JOHN 24, 144
Barbiere
– als Chirurgen 15, 16
– als fahrende Zahnzieher 16
– von Mönchen ausgebildet 16
BARNAM, SANFORD CHRISTIE 76
BARTH (Instrumentenmacher) 113
BARTLETT, HENRY VALENTINE 100
BAXTER, RICHARD 30
BEARDMORE, THOMAS 144, 147
BEDDOES, THOMAS 111
Behandlungsstühle *17*, 68, 138–141, 158, 159

BELL, BENJAMIN 38, 41, *43*, 46, 64
BELL, JACOB 110
BELL, THOMAS 42, 43, 63
BENSON, EDWARD FREDERIC 121
BIERCE, AMBROSE 15
Bistourie 132, *133*, 134
BLACK, ELEAZER PARMLY 85
BLACK, GREEN VARDIMAN 85
BLAGRAVE 86
BLUM, MICHAEL 70, 82
„Bohnenzähne" 96
Bohrinstrumente 69–76, 157, 163
– Archimedesbohrer 73, 75
– Bohrmaschine, fußbetriebene 28, 73, 76
– Bohrmaschine, hydraulisch betriebene 76
– Bohrmaschine mit Kugelgelenk *72*, 73, 75
– Bohrmaschine mit pneumatischem Antrieb 75
– Bohrmaschine mit Uhrwerkmotor 75
– Bohrzwinge (Porte-forêt) *72*, 73, *74*
– Drillbohrer *71*
– Federmotor-Bohrmaschine 75
– Fiedelbohrer 70, *71, 72*, 73, 93
– Getriebehandbohrmaschine *164*
– Handbohrer 70, *123*
  Handbohrer mit verstellbarer Spitze 75, *75*
– Handbohrmaschine, elektrisch 76, 157
– Handbohrmaschine, schnurgetriebene *74*
– Rosenbohrer *71*, 73, 75
– Trepan 69, 70
– Tretbohrmaschine 157
BOOTT, FRANCIS 106
BORELLI, GIOVANNI ALFONSO 138
BOURDET, ETIENNE 35, 41, 46, 80, 93, 136
BOYLE, ROBERT 115
BRAMBILLA, JUAN ALEXAND (GIOVANNI ALESSANDRO) 38, *56, 207*
Brenneisen 30, 70, 77–80, *81*, 157
– elektrisch 80, 121
– goldenes 77
BRETTANER, JOSEF 115
British Dental Association 26, 106, 139
BRUNNER, ADAM ANTON VON 43
BÜCKING, JOHAN JACOB HEINRICH 41, 56
Bügelsäge 93
BUNON, ROBERT 143, 144
BUSCH, WILHELM 162

C

CAMERON, JAMES 100
CAMPANI, ANTONIO 33, 35, 56
CARTWRIGHT, SAMUEL 25
CATTLIN, W. A. N. 114
Cattlin-Beutel 115
CELSUS, AULUS CORNELIUS, röm. Schriftsteller 15, 31, 129
CERVANTES SAAVEDRA, MIGUEL DE, span. Dichter 143
CHAMBERLAIN, N. B. (Instrumentenmacher) 104
CHANNING, JOHN 93
CHARPENTIER 65
CHARRIÈRE (Instrumentenmacher) *37*, 40, 46, *57*
CHAULIAC, GUY DE 16, 32, 87, 89, 142
CHEMANT, NICHOLAS DUBOIS DE 96
CHESTERFIELD, PHILIP DORMER STANHOPE, Lord 143
CHEVALIER (Instrumentenmacher) *72*, 75, *140*
Chloroform 108, 109–111, 112, 114
CHURCHILL, CHARLES 86
CLARK, WILLIAM 103
CLARKE, ROBERT 49
CLENDON, CHITTY 64
CLOVER, JOHN *107*, 108, 110, 113, 114
Cofferdam 76, 80
COLEMAN, ALFRED 113
CORBITT (Instrumentenmacher) 99
CORK (Instrumentenmacher) 99
COTTON, GARDNER QUINCY 113, 114
COXETER (Instrumentenmacher) 106, 110, 113, 114
CRAWCOUR 85

D

DAVY, HUMPHREY 111, 112
Dekret, päpstliches 15
DELLA CROCE, ANDREAS 32, 53, 70
DELMOND von Paris 80
DEMETER, griech. Göttin 102
Dentificator (Zahnschnitzmaschine) 100
Dentist
– Auflagen während der Lehrzeit 22
– Definition 20
– Geheimhaltung von Methoden und Entdeckungen 22, 25
– Honorare 22, 25
– Lehre und Lehrzeit 22
– Desmodont 157
D'ESTANQUE, EUGÈNE 40, *67*

221

Personen- und Sachverzeichnis

DIDEROT, DENIS 41
DIOKLES von Karystos, griech. Arzt 142
DIONIS, PIERRE 41, 43, 56, 128
DIOSKURIDES, PEDANIOS, griech. Arzt und Pharmakologe 102
DOUGLAS, JAMES 38
Douglas-Hebel 38
DUBOIS 38, 77
DUCHÂTEAU, ALEXIS 96
DUPONT 90
DUVAL, J. R. *49,* 68

E

Ecole Dentaire 28
Elektrokauter *116*
Elektrotome 157
Elevatoren, s. Extraktionsinstrumente
ELISABETH I., engl. Königin 30, 86
ELLIS, ROBERT LESLIE 114
ERASMUS von Rotterdam 151
etruskische Goldbandprothese *87, 88, 89*
EUSTACHI, BARTOLOMEO (EUSTACHIUS BARTHOLOMAEUS) 20, 136
EVANS (Instrumentenmacher) 44
EVANS, THOMAS WILTBERGER 99, 113
EVRARD (Instrumentenmacher) 64, *81,* 161, *174*
Extraktion 8, 15, 16, 30, 31, 38, 40, 41, 43, 53, 63, 77, 80, 87, 99, 104, 121, 132, 136, 138, 139, 162, 163
Extraktionsinstrumente 30–68
– Elevatoren 32, 38, 40–44
– Hebel 32, 38, 40–44, 46, *53,* 56, 68
– kombinierte 64–68
– Pelikane *15,* 32–40, 41, 46, *49, 52, 53,* 56, 68, 136
– Schrauben 32, 51–52, 163
– Zahnschlüssel 32, 44–51, 64, 156
– Zahnzangen 32, 41, 50, 51, 53–64, 68, 136, 161, *174*
– zur senkrechten Extraktion (Pendelextraktion) 64–68, 157
Extraktionsmethoden 68

F

FABRICIUS AB AQUAPENDENTE 53, 70
FABRICIUS HILDANUS, WILHELM 137
FALLOPIA, GABRIELE 20
FARADAY, MICHAEL 112, 113
FAUCHARD, PIERRE 21, 38, 40, 41, 43, 56, 70, 77, 80, 82, 85, 86, 87, *90,* 92, 93, 128, 130, 132, 134, 136, 137, 138, 139, 142, 143, 144, 147, 153
FAY, CYRUS 56, 63, 64
Fehlstellungen der Zähne 15
Feilen 70, 93, 129, 130
FENDALL 24
FERGUSON (Instrumentenmacher) *62,* 106, 115
FERRARA, GABRIELE 32
FINCH, EDWARD 144
FINZI, S. L. 75
FITKIN, WILLIAM 44

FLAGG, JOSIAH FOSTER 63, *73,* 75
FONZI, GIUSEPPANGELO *79,* 96
FOTHERGILL 44
Fothergill-Schlüssel 44
FOX, CHARLES JAMES 113
FOX, JOSEPH 25, 49
FRANCIS, JEROME B. 121
FREUD, SIGMUND 115
FRIEDRICH II. der Große 77
Füllungsinstrumente 80–85, 157
Füllungsmaterialien 80–85

G

GAINE, CHARLES 136
GALEN, röm. Arzt 15, 69, 102
GARDETTE, JACQUES 111
GARENGEOT, RENÉ-JACQUES 33, 41, 44, *45,* 46, 56, 69, 70, 82, 130, 132
GARIOT, JEAN-BAPTISTE 33, 43, *47,* 146
Gaumenmesser 41, 132, 134
Gaumenobturator 134
Gaumenperforationen 134
Gaumenspalten 134, 158
Gebißfedern 93, 96
Gebißständer *94*
Geißfuß 41, 43
Geißfuß-Elevator 41
Geisteskrankheiten 137
GEORG III., engl. König 86
GERARD VON CREMONA 89, 128
GILBERT, HENRY 68
GILLANDERS, FRANCIS 93
GIOVANNI D'ARCOLI 32, 69, 80, 136, 142, 147, 153
GIOVANNI DA VIGO 69, 80
Gips zur Modellherstellung 93
Glühschlinge, elektrische 157
GOETHE, JOHANN WOLFGANG VON 38, 152
Goldfärbung 157
Goldfolienstopfer *23*
Goldhammer *81*
Goldhammerfüllung 158
Goldobturator 134
Goldstopfer *83, 84*
Goldstopfhammer *82*
GOODYEAR, CHARLES 99
GORZ 41
GOYA, FRANCISCO, span. Maler 12
Grabplünderungen 97
GRAY, JOHN 64, *65*
GREEN, GEORGE F. 75, 76
GREEN, WILLIAM 86
GRENNOUGH, THOMAS 147
GREENWOOD, JOHN *70, 73, 93,* 96
GRESSET, PAUL *120,* 136, 137
GUILLEMEAU, JACQUES 53, 82, 89, 125, 129, 136
Gumma 158
GUTHRIE, SAMUEL 109
Guttapercha 85, 99

H

HAHN, FRIEDRICH-WILHELM 110
HALSTED, WILLIAM STEWART 115

HANCHETT, M. W. 141
HARDY, THOMAS 22
HARRINGTON, GEORGE FELLOWS 75, 99, 100
HARRIS, JOHN 24
Hebel, s. Extraktionsinstrumente
Heilige in der Zahnheilkunde 10
HEINRICH VIII., engl. König 16
HEISTER, LORENZ 33, 38, 68, 90, 128, 137
HENRY (Instrumentenmacher) 44, 49, 51
HERVEY, Lord 90
HEWITT, FREDERICK WILLIAM 109
HICKMAN, HENRY HILL 112
HILDEGARD VON BINGEN, hl., dt. Mystikerin 132
HILL 85
HIPPOKRATES, griech. Arzt 15, 30, 142, 146
Hirschfuß 43
Hochschulen für Zahnärzte 24, 25, 26, 28
HILMES, OLIVER WENDELL 102
HOOD, THOMAS 40
HORAZ, röm. Dichter 86
HOULLIER, JACQUES 9
HOWARTH, DAVID 103
HULLIHEN, SAMUEL P. 51
HUNTER, JOHN 22, 24, 25, 69, 82, 87, 125, 136
HURLOCK, JOSEPH 132
Hypnotismus 121
Hypomochlion 44, 49, 51
Hysterie 137

I

Injektionsspritze 115, *116,* 121, 134
Inlays 85
Instrumentenhersteller
– Gold- und Silberschmiede 29
– Grobschmiede 28
– Kunsthandwerker 29
– Messerschmiede 28, 29
– Waffenschmiede 28
Instrumentenkästen, zahnärztliche *23, 55, 57, 59, 61, 126, 165, 178, 207*
Instrumentenkunde, Teil der Zahnheilkunde 161
Instrumentenliste 20
Instrumentenprüfung 16

J

JACKSON, CHARLES THOMAS 104, 112
JAKOB I., engl. König 31
JOHN OF GADDESDEN 9, 31, 32, 40
JOHNSON, BEN 153
JOSSELYN, JOHN 31
JULLIARD, GUSTAV 111
JUNCKER, FERDINAND ADALBERT 110

K

Karies 15, 69, 70, 72, 77, 87, 130, 163
Karpfenzunge 43

Sachverzeichnis

Katalepsie 137
Kautern *19,* 77, 157
– als Kariesbehandlung 77
– bei Zahnbetterkrankungen 77
– bei Zahnfleischgeschwüren 77
– zur Wurzelbehandlung 77
KHAYYAM, OMAR 151
Kieferklemme 137
Kieferorthopädie 22, *124,* 136
KINGSLEY, NORMAN WILLIAM 96, 97, 134, 136
KIRBY, AMOS *81*
KNAUR, THOMAS 38, 49
Kokain 115
KOLLER, KARL 115
Krähenschnabel 53, 56
Kranichschnabel 56
KROHNE und SESEMAN (Instrumentenmacher) 110
Kunstharz 158
Kurpfuscher 121

L

Lachgas, s. Stickoxydul
LAFARGUE, G.-V. 115, 158
LAFORGUE, CHARLES 38, 49, 51
LANFRANC 77
LANGLAND, WILLIAM 16
LARREY, DOMINIQUE 112
Laudanum 102
LAUTENSCHLÄGER, HEINRICH *164*
LEBER, FERDINAND JOSEPH 46, 56
LECLUSE, LOUIS 43, 46
LEEUWENHOEK, ANTONI VAN 125
LEFOULON, PIERRE JOACHIM 73
LEMALE (Instrumentenmacher) 99
LENTIN, L. B. 121
LEWIS, JOHN 73, *74*
LINDERER, CALMANN JACOB 73
LINDERER, JOSEPH 49
LINDSAY, LILIAN 28
LISTER, JOSEPH 111
LISTON, ROBERT 106
LIVIUS, TITUS, röm. Geschichtsschreiber 12
LODER, JUSTUS CHRISTIAN 38, 44
Lokalanästhesie 115–121
LONG, CRAWFORD W. 103
LOOMIS, MAHLON 99
LOWE, PETER 77
LUDWIG XIV., frz. König 38, 77
LUKYN, WILLIAM 100

M

Magie in der Zahnheilkunde 11, 12
Malignombehandlung 158
MARK AUREL, röm. Kaiser 102
Marktschreier als Zahnbehandler 16
MARTIAL, röm. Dichter 86, 89
MARTINEZ, FRANCISCO 33, 43, 53, 89
Mastikatoren 137, 138
Mastix 148
MATHIEU (Instrumentenmacher) 40
MAURY, C. F. 44, *47,* 49, 56, *72,* 73, 80, 130, 136, *144*

Maus
– als Heilmittel gegen Zahnschmerz und Mundgeruch 10
– dem Sonnenkult zugeordnet 9,10
– Gegengift zum Tode 10
McDOWELL 75
Medical Staffs Corps 69
Meißel 93, *116,* 128, *133*
MERRY, CHARLES *74,* 75
MESMER, FRANZ ANTON 121
Mikro-Organismen des Mundes 149
MOHAMMED, Religionsstifter 10, 151
Molaren 20
Mönche, vom Aderlassen ausgeschlossen 15
MONRO, ALEXANDER 38, 44, 46
Morphium 102, 115
MORRISON, JAMES BEALL 76, 141
MORTON, WILLIAM THOMAS GREEN 103, 104, 108, 112
Mosaisches Gesetz 10
Mundgeruch 30, 102
Mundhygiene, Mundhygieneinstrumente *57,* 128, 142–154
Mundöffner 137
Mundsperrer 111, *120,* 137
Mundspiegel 122–125
Mundwasser 143
MURPHY, EDWARD WILLIAM 110
MURRAY, JOHN 111
Murray-Maske 111

N

Narkosegeräte 104, *105,* 106, *107,* 108, 109, 110
Nasenklemme 111, *116*
NASMYTH, ALEXANDER 25
NASMYTH, JAMES *72,* 73, 75
NATTERER, M. 113
NERO, röm. Kaiser 102, 151
Nervenextraktor 80
NIEMANN, ALBERT 115
NUCK, ANTON 32, 56, 90

O

Obturatoren 134, 158
Odontagogon, antikes Extraktionsinstrument 40
Odontological Society of Great Britain 25
Odontological Society of London 25
Odontologische Physiognomie (dentale Ausdruckskunde) 14
„Operateur für die Zähne" 20
Opium 102
ORÉ, PIERRE-CYPRIEN 115
OREIBASIOS aus Pergamon, griech. Arzt 15
ORMSBY, LAMBERT HEPENSTAL 109
OVID, röm. Dichter 144
Owen-Stuhl 141

P

PALMER, JOHN 68
PALMERSTON, Lord 97

Papageienschnabel 53, 56, 70, 128
Papyrus Ebers 15, 146
PARÉ, AMBROISE 30, 35, 53, 87, 134
PARMLY, LEVI SPEAR 22, 69
PAULLINI, CHRISTIAN FRANZ 143
PAULUS von Ägina, griech. Arzt 15
Pelikan, s. Extraktionsinstrumente
PEPYS, SAMUEL 86
PEREZ, ANTONIO 144
PERKINS, WILLIAM 8, 75
PERRET, JEAN-JACQUES (Instrumentenmacher) 35, 38, 46, 56, 65
PERSEPHONE, griech. Göttin 102
PFAFF, PHILIPP 64, 65, 77, 93, 128
Pfaffsche Hebelzange 65
PILLEAU, PÉZÉ 90
PLINIUS d. Ä. (GAJUS P. SECUNDUS), röm. Historiker 10, 14, 31, 142
Porzellanzähne 96
„pot-lids" *117, 147,* 148, 149
POULSON, GEO 167
PRAVAZ, CHARLES GABRIEL 115
Prämolaren 20
PRIDEAUX, S. 49
PRIESTLEY, JOSEPH 111
Prothesen, s. Zähne, künstliche Prothesenträger 101
Pulpakammer (Cavum dentis) 20
PUPPI, LUDWIG *67*
PURMANN, MATTHEUS GOTTFRIED 89

Q

Quacksalberei, Verbot 16

R

RAE, WILLIAM 25, 46, 93
Raspatorium 41, 130
REGNART, LOUIS NICHOLAS 85
RENNER, FRANZ 134
Repoussoir, s. Stoßeisen
REVERE, PAUL 24, *73*
RICHARD III., engl. König 14
RICHTER, AUGUST GOTTLIEB 41
ROBERT, ARTHUR 85
ROBINSON, JAMES 26, 106
ROGUET, SIEUR 24
Röhrenzahn 99
ROUS, JOHN 14
ROWLANDSON, THOMAS 89
Royal College of Surgeons 26, 28, 44, 46, 65, 68
RUSPINI, BARTHOLOMEW *94,* 125
RYFF, WALTER 32, 33, 35, 38, 41, 43, 53, 128, 149

S

SALTER, SAMUEL JAMES AUGUSTUS 43
SAMPSON, ARTHUR ERNEST 110
Saugkammer-Prothese 97
SAVIGNY (Instrumentenmacher) 41, 43, 49
Schausteller als Zahnbehandler 16
Schimmelbusch-Maske 111
Schlangenzunge 70

Personen- und Sachverzeichnis

Schlüssel des Frère Côme 46
SCHMIDT, JOSEPH 38
Schrauben, s. Extraktionsinstrumente
Schraubstock 93
SCULTETUS, JOHANNES 41, 53, 77, 130, 137
Separierfeilen *131*
Separiersäge *116, 123, 131*
SERRE, JOHANN JACOB JOSEPH 33, 41, 43, 51, *52*, 56, 63, *71*, 73, *164*
SERTÜRNER, FRIEDRICH WILHELM 102
SHAKESPEARE, WILLIAM, engl. Dichter und Dramatiker 9, 14
SHARPE, JOSEPH 121
SHEPHERD, J. GLASFORD 63
SIBSON, FRANCIS 109
SIMPSON (Instrumentenmacher) 49
SIMPSON, JAMES YOUNG 109, 111
SIMPSON, ROBERT 50
Skalpelle 70, 132, 134
Skarifikator 134
SKINNER, ROBERT CARTLAND 24
SKINNER, THOMAS 111
Skinner-Maske 110, 111
SMITH 108
SMOLLETT, TOBIAS 144
SNELL, JAMES 49, 63, 80, *124*, 125, 139
SNOW, JOHN 106, 109, 110, 114
SOLDO, MAURO 33, 46
SOLINGEN, CORNELIUS 40, 70
Sonden 130
Sonne
– Beziehung zum Zahn 8
– Kult 7, 8
SOPER, PHILO 75
SOUBEIRON, EUGÈNE 109
SOUTHEY, ROBERT 112
SPENCE, JAMES 49
SPENCER 75
STENT, CHARLES 100
Stichel (kleine Zahnreiniger) 56, 128
Stickoxydul („Lachgas") 111–115
Stiftkronen 92
STOCKER, JOHANNES 82
STONE, EDWARD 102
Storchenschnabel 53
Stoßeisen 40, 41, *42*, 43, 56, *78*
STRATMANN, H. *165*
SWIFT, JONATHAN, ir.-engl. Schriftsteller 147

T

TAFT, JONATHAN 75
Talmud 10, 86, 151
TAVEAU, AUGUSTE ONÉSIME 82
Thermokauter 157
TOMES, SIR JOHN 25, 43, 64, *74, 81*, 100, 161, *174*
TRUMAN, EDWIN 99
TRYON, THOMAS 143
TURNOVSKY, FRIEDRICH 108

V

Velin (synthet. Pergament) 134

Vereisungsmittel 121
VERNEY, SIR RALPH 144
VESALIUS, ANDREAS 20
VICARY, THOMAS 30
VICTORIA, engl. Königin 149
Volkskunde 155

W

Wachsmodell 89
WADSWORTH, H. N. 51
WAITE, GEORGE 80, *116*, 121
Wangenabhalter *52*, 77, 80, *140*
WASHINGTON, GEORGE, Präsident der USA 24, *93*, 96
Waterloo-Zähne 97
WATT, JAMES 111
Watterollenhalter *140*
Weichgummi *134*
WEISS (Instrumentenmacher) 63, *98*, 138
WELLS, HORACE 112, 114
WESTCOTT, AMOS 75
WHITE, S. S. (Instrumentenmacher) *52, 55, 74, 75*, 76, *79*, 97, 99, 114, 141, 146, 158, 167, *178*
WICKES, GEORGE 144
WIGHTMAN, JOSEPH (Instrumentenmacher) 104
WOOD, ALEXANDER 115
WOODALL, JOHN 35, 41, 56, 128, 129, 132
WOOFFENDALE, ROBERT 24
WORSTTHORNE, PEREGRINE 28
WREN, CHRISTOPHER 115
Wundstarrkrampf 137
Wurzelextraktion 53
Wurzelstift 92

Y

YEBER 103
YPERMAN, JAN 77

Z

Zahn, Zähne
– Anzahl bei Männern und Frauen 15
– Ausdrucksmittel 7, 8
– Bezug zum Sonnenkult 7, 8
– Brauchtum 7–15
– faule 30
– Gottheit 15
– Kauwerkzeuge 7
– künstliche *79*, 86–101
– – als Statussymbol 87
– Mittel der Identifizierung 7, 24
– Redensarten 7, 8
– Schmuck 7
– Symbol der Lebenskraft 8
– Symbol für Unsterblichkeit 7
– Verehrung 8
– Verteidigungswaffen 7
– Zaubermittel 8

Zahnärzte 160
– Approbation 26
– Beruf 15
– sozialer Status 28
Zahnarztgesetz von 1878 26
zahnärztliche Vereinigungen 24, 25
Zahnbelag 149
Zahnbetterkrankungen 125
Zahnbildung und -struktur 20
Zahnbürsten 24, 144, 146, 151
Zahndurchbruch 14
Zahnfleischerkrankungen 15, 132
Zahnfüllungen, Material 80–85
Zahngesundheit 15, 143
Zahnheilkunde 20, 28, 29, 76, 77, 96, 99, 102, 110, 113, 114, 121, 130, 136, 160
– Ausbildung in Deutschland 64
– Behandlungsmethoden 16, 20, 21, 22, 28, 69, 76
– Examina, von Ärzten und Chirurgen durchgeführt 21
– Fortschritte 77
– führende Stellung Amerikas 24
– Handwerk für Vagabunden 21
– kein Zweig der Chirurgie 25
– konservierende 163
– Nebenbeschäftigung 24
– Stand eines gelehrten Berufes 21
– Trennung von der allgemeinen Medizin 20
– und Geld 15
Zahnhygiene 143
Zahnklinik 25
Zahnpasten 24, 146, 147
Zahnpflege, Zahnpflegemittel 8, 10, *120*, 142, 143, 146–149, 151
Zahnprothesen 70, 137
Zahnpulver 147
Zahnpulverdose 146, 148, 151
Zahnreinigungsinstrumente 73, *80, 95*, 125–129
Zahnreinigungsmittel 147, 148
Zahnsäckchen 136
Zahnschlüssel, s. Extraktionsinstrumente
Zahnschmerzen
– Behandlung 8, 30, 31, 161
– Bekämpfung mit Magnetismus 121
– Folge von Zuckergenuß 30
– Linderung mit Elektrizität 121
Zahnschmerzzettelchen 12
Zahnseide 146
Zahnseparatoren *120, 135*, 136, 137
Zahnstein 147
Zahnstocher 20, *149*, 151–154
Zahntechniker 97, 160
Zahntransplantation 89
Zahnverfall 102
Zahnwurm 8, 9
– Behandlungsmethoden 9, 69, 102
– Ursache des Zahnschmerzes 9
Zahnzangen, s. Extraktionsinstrumente
Zahnzieher
– alten Stils 20
– fahrende 10, *17*, 162
– quacksalberische 9, 22, 26
– Zungenschaber *118, 119*, 146, 149–151